CARAVAL

STEPHANIE GARBER

Tradução
Camila Fernandes

2ª Impressão — 2017

Produção editorial: Equipe Novo Conceito
Preparação de texto: Robson Falcheti Peixoto
Revisão de texto: Valquíria Della Pozza

Garber, Stephanie
Caraval / Stephanie Garber ; tradução Camila Fernandes. – Ribeirão Preto, SP : Novo Conceito Editora, 2017.

Título original: Caraval
ISBN 978-85-8163-856-0 – edição brochura
ISBN 978-85-8163-763-1 – edição capa dura

1. Ficção norte-americana I. Título.

CDD-813

Índices para catálogo sistemático:
1. Ficção : Literatura norte-americana 813

Rua Dr. Hugo Fortes, 1885
Parque Industrial Lagoinha
14095-260 – Ribeirão Preto – SP
www.grupoeditorialnovoconceito.com.br

Para minha mãe e meu pai,
por me ensinarem o significado
do amor incondicional.

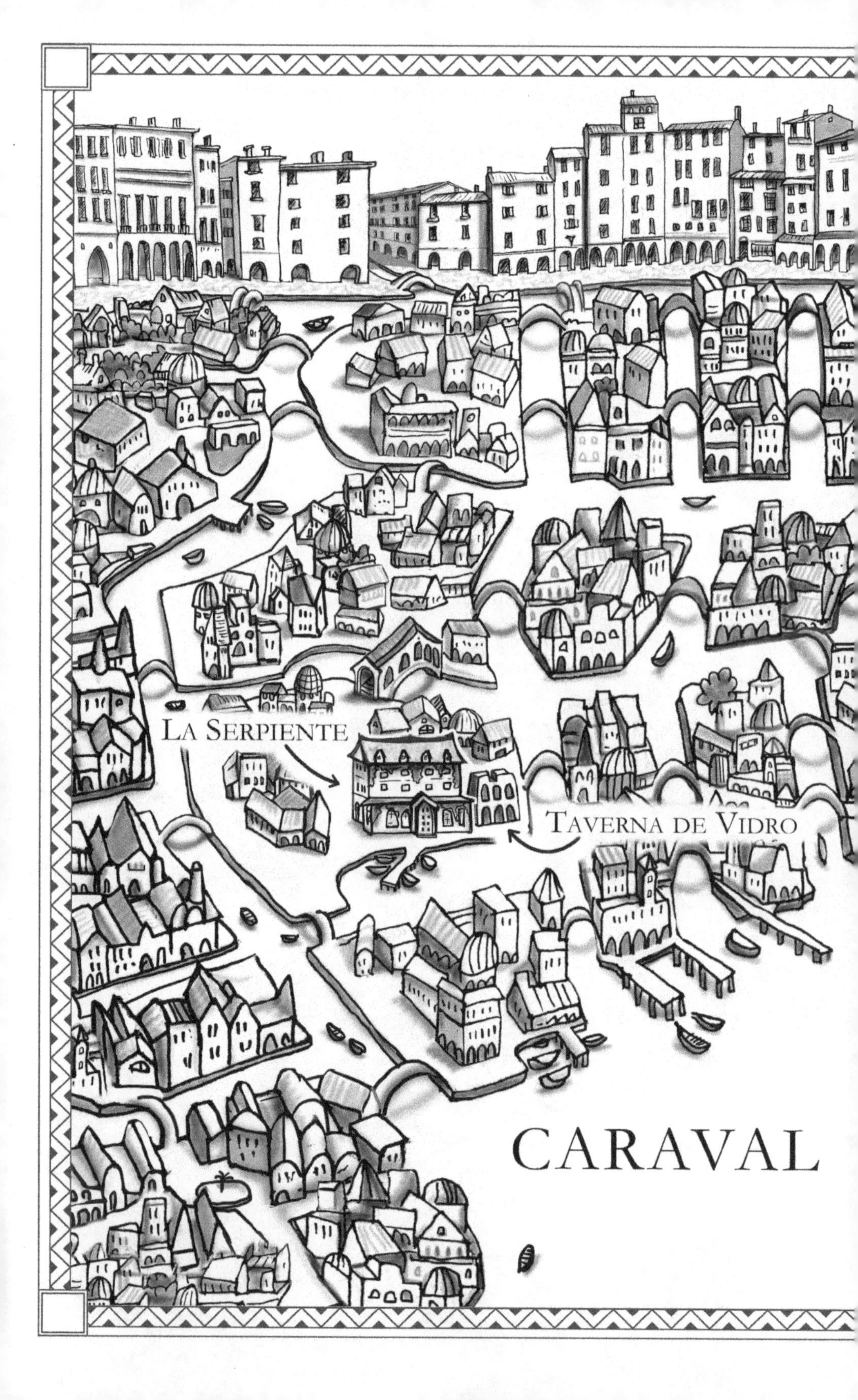
La Serpiente
Taverna de Vidro
CARAVAL

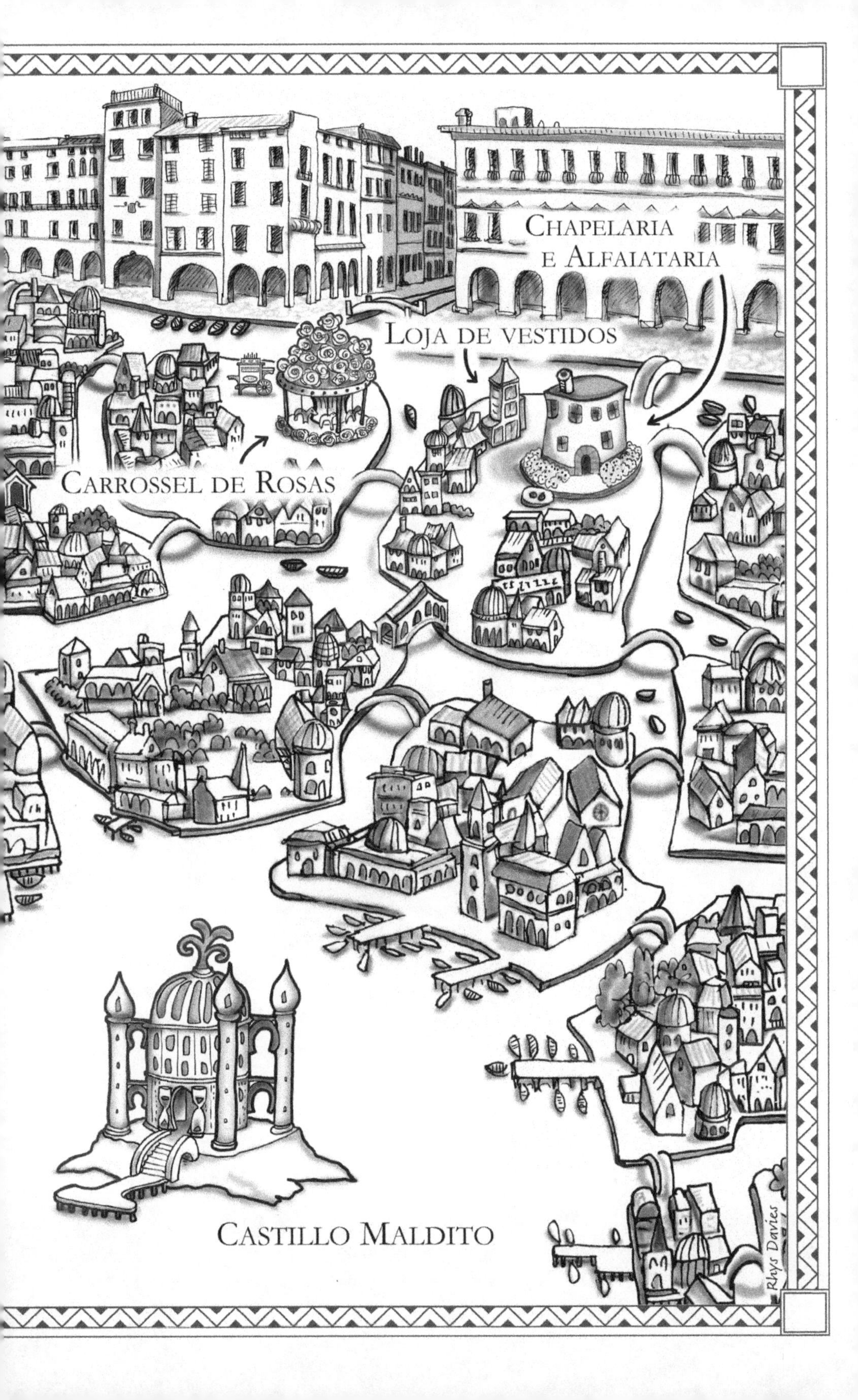
Chapelaria
e Alfaiataria
Loja de vestidos
Carrossel de Rosas
Castillo Maldito
Rhys Davies

A ILHA DE TRISDA

Levou sete anos para acertar a carta.

Ano 50, Dinastia Elantine

Caro Senhor Grande Mestre do Caraval

Meu nome é Scarlett, mas estou escrevendo esta carta pela minha irmã, Donatella. Logo vai ser o aniversário dela e ela gostaria muito de ver o senhor e seus fantásticos atores do Caraval. O aniversário dela é no trigésimo sétimo dia da Estação Germinal e seria o aniversário mais maravilhoso do mundo se o senhor viesse.

Com muitas esperanças

Scarlett, da Ilha Conquistada de Trisda

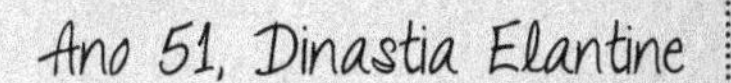
Ano 51, Dinastia Elantine

Caro Senhor Grande Mestre do Caraval

Aqui é Scarlett de novo. O senhor recebeu minha última carta? Este ano, minha irmã diz que está velha demais para comemorar o aniversário, mas acho que ela só está aborrecida porque o senhor nunca veio para Trisda. Nesta Estação Germinal ela vai fazer dez anos e eu vou fazer onze. Ela não admite, mas ainda gostaria muito de ver o senhor e seus espantosos atores do Caraval.

Com muitas esperanças

Scarlett, da Ilha Conquistada de Trisda

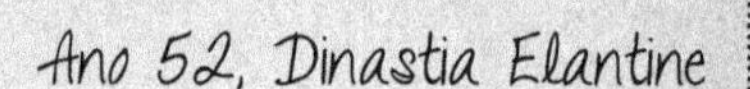
Ano 52, Dinastia Elantine

Caro Mestre Lenda do Caraval

Peço desculpas por ter errado seu nome nas outras cartas. Espero que não seja essa a razão do senhor não ter vindo para Trisda. O aniversário da minha irmã não foi o único motivo pelo qual eu quis que o senhor trouxesse seus maravilhosos atores do Caraval para cá. Eu também adoraria vê-los.

Lamento por esta carta ser curta, é que meu pai vai ficar furioso se me pegar escrevendo para o senhor.

Com muitas esperanças

Scarlett, da Ilha Conquistada de Trisda

Ano 52, Dinastia Elantine

Caro Mestre Lenda do Caraval

Acabei de ouvir a notícia e quis enviar meus pêsames. Mesmo que o senhor ainda não tenha vindo para Trisda nem tenha respondido a nenhuma das minhas cartas, sei que não é um assassino. Fiquei muito triste ao saber que o senhor vai parar de viajar por um tempo.

Muito carinhosamente

Scarlett, da Ilha Conquistada de Trisda

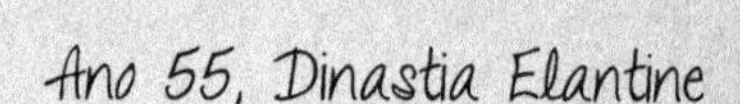

Ano 55, Dinastia Elantine

Caro Mestre Lenda

Lembra-se de mim, Scarlett, da Ilha Conquistada de Trisda? Sei que já faz alguns anos desde a última vez que escrevi. Ouvi dizer que o senhor e seus atores voltaram a se apresentar. Minha irmã me disse que o senhor nunca visita o mesmo lugar duas vezes, mas muita coisa mudou desde que o senhor esteve aqui, cinquenta anos atrás, e eu acredito de verdade que ninguém gostaria de ver uma das suas apresentações mais do que eu.

Com muitas esperanças

Scarlett, da Ilha Conquistada de Trisda

Ano 56, Dinastia Elantine

Caro Mestre Lenda

Ouvi dizer que o senhor visitou a capital do Império do Sul no ano passado e mudou a cor do céu. É verdade? Cheguei a tentar ir para lá com minha irmã, mas não devemos sair de Trisda. Às vezes penso que nunca vou conseguir ir além das Ilhas Conquistadas. Acho que é por isso que eu queria tanto que o senhor e seus atores viessem para cá. Provavelmente não adianta pedir de novo, mas espero que o senhor considere a ideia.

Com muitas esperanças

Scarlett, da Ilha Conquistada de Trisda

Ano 57, Dinastia Elantine

Caro Mestre Lenda

Esta é minha última carta. Logo vou me casar. Então, talvez fosse melhor se o senhor e seus atores não viessem para Trisda este ano.

Scarlett Dragna

Ano 57, Dinastia Elantine

Cara Scarlett Dragna
da Ilha Conquistada de Trisda,

Parabéns pelas núpcias vindouras. Lamento não poder levar meus atores para Trisda. Não vamos viajar este ano.

Nossa próxima apresentação será somente por convite, mas eu adoraria conhecer você e seu noivo se pudessem encontrar um modo de saírem da ilha e se juntarem a nós.

Por favor, aceite o anexo como um presente.

Da pena do Mestre Lenda do Caraval

Os sentimentos de Scarlett vieram em cores mais vívidas que o normal. O vermelho urgente do carvão em brasa. O verde ávido dos novos brotos de grama. O amarelo frenético das penas dos pássaros em movimento.

Ele finalmente havia respondido.

Ela leu a carta novamente. Outra vez. Mais outra. Os olhos absorveram cada traço afiado de tinta, cada curva sinuosa no brasão prateado do mestre do Caraval — uma estrela dentro de um sol e uma gota de lágrima dentro da estrela. O mesmo emblema estava gravado como marca-d'água nos pedaços de papel no interior do envelope.

Não era enganação.

— Donatella!

Scarlett mergulhou escada abaixo até a adega, à procura da irmã mais nova. Os aromas conhecidos de melaço e carvalho subiram pelo nariz, mas a patife não estava em lugar nenhum.

— Tella... cadê você?

Lâmpadas a óleo lançavam um brilho âmbar sobre as garrafas de rum e vários outros barris de madeira há pouco preenchidos. Ao passar, Scarlett ouviu um gemido e notou também uma respiração pesada. Depois da última briga com o pai, Tella provavelmente havia bebido demais e adormecido em algum canto, no chão.

— Dona...

Engoliu a segunda metade do nome da irmã.

— Oi, Scar.

Tella lançou a Scarlett um sorriso frouxo, todo dentes brancos e lábios inchados. Os cabelos loiros, cor de mel, estavam uma bagunça, e o xale havia caído no chão. Mas foi a visão do jovem marinheiro, com as mãos em torno da cintura de Tella, que fez Scarlett gaguejar:

— Interrompi alguma coisa?

— Nada que a gente não possa começar de novo. — O marinheiro falava com um sotaque sulista, melódico e muito mais suave do que as línguas afiadas do Império Meridiano às quais Scarlett estava acostumada.

Tella deu uma risadinha, mas pelo menos teve a decência de ficar corada.

— Scar, você conhece Julian, certo?

— Que prazer ver você, Scarlett. — Julian sorriu, tão tranquilo e sedutor quanto um trecho de sombra na Estação Quente.

Scarlett sabia que a resposta educada seria algo semelhante a "é bom ver você também". Mas só conseguiu pensar nas mãos dele, ainda cingidas na saia azul-celeste de Tella, brincando com as borlas das anquinhas, como se ela fosse um pacote que ele mal podia esperar para abrir.

Julian estava na ilha de Trisda havia cerca de um mês. Quando descera do navio se pavoneando, alto e bonito, com pele castanho-dourada, atraíra os olhares de quase todas as mulheres. Até mesmo Scarlett virara a cabeça por um instante, mas sabia que não devia olhar por mais tempo.

— Tella, pode vir comigo um momento? — Scarlett conseguiu fazer um gesto de cabeça para Julian, educadamente. Contudo, assim que passaram por barris suficientes para conversar sem serem ouvidas, continuou: — O que está fazendo?

— Scar, você vai se casar; acho que deveria estar ciente do que acontece entre um homem e uma mulher. — Tella cutucou o ombro da irmã, brincalhona.

— Não é disso que estou falando. Sabe o que vai acontecer se nosso pai pegar vocês.

— É por isso que planejo não ser pega.

— Por favor, fale sério — pediu Scarlett.

— Estou falando. Se nosso pai nos pegar, vou dar um jeito de jogar a culpa em você. — Deu um sorriso mordaz. — Mas acho que você não veio aqui embaixo para falar disso. — Baixou o olhar até a carta nas mãos de Scarlett.

A luz vaga de uma lanterna tocou as bordas metálicas do papel, fazendo-as brilhar num lampejo dourado, a cor da magia, dos desejos e das promessas do porvir. O endereço no envelope acendeu-se com o mesmo lustro.

Senhorita Scarlett Dragna
Aos cuidados do confessionário do padre
Trisda
Ilhas Conquistadas do Império Meridiano

Os olhos de Tella recuperaram o foco quando ela entendeu a escrita radiante. A irmã de Scarlett sempre havia gostado de coisas bonitas, como o jovem que ainda a esperava atrás dos barris. Muitas vezes, quando Scarlett perdia um de seus objetos mais belos, podia encontrá-lo enfiado no quarto da irmã.

Tella, porém, não tentou pegar a carta. Suas mãos continuaram ao lado do corpo, como se ela não quisesse ter nada a ver com aquilo.

— É outra carta do conde? — Cuspiu o título como se falasse do demônio.

Scarlett pensou em defender o noivo, mas a irmã já havia expressado o que pensava sobre aquele noivado. Não fazia diferença que os casamentos arranjados estivessem muito em voga no resto do Império Meridiano, nem que o conde tivesse passado vários meses fielmente mandando as cartas mais gentis para Scarlett; Tella recusava-se a entender como Scarlett podia se casar com alguém que nunca conhecera pessoalmente. No entanto, casar-se com um homem que jamais vira assustava Scarlett bem menos que a ideia de ficar em Trisda.

— Bom — insistiu Tella —, vai me dizer o que é isso, então?

— Não é do conde. — Scarlett falou em voz baixa para que o amigo marinheiro de Tella não ouvisse. — É do Mestre do Caraval.

— Ele respondeu? — Tella agarrou a carta. — Pela divina dentadura!

— Shhh! — Scarlett empurrou a irmã em direção aos barris. — Alguém pode ouvir você!

— Não posso nem comemorar? — Tella pegou os três pedaços de papel escondidos dentro do convite. A luz da lâmpada atingiu os selos à prova d'água. Por um momento, brilharam em dourado, como as bordas da carta, antes de mudar para um perigoso tom de carmim sanguíneo.

— Viu isso? — Tella arfou quando o torvelinho de letras prateadas se materializou na página, dançando lentamente até formar as palavras: *Ingresso Individual: Donatella Dragna, das Ilhas Conquistadas.*

O nome de Scarlett apareceu no outro.

O terceiro só continha as palavras *Ingresso Individual.* Como os outros convites, este estava impresso acima do nome de uma ilha da qual ela nunca ouvira falar: *Isla de los Sueños.*

Scarlett imaginou que o convite sem nome fosse para o noivo e, por um momento, pensou em como poderia ser romântico, já casados, conhecerem juntos o Caraval.

— Ah, veja, tem mais! — gritou Tella quando novas linhas de escrita apareceram nos ingressos.

Para serem usados apenas uma vez, ao entrar no Caraval.

Os portões principais fecham à meia-noite, no décimo terceiro dia da Estação Germinal, durante o 57º ano da Dinastia Elantine. Qualquer pessoa que chegue depois disso não será capaz de participar do jogo, nem de conquistar o prêmio deste ano, que é de um desejo.

— Faltam só três dias — comentou Scarlett, as cores vívidas que então sentira retornando aos tons vagos da cinzenta decepção. Não deveria ter pensado, nem por um instante, que isso pudesse dar certo. Se o Caraval fosse dali a três meses, talvez, ou até mesmo dali a três semanas; em *algum momento* depois de ela se casar. Seu pai não revelara a data exata do casamento, mas ela sabia que não aconteceria em menos de três dias. Partir antes disso seria impossível; e muito, muito perigoso.

— Mas veja só o prêmio deste ano — disse Tella. — Um desejo.

— Pensei que você não acreditasse em desejo.

— E eu pensei que você fosse ficar mais feliz com isso. Sabe que as pessoas matariam para botar as mãos nestes ingressos?

— Você não viu a parte em que ele diz que precisamos sair da ilha? — Não importava quanto Scarlett quisesse ir ao Caraval, precisava ainda mais do casamento. — Para chegar lá em três dias, provavelmente teríamos que sair amanhã.

— Por que acha que estou tão entusiasmada? — A luz nos olhos de Tella ficou mais brilhante; quando estava feliz, todo o mundo cintilava, fazendo Scarlett querer sorrir com ela e dizer sim a tudo o que a irmã desejasse. Scarlett, porém, aprendera bem demais como era decepcionante confiar numa coisa tão ilusória quanto um desejo.

Scarlett afiou a voz, odiando a si mesma por ser aquela a arruinar a alegria da irmã, mas era melhor que fosse ela e não alguém que pudesse destruir mais que isso.

— Você também andou bebendo rum aqui embaixo? Esqueceu o que nosso pai fez da última vez que tentamos sair de Trisda?

Tella encolheu-se. Por um momento, pareceu a garotinha frágil que tanto fingia não ser. Então, com a mesma rapidez, sua expressão mudou, os lábios rosados curvando-se mais uma vez num sorriso, indo de derrotada a inabalável.

— Isso foi dois anos atrás; agora somos mais inteligentes.

— Também temos mais a perder — insistiu Scarlett.

Para Tella, era fácil deixar de lado o que tinha acontecido quando tentaram ir ao Caraval. Scarlett nunca contara à irmã tudo o que o pai tinha feito em retaliação ao ato das filhas; não queria que Tella vivesse com tanto medo, olhasse o tempo todo para trás e soubesse que havia coisas piores que o padrão dos castigos impostos pelo pai.

— Não me diga que é porque está com medo que isso interfira no seu casamento. — Tella segurou os ingressos com mais força.

— Pare. — Scarlet os tomou dela. — Você vai amassar as bordas.

— E você está se esquivando da minha pergunta, Scarlett. Tem a ver com seu casamento?

— Claro que não. Tem a ver com não poder sair da ilha amanhã. Nós nem sabemos onde fica esse lugar. Eu nunca ouvi falar da Isla de los Sueños, mas sei que não é uma das Ilhas Conquistadas.

— Eu sei onde fica. — Julian saiu de trás de vários barris de rum, ostentando um sorriso que informava que não pediria desculpas por ouvir uma conversa particular.

— Isso não é da sua conta. — Scarlett o dispensou com um gesto de mão.

Julian a olhou de modo estranho, como se nenhuma garota jamais o tivesse dispensado.

— Só estou tentando ajudar. Você nunca ouviu falar dessa ilha porque não é parte do Império Meridiano. Não é governada por nenhum dos cinco Impérios. A Isla de los Sueños é a ilha particular de *Lenda*, apenas uns dois dias de viagem, e, se quiserem chegar lá, posso levá-las secretamente no meu navio, por um preço. — Julian fitou o terceiro ingresso. Cílios grossos contornavam seus olhos castanho-claros, feitos especialmente para convencer as garotas a levantar a saia e abrir os braços.

As palavras de Tella sobre pessoas que matariam para ficar com aqueles ingressos ecoaram na mente de Scarlett. Julian podia ter um rosto encantador, mas também tinha um sotaque do Império do Sul, e todos sabiam que o Império do Sul era um lugar sem lei.

— Não — respondeu Scarlett. — Será perigoso demais se nos pegarem.

— Tudo o que fazemos é perigoso. Já estaremos em apuros se nos pegarem aqui embaixo com um garoto — argumentou Tella.

Julian pareceu ofendido por ser citado como garoto, mas Tella prosseguiu antes que ele pudesse protestar:

— Nada do que fazemos é seguro. Mas isso vale o risco. Você esperou a vida inteira por isso, desejou a cada estrela cadente, rezou para que cada navio entrando no porto fosse a nau mágica que carrega os misteriosos atores do Caraval. Você quer isso ainda mais do que eu.

O que quer que tenha ouvido sobre o Caraval não se compara à realidade. É mais do que só um jogo ou apresentação. É a coisa mais parecida com magia que você verá neste mundo. As palavras de sua avó brincaram na mente de Scarlett enquanto olhava para os pedaços de papel nas mãos. As histórias do Caraval que ela adorava quando criança nunca pareceram mais verdadeiras que naquele momento. Sempre via lampejos de cor vinculados às suas emoções mais intensas, e por um instante um desejo amarelo-ouro se acendeu dentro dela. Scarlett deixou-se imaginar brevemente como seria ir à ilha particular da Lenda, jogar o jogo e ganhar o desejo. Liberdade. Escolhas. Prodígios. Magia.

Uma fantasia bela e ridícula.

E era melhor que ficasse só na fantasia. Os desejos eram tão reais quanto unicórnios. Quando mais nova, Scarlett havia acreditado nas histórias da vovó sobre a magia do Caraval, mas, ao crescer, deixara os contos de fadas para trás. Nunca vira nenhuma prova de que a magia existisse. Agora, parecia mais provável que as histórias da vovó fossem os exageros de uma velha.

Uma parte de Scarlett ainda queria desesperadamente conhecer o esplendor do Caraval, mas sabia que era tolice acreditar que a magia pudesse mudar sua vida. A única pessoa capaz de dar a ela ou à irmã uma vida nova era o noivo de Scarlett, o conde.

Agora que não seguravam mais a lâmpada, as letras nos ingressos tinham desaparecido e o papel voltara ao aspecto quase comum.

— Tella, não podemos. É arriscado demais; se tentarmos sair da ilha... — Scarlett se deteve quando ouviu ranger os degraus que levavam à adega. Passos pesados de botas vieram em seguida. Pelo menos três pares.

Em pânico, Scarlett olhou para a irmã.

Tella soltou um palavrão e fez um gesto rápido mandando que Julian se escondesse.

— Não desapareçam por minha causa. — O Governador Dragna terminou de descer, o cheiro acre do terno excessivamente perfumado confiscando os aromas intensos da adega.

Mais que depressa, Scarlett guardou a carta no bolso do vestido.

Atrás do pai vinham três guardas, que o acompanhavam ao mesmo passo.

— Acho que não nos conhecemos. — Ignorando as filhas, o governador estendeu a mão a Julian. Usava luvas cor de ameixa, o tom dos hematomas e do poder.

Ao menos mantinha as luvas. Retrato da cortesia, o Governador Dragna gostava de se vestir de modo impecável, de sobrecasaca preta feita sob medida e colete purpúreo listrado. Tinha quarenta e poucos anos, mas não se deixara engordar como outros homens. Seguindo a última moda, usava os cabelos loiros presos num rabo de cavalo com uma bela fita preta, exibindo as sobrancelhas aparadas e o cavanhaque loiro-escuro.

Julian era mais alto, mas o governador ainda conseguia encará-lo com superioridade. Scarlett pôde ver o pai avaliando o casaco marrom remendado do marinheiro e as calças folgadas enfiadas dentro das botas gastas que iam até os joelhos.

O fato de Julian não ter hesitado antes de estender a mão sem luva para o governador atestou a autoconfiança do primeiro.

— Bom conhecer o senhor. Julian Marrero.

— Governador Marcello Dragna. — Os dois apertaram as mãos. Julian tentou retirar a sua, mas o governador a manteve presa. — Julian, você não deve ser desta ilha, é?

Desta vez, o jovem hesitou.

— Não, senhor. Sou marinheiro. Imediato do *El Beso Dorado*.

— Então, está só de passagem. — O governador sorriu. — Gostamos dos marinheiros por aqui. Ajudam nossa economia. As pessoas estão dispostas a pagar caro para atracar nesta ilha e gastam mais dinheiro durante a visita. Agora, me diga uma coisa, o que achou do meu rum? — Gesticulou com a mão livre, indicando a adega. — Imagino que era isso que estava degustando aqui embaixo, não?

— Não, senhor. Quero dizer, sim, senhor — corrigiu-se Julian. — Tudo o que experimentei é muito bom.

— Incluindo minhas filhas.

Scarlett se retesou.

— Pelo seu hálito eu percebo que não andou bebendo rum — disse o Governador Dragna. — E sei que não estava aqui embaixo jogando cartas nem fazendo uma prece. Então, me diga, qual das minhas filhas você estava degustando?

— Oh, não, o senhor entendeu errado. — O marinheiro balançou a cabeça, arregalando os olhos como se jamais pensasse em fazer algo tão vergonhoso.

— Foi Scarlett — disse Tella. — Eu desci aqui e peguei os dois no flagra.

Não. Scarlett xingou mentalmente a tola da irmã.

— Pai, ela está mentindo. Foi Tella, não eu. Fui eu quem os pegou.

O rosto de Tella ficou vermelho.

— Scarlett, não minta! Você só vai piorar a situação.

— Não estou mentindo! Pai, foi Tella. Acha mesmo que eu faria uma coisa dessas, semanas antes do meu casamento?

— Pai, não dê ouvidos a ela — interrompeu Tella. — Eu a ouvi cochichar que isso ajudaria a acalmar os nervos dela antes do casamento.

— Mais uma mentira...

— Chega! — O governador se voltou para Julian, cuja mão morena ainda estava fortemente segura pela luva perfumada cor de ameixa. — Minhas filhas têm o mau hábito de ser desonestas, mas tenho certeza de que você será mais objetivo. Agora, me diga, meu jovem, com qual das minhas filhas você estava aqui embaixo?

— Acho que houve um engano...

— Não cometo enganos — interrompeu o governador. — Vou dar a você mais uma chance de contar a verdade, senão...

Cada um dos guardas deu um passo à frente.

Os olhos de Julian saltaram para Tella.

Balançando vigorosamente a cabeça, Tella formou o nome com os lábios: *Scarlett.*

Scarlett tentou chamar a atenção de Julian, tentou dizer a ele que estava cometendo um erro, mas pôde ver a decisão no rosto do marinheiro antes mesmo que ele respondesse:

— Foi Scarlett.

Garoto descuidado. Sem dúvida pensava estar fazendo um favor a Tella, quando era bem o contrário.

O governador soltou Julian e tirou as luvas perfumadas de ameixa.

— Eu lhe avisei — disse ele a Scarlett. — Você sabe o que acontece quando é desobediente.

— Pai, por favor, foi apenas um beijo muito breve. — Scarlett tentou se colocar na frente de Tella, mas um guarda a empurrou em direção aos barris, segurando-a rudemente pelos cotovelos e prendendo-os às costas, enquanto ela lutava para proteger a irmã. Pois não era Scarlett quem seria punida por esse crime. Toda vez que uma delas desobedecia a ele, o Governador Dragna dava um castigo horrível à outra.

Na mão direita, o governador tinha dois anéis grandes, com uma ametista quadrada e um diamante púrpura afiado. Virou os dois em torno dos dedos, então sua mão recuou e atingiu o rosto de Tella.

— Não! A culpa foi minha! — gritou Scarlett; um erro que, sabia, não deveria cometer.

O pai bateu mais uma vez em Tella.

— Por mentir — salientou ele. O segundo golpe foi mais forte que o primeiro, derrubando a garota de joelhos, enquanto rastros de sangue lhe escorriam pela face.

Satisfeito, o governador recuou. Limpou o sangue da mão no colete de um dos guardas. Então, voltou-se para Scarlett. De algum modo, parecia mais alto que antes, enquanto Scarlett parecia encolher-se de tamanho. Não havia nada que o pai pudesse fazer para feri-la mais do que forçá-la a olhar enquanto batia na irmã.

— Não me decepcione de novo.

— Sinto muito, pai. Cometi um erro idiota. — Foi a coisa mais verdadeira que ela disse em toda aquela manhã. Podia não ter sido *degustada* por Julian, mas novamente falhara em proteger Tella. — Não vai se repetir.

— Espero que cumpra a palavra. — O governador voltou a calçar a luva, depois pôs a mão dentro do casaco e tirou uma carta dobrada. — Eu provavelmente não deveria dar isto a você, mas talvez faça com que se lembre de tudo o que tem a perder. Seu casamento será daqui a dez dias, no fim da semana que vem, no vigésimo dia. Se houver algum obstáculo, haverá mais sangue, e não só no rosto da sua irmã.

Scarlett ainda sentia o perfume do pai. Tinha o mesmo cheiro da cor de suas luvas: anis e lavanda e alguma coisa semelhante a ameixa podre. O odor ficou com ela depois que ele se foi, pairando no ar em torno de Tella, enquanto Scarlett, sentada ao lado da irmã, esperava que uma empregada trouxesse bandagens limpas e suprimentos médicos.

— Você deveria ter me deixado contar a verdade — disse Scarlett. — Ele não teria me batido tanto assim para punir você. Não considerando que meu casamento é daqui a dez dias.

— Talvez ele não tivesse batido no seu rosto, mas teria feito alguma outra coisa igualmente cruel. Quebrado um dedo para você não conseguir terminar sua colcha de casamento. — Tella fechou os olhos e se encostou num barril de rum. Agora, sua bochecha estava quase da mesma cor das malditas luvas do pai. — E sou eu que mereço ser castigada, não você.

— Ninguém merece isso — disse Julian. Era a primeira vez que falava desde que o pai delas saíra. — Eu...

— Não — interrompeu Scarlett. — Suas desculpas não vão curar as feridas.

— Eu não ia oferecer desculpas. — Julian parou, como se ponderasse sobre o que iria dizer. — Vou mudar minha oferta de tirar vocês duas da ilha. Vou levá-las de graça, se decidirem que querem partir. Meu navio sai do porto amanhã, ao raiar do dia. Venham falar comigo se mudarem de ideia. — Olhou de Scarlett para Tella, antes de desaparecer escada acima.

— Não — protestou Scarlett, percebendo o que Tella queria antes que ela dissesse qualquer palavra. — Se formos embora, tudo será pior quando voltarmos.

— Não pretendo voltar. — Tella abriu os olhos. Estavam marejados, mas determinados.

Scarlett quase sempre ficava irritada pela impulsividade da irmã mais nova, mas também sabia que, quando Tella se decidia, não havia como fazê-la mudar de plano. Percebeu que Tella tomara uma decisão antes mesmo da chegada da carta de Mestre Lenda do Caraval. Por isso descera ali com Julian. Pelo modo como ela o ignorara quando o jovem saiu, era óbvio que não se importava com ele. Só queria um marinheiro que pudesse tirá-la de Trisda. E agora Scarlett lhe dera a razão de que precisava para ir embora.

— Scar, você deveria vir também — rogou ela. — Sei que acha que seu casamento vai salvar e proteger você, mas, e se o conde for tão ruim quanto o pai, ou pior?

— Ele não é — insistiu Scarlett. — Você saberia se tivesse lido as cartas dele. É um perfeito cavalheiro, e prometeu tomar conta de nós duas.

— Ah, irmã. — Tella sorriu, mas não foi um sorriso feliz. Foi o tipo de sorriso que se dá pouco antes de se dizer uma coisa que se prefere não ter a necessidade de dizer. — Se ele é assim tão *cavalheiro*, por que é tão reticente? Por que você só conhece o título dele, e não o nome?

— Não é por causa dele. Manter a identidade dele em segredo é outro modo de o pai tentar nos controlar. — A carta nas mãos de Scarlett provava isso. — Veja por si mesma. — Entregou a carta à irmã.

Primeiro dia da Estação Germinal
Ano 57, Dinastia Elantine

Minha caríssima Scarlett

Esta será minha última carta. Logo embarcarei num navio em direção às Ilhas Conquistadas. Seu pai queria fazer da data do nosso casamento uma surpresa, mas pedi a ele que lhe entregasse este bilhete porque imagino que nos vermos pela primeira vez já será surpresa o bastante — e, por tudo o que ouvi sobre você, também das mais agradáveis aos meus olhos.

Enquanto lhe escrevo, as empregadas já estão preparando um quarto de hóspedes para sua irmã mais nova. Creio que vocês duas serão muito felizes em Valenda —

Faltava o resto da página. Não só as palavras do noivo haviam sido interrompidas, mas o pai fizera a gentileza de remover qualquer vestígio do selo de cera da carta, que poderia ter dado a Scarlett alguma indicação do homem com quem ia se casar.

Mais um dos jogos perversos dele.

Às vezes, sentia que toda a Trisda estivesse sob uma cúpula, uma enorme peça de vidro que prendia a todos em seu interior, enquanto o pai os olhava do alto, movendo — e removendo — as pessoas que não estivessem nos devidos lugares. Todo o mundo de Scarlett era um grande tabuleiro de jogo, e o pai acreditava que este casamento seria o penúltimo movimento dele, colocando tudo o que desejava ao alcance das próprias mãos.

O Governador Dragna era mais rico que a maioria dos oficiais das ilhas, devido a seu comércio de rum e outros negócios no mercado negro; Trisda, porém, era uma das Ilhas Conquistadas, e com isso faltavam a ele o poder e o respeito que almejava. Não importava quanta riqueza acumulasse, os regentes e os nobres do resto do Império Meridiano o ignoravam.

Não importava que a ilha de Trisda e as outras quatro Ilhas Conquistadas fossem parte do Império Meridiano havia mais de sessenta anos; os ilhéus ainda eram vistos como os mesmos camponeses incultos e mal-educados da época em que o Império os subjugara. Entretanto, de acordo com o pai de Scarlett, o casamento mudaria tudo isso, unindo-o a uma família nobre que finalmente lhe renderia alguma respeitabilidade — e mais poder também, é claro.

— Isso não prova nada — contestou Tella.

— Mostra que ele é gentil e atencioso e...

— Qualquer um pode parecer cavalheiro numa carta. Mas você sabe que só uma pessoa vil faria uma barganha com nosso pai.

— Pare de dizer essas coisas. — Scarlett tomou o bilhete de volta. A irmã estava errada. Até mesmo a caligrafia do conde ilustrava cuidado, curvas nítidas e linhas suaves. Se fosse indiferente, não teria escrito para ela tantas cartas a fim de apaziguar seus medos, muito menos prometido levar Tella com ele para a capital do Império Elantine, Valenda (um lugar onde as mãos do pai não poderiam alcançá-las).

Parte de Scarlett sabia que havia uma chance de o conde não ser tudo o que ela esperava, mas viver com ele haveria de ser melhor do que viver com o pai. E não poderia se arriscar a desafiar o pai, não quando o aviso cruel ainda lhe ecoava pela mente: *Se houver algum obstáculo, haverá mais sangue, e não só no rosto da sua irmã.*

Scarlett não poria o casamento em risco por uma simples chance de ganhar um desejo durante o Caraval.

— Tella, se tentarmos fugir sozinhas, o pai nos caçará até o fim do mundo.

— Então, viajaremos pelo menos até o fim do mundo. Prefiro morrer a viver aqui, ou presa na casa do seu conde.

— Não pode estar falando sério — ralhou Scarlett. Detestava quando Tella dizia essas coisas temerárias. Às vezes, temia que a irmã tivesse um desejo de morte. As palavras *prefiro morrer* passavam pelos lábios da garota com uma frequência alarmante. Também parecia esquecer como o mundo podia ser perigoso. Assim como as histórias do Caraval, a avó de Scarlett também contara histórias sobre o que acontecia com as moças que não tinham família para protegê-las. Garotas que tentavam se virar sozinhas, que imaginavam obter empregos respeitáveis apenas para descobrir que haviam sido vendidas para bordéis ou fábricas com condições de trabalho deploráveis.

— Você se preocupa demais. — Tella se levantou de pernas bambas.

— O que vai fazer?

— Não vou mais esperar nenhuma empregada. Não quero ninguém mexendo no meu rosto por uma hora e depois me forçando a passar o dia deitada. — Tella pegou o xale caído no chão e o usou para cobrir a cabeça como um lenço, escondendo a parte ferida do rosto. — Se vou partir no navio de Julian amanhã, há coisas das quais preciso cuidar, como mandar uma mensagem para avisá-lo de que nosso encontro será de manhã.

— Espere! Você não está pensando direito. — Scarlett foi atrás da irmã, mas Tella subiu correndo os degraus e passou rapidamente pela porta antes que ela a alcançasse.

Lá fora, o ar estava denso como sopa, e o pátio tinha um cheiro vespertino — úmido, salgado e pungente. Alguém devia ter acabado de trazer uma leva de peixes para as cozinhas. O odor sazonado parecia estar por toda parte, enquanto Scarlett perseguia Tella debaixo das arcadas brancas desgastadas pelo tempo e através dos salões cobertos por telhas de barro.

Para o pai de Scarlett, a propriedade nunca era grande o bastante. Ficava no limite da cidade, com mais terreno que a maioria; então, sempre se podia ampliar a casa. Mais quartos de hóspedes. Mais pátios. Mais corredores ocultos onde contrabandear garrafas de álcool ilegal e sabe-se lá mais o quê. Scarlett e a irmã não tinham permissão para entrar nos novos cômodos. E, se o pai as pegasse correndo desse jeito, não hesitaria em mandar chicotear os pés das duas. Mas calcanhares e dedos feridos não seriam nada comparados ao que ele faria se descobrisse que Tella estava tentando sair da ilha.

A neblina da manhã ainda não havia se esvaído. Scarlett perdeu a irmã de vista várias vezes, quando Tella se aventurava pelos corredores mais enevoados. Por um instante, imaginou que a perdera completamente. Então, viu um pedaço do vestido azul dirigindo-se a um lance de escadas que levava ao ponto mais alto da propriedade Dragna — o confessionário do padre. Uma torre alta feita de pedras brancas que brilhavam ao sol, de forma que todos na cidade pudessem vê-la. O Governador Dragna gostava que as pessoas o considerassem um homem devoto, embora, na verdade, nunca declarasse seus atos vis a ninguém, tornando este um dos poucos locais da ilha aonde raramente ia — perfeito para o envio e recebimento de cartas secretas.

Scarlett apertou o passo no alto da escada, finalmente alcançando a irmã no pátio em forma de meia-lua em frente às portas de madeira esculpida que levavam ao confessionário.

— Pare! — gritou Scarlett. — Se escrever para o marinheiro, vou contar tudo ao pai!

A figura se deteve imediatamente. Então, foi a vez de Scarlett ficar paralisada, pois a névoa se dissipou e a garota se virou. A luz intensa do sol chegou ao pequeno pátio, iluminando uma jovem noviça vestida de azul. Com a cabeça coberta por um lenço, ela se parecera com Tella.

Scarlett precisava admitir que a irmã desencaminhada era boa em escapar. Enquanto o suor escorria pela nuca, imaginou Tella surrupiando suprimentos em algum outro lugar na propriedade, preparando-se para ir com Julian no dia seguinte.

Scarlett precisava de outro modo de impedi-la.

Tella passaria um tempo odiando a irmã, mas Scarlett não podia deixá-la perder tudo pelo Caraval. Não quando o casamento de Scarlett podia salvar a ambas — ou destruí-las, caso não acontecesse.

Seguiu a jovem noviça, entrando no confessionário. Pequeno e redondo, estava sempre tão silencioso que Scarlett conseguia ouvir as velas crepitarem. Grossas e derretidas, estavam em todas as paredes de pedra, iluminando tapeçarias de santos em vários estados de agonia, enquanto o pó e as flores secas criavam um aroma envelhecido. O nariz de Scarlett coçou ao passar por uma fila de bancos de madeira. No fim da fila, papéis para anotar os pecados jaziam num altar.

Antes de sua mãe desaparecer, sete anos atrás, Scarlett nunca estivera nesse lugar. Nem sabia que, para confessarem, as pessoas escrevessem todas as suas más ações num papel e o entregassem aos padres, que jogavam os escritos no fogo. Como o pai, a mãe de Scarlett, Paloma, não fora religiosa. No entanto, depois que Paloma desapareceu de Trisda, Scarlett e a irmã sentiram-se desesperadas e, sem terem para onde ir, foram ali para rezar pelo retorno da mãe.

É claro que as súplicas não tiveram resposta, mas os padres não foram totalmente inúteis; as irmãs descobriram que eles eram muito discretos em relação à entrega de mensagens.

Scarlett pegou um pedaço de papel de confissão e escreveu um bilhete com cuidado.

Preciso falar com você hoje à noite.
Encontre-me na Praia del Ojos.
Uma hora depois da meia-noite.
É importante.

Antes de entregar a carta a um padre, com uma generosa doação, Scarlett endereçou a mensagem, mas não a assinou. Em vez do nome, desenhou um coração. Esperou que bastasse.

Quando Scarlett tinha oito anos, para mantê-la longe da costa, os guardas do pai a alertaram sobre a areia preta e cintilante da Praia del Ojos.

— É preta porque na verdade são os restos queimados de esqueletos de piratas — disseram. Tendo oito anos e sendo ligeiramente mais tola que agora, ela havia acreditado.

Por pelo menos um ano, ela não se atreveu a se aproximar da praia nem para ver a areia. Um dia, Felipe, o filho mais velho de um dos guardas mais gentis do seu pai, revelou a verdade — a areia era só areia, não tinha osso de pirata nenhum. Mas a mentira já se enterrara dentro de Scarlett, como muitas vezes acontece com as mentiras contadas às crianças. Não importava quantas pessoas confirmassem a verdade. Na mente de Scarlett, a areia preta da Praia del Ojos sempre seriam esqueletos queimados de piratas.

Ao chegar lá à noite, a lua azul pintalgada lançando uma luz sinistra sobre a areia anormal, ela voltou a pensar naquela mentira; sentiu a areia entrar nas sapatilhas e deslizar por entre os dedos dos pés ao se aproximar da enseada negra e rochosa de Del Ojos. À direita, a praia terminava num penhasco negro e denteado. À esquerda, uma doca quebrada semelhante a uma língua enorme avançava pela água, passando por rochas que faziam Scarlett pensar em dentes tortos. Era o tipo de noite na qual conseguia farejar a lua, cera de velas grossas dançando com a fragrância salina do mar, cheia e fulgurante.

Pensou nos ingressos misteriosos que trazia no bolso enquanto a lua ardente a lembrava de como a escrita metálica brilhara naquele dia. Por um momento, ficou tentada a mudar de ideia, ceder à irmã e à pequena parte de si que ainda era capaz de sonhar.

Mas já tinha feito isso antes.

Felipe reservara passagens para Scarlett e Tella numa escuna.

As duas só tinham alcançado a rampa do navio, e chegar a esse ponto lhes custara muito. Um dos guardas fora particularmente rude com Tella, deixando-a inconsciente ao arrastá-la de volta à propriedade. Scarlett, contudo, ficara consciente ao ser levada para longe das docas. Fora forçada a ficar à beira da praia rochosa, onde a água das poças de ondas azuis penetrou suas botas, olhando o pai afundar Felipe no oceano.

Ela é quem deveria ter sido afogada naquela noite. Era a cabeça dela que o pai deveria ter segurado debaixo d'água. Segurado até os membros pararem de se debater e o corpo ficar inerte e morto como as algas que vinham dar à praia. Mais tarde, as pessoas pensaram que Felipe tinha se afogado por acidente; só Scarlett sabia a verdade.

— Se fizer uma coisa dessas de novo, sua irmã sofrerá o mesmo destino — avisara o pai.

Scarlett nunca contara a ninguém. Protegia Tella deixando-a acreditar que a irmã mais velha só se tornara extremamente zelosa. Scarlett era a única que sabia que nunca poderiam sair de Trisda em segurança a não ser que tivesse um marido para levá-las dali.

As ondas estalavam na costa, abafando o som dos passos, mas ela os ouviu.

— Você não é a irmã que eu esperava ver. — Julian se aproximou. No escuro, parecia mais um pirata que um marinheiro comum, e conduzia-se com a tranquilidade experiente de alguém em quem Scarlett sentia que seria insensato confiar. A noite tingira o casaco longo de um negro profundo, enquanto as sombras contornavam as maçãs do rosto, tornando-as afiadas como lâminas.

Agora ela se questionava se teria sido boa ideia arriscar-se a sair da propriedade para encontrar esse garoto tão tarde da noite numa praia tão isolada. Era o tipo de comportamento louco e inconsequente contra o qual sempre advertia Tella.

— Imagino que tenha mudado de ideia quanto à minha oferta? — perguntou ele.

— Não, mas tenho uma contraproposta para você. — Scarlett tentou parecer valente ao sacar os ingressos elegantes do Mestre Lenda do Caraval. Seus dedos não queriam soltá-los, mas tinha que fazer isso por Tella. Ao voltar para o próprio quarto no começo da noite, Scarlett o encontrara revirado. O desastre fora tamanho que não tinha conseguido distinguir exatamente o que a irmã roubara, mas Tella obviamente estivera furtando coisas para levar nessa malfadada viagem.

Scarlett estendeu os ingressos para Julian.

— Pode ficar com os três. Use ou venda, não importa, desde que saia daqui cedo, e sem Donatella.

— Ah, então é um suborno.

Ela não gostava dessa palavra. Estava associada demais ao pai. Em se tratando de Tella, porém, faria o que fosse necessário, mesmo que isso significasse desistir da última coisa com a qual ainda sonhava.

— Minha irmã é impulsiva. Ela quer ir embora com você, mas não tem ideia de como isso é perigoso. Se nosso pai a pegar, fará coisa muito pior do que fez hoje.

— E ela estará segura se ficar aqui? — A voz de Julian saiu baixa, levemente debochada.

— Quando eu me casar, pretendo levá-la comigo.

— Mas ela quer ir com você?

— Ela me agradecerá por isso depois.

Julian exibiu um sorriso lupino, o branco dos dentes cintilando ao luar.

— Sabe, isso foi exatamente o que sua irmã me disse hoje.

Os instintos de alerta de Scarlett se ativaram tarde demais. Ela se virou ao ouvir novos passos. Tella estava atrás dela, a silhueta baixa coberta por um casaco escuro que a fazia parecer parte da noite.

— Sinto muito por fazer isso, mas foi você quem me ensinou que não há nada mais importante do que tomar conta de uma irmã.

De repente, Julian pôs um pano sobre o rosto de Scarlett. Ela tentou se desvencilhar freneticamente. Os pés chutaram nuvens de areia. Mas, qualquer que fosse a poção encharcando o pano, era potente e fez sua mágica num instante.

O mundo girou em torno de Scarlett até ela não saber mais se estava de olhos abertos ou fechados.

Estava caindo

caindo

caindo.

Antes de perder completamente os sentidos, Scarlett sentiu uma mão gentil acariciar seu rosto.

— É melhor assim, irmã. A vida é mais do que ficar em segurança...

As palavras lançaram Scarlett num mundo que só existia no delicado reino dos sonhos lúcidos.

Uma sala feita de janelas surgiu à vista e ela ouviu a voz da avó. Uma lua cheia de cicatrizes piscava através do vidro, iluminando as figuras lá dentro com uma luz azul granulada.

Versões mais jovens de Scarlett e Tella, feitas de mãos pequeninas e sonhos inocentes, encolhiam-se juntas na cama enquanto a avó as cobria. Embora a mulher tivesse passado mais tempo com as meninas depois que a mãe delas partira, Scarlett não se lembrava de outra noite em que a avó as colocara na cama; isso normalmente era trabalho dos serviçais.

— Conta uma história do Caraval? — pediu a pequena Scarlett.

— Eu quero saber do Mestre Lenda — concordou Tella. — Conta uma história sobre como ele ganhou esse nome?

Diante da cama, Vovó sentou-se numa cadeira estofada como se fosse um trono. Fios de pérolas negras contornavam o pescoço esbelto, enquanto outras cobriam os braços, do pulso ao cotovelo, como luvas luxuosas. Seu vestido engomado cor de alfazema não tinha um único vinco, o que dava mais ênfase às rugas gravadas em seu rosto outrora bonito.

— Lenda veio da família Santos, uma família de artistas — começou ela. — Eram dramaturgos e atores, e todos sofriam de uma infeliz falta de talento. A única razão pela qual faziam sucesso era por serem belos como anjos. Diziam os rumores que um dos filhos, Lenda, era o mais belo de todos.

— Mas achei que Lenda não fosse o nome verdadeiro dele — disse Scarlett.

— Não posso contar o nome original dele. Mas posso dizer que, como todas as grandes histórias, e também as terríveis, a dele começou com um amor. O amor pela elegante Annalise, dos cabelos dourados e palavras feitas de açúcar. Ela o enfeitiçou como ele antes fizera com tantas garotas: com elogios e beijos e promessas nas quais deveria saber que não podia acreditar.

Vovó continuou:

— Lenda não era rico nessa época. Vivia principalmente do charme e dos corações roubados, e Annalise alegou que isso bastava para ela, mas que seu pai, um rico mercador, nunca a deixaria se casar com um homem pobre.

— E eles se casaram? — perguntou Tella.

— Você vai descobrir se continuar ouvindo — advertiu a Vovó.

Atrás dela, uma nuvem encobria a lua, escondendo tudo, menos dois pontinhos de luz que pairavam atrás dos cabelos grisalhos da mulher como os chifres de um demônio.

— Lenda tinha um plano — prosseguiu ela. — Elantine estava prestes a ser coroada imperatriz do Império Meridiano, e, se pudesse se apresentar na coroação, Lenda acreditava que isso lhe traria a fama e o dinheiro de que precisava para se casar com Annalise. Só que Lenda foi rejeitado, infelizmente, por sua falta de talento.

— Eu o teria deixado entrar — garantiu Tella.

— Eu também — concordou Scarlett.

Vovó franziu o cenho.

— Se vocês duas não pararem de interromper, não vou terminar a história.

As meninas fecharam a boca e apertaram os lábios até parecerem dois corações rosados em miniatura.

— Lenda não tinha nenhuma magia nessa época — continuou Vovó —, mas acreditava nas histórias que o pai tinha lhe contado. Ouvira dizer que todas as pessoas conseguem um desejo impossível, só um, se quiserem uma coisa mais que tudo, e podem encontrar um pouco de magia para ajudá-las. Então, Lenda saiu em busca de uma mulher que havia estudado encantamentos.

— Ela quer dizer "bruxa" — sussurrou Scarlett.

Vovó parou, e os olhos da pequena Scarlett e da miúda Tella se arregalaram até ficarem do tamanho de pires, enquanto o quarto de vidro se transformava nas paredes de madeira de uma cabine triangular. A história de Vovó ganhava vida diante dos olhos delas. Velas de cera amarela pendiam do teto de ponta-cabeça, derramando a fumaça densa na direção errada.

No centro de tudo, uma mulher de cabelos vermelhos como a fúria estava sentada diante de um garoto feito de linhas esguias, a cabeça coberta por uma cartola preta. *Lenda*. Embora Scarlett não pudesse ver o rosto com clareza, reconheceu o chapéu simbólico.

— A mulher perguntou qual era a coisa que ele mais queria — prosseguiu Vovó —, e Lenda disse a ela que desejava liderar a maior trupe de artistas que o mundo jamais vira, para poder estar com seu grande amor, Annalise. Mas a mulher o avisou de que não poderia ter as duas coisas. Precisava escolher só uma. Lenda era tão orgulhoso quanto bonito e acreditava que ela estivesse enganada. Convenceu-se de que, se fosse famoso, poderia se casar com Annalise. Então, esse foi o seu desejo. Disse que queria que suas apresentações fossem lendárias. Mágicas.

Uma brisa invadiu a sala, apagando todas as velas, menos a que iluminava Lenda. Scarlett não conseguia distinguir o rosto, mas poderia jurar que alguma coisa nele havia mudado, como se de repente adquirisse uma nova sombra.

— A transformação começou na mesma hora — explicou Vovó. — A mágica era alimentada pelos desejos verdadeiros de Lenda, que de fato eram poderosos. A bruxa disse a ele que suas apresentações seriam transcendentais, misturando a fantasia e a realidade de um modo que o mundo nunca testemunhara. Mas também avisou que todo desejo tem um preço, e, quanto mais ele se apresentasse, mais se transformaria nos papéis que desempenhava. Se fizesse o papel de vilão, Lenda se tornaria um na vida real.

— Então quer dizer que ele é vilão? — perguntou Tella.

— E Annalise? — bocejou Scarlett.

Vovó suspirou.

— A bruxa não mentiu quando disse que Lenda não poderia ter fama e Annalise. Depois de se tornar Lenda, ele não foi mais o mesmo garoto por quem ela se apaixonou, de modo que ela se casou com outro e partiu o coração dele. Lenda se tornou tão famoso quanto tinha desejado, mas declarou que Annalise o traiu e jurou nunca mais amar ninguém. Provavelmente, há quem o chame de vilão. Outros dizem que sua magia o torna mais parecido com um deus.

Tanto a pequena Scarlett quanto a miúda Tella estavam a meio caminho do sono. As pálpebras estavam mais fechadas que abertas, embora as bocas se movessem, formando luas crescentes voltadas para cima. A de Tella sorria para a palavra *vilão*, mas Scarlett se deliciava à menção da magia de Lenda.

6

Scarlett acordou com a sensação de que perdera uma coisa importante. Ao contrário da maior parte dos dias, quando os olhos se abriam relutantes e ela passava um bom tempo espreguiçando cada membro antes de sair da cama e olhar atentamente ao redor, hoje ela se sentou bem ereta no momento em que os olhos se abriram.

Debaixo dela, o mundo sacudia.

— Cuidado aí. — Julian a apoiou, estendendo a mão para segurá-la antes que tentasse ficar de pé no barco, se é que a banheira na qual estavam podia ser chamada de barco. Bote era um nome mais adequado. Mal comportava os dois.

— Por quanto tempo dormi? — Scarlett segurou as bordas do bote enquanto a paisagem ganhava foco.

Diante dela, Julian mergulhou dois remos na água, tomando cuidado para não respingar na garota ao remar num mar desconhecido. A água parecia quase cor-de-rosa, com pequenos torvelinhos azuis que cresciam enquanto o sol acobreado subia no céu.

Era manhã, embora Scarlett imaginasse que mais de um dia tivesse raiado enquanto dormia. O rosto de Julian estivera liso quando o vira pela última vez, mas agora a mandíbula e o queixo estavam cobertos pelo que parecia uma barba escura de ao menos dois dias.

Ele estava ainda mais indecente do que quando dera aquele sorriso lupino na praia.

— Seu canalha! — Scarlett deu-lhe um tapa na cara.

— Ai! Por que fez isso? — Um vergão carmim brotou na face dele. A cor da raiva e do castigo.

Scarlett foi tomada de horror pelo que tinha feito. Já tivera dificuldade para conter a língua, mas nunca havia batido em ninguém.

— Sinto muito! Não queria fazer isso! — Segurou-se nas bordas do banco, preparando-se para a retribuição.

Mas o tapa que esperava nunca veio.

A bochecha de Julian tinha um tom raivoso de vermelho, a mandíbula reduzida a uma série de linhas tensas; contudo, ele não a tocou.

— Não precisa ter medo de mim. Eu nunca bateria numa mulher. — Parou de remar e a olhou nos olhos. Diferentemente do olhar provocante que exibira na adega e do ar predatório que ela vira na praia, agora ele não fazia a menor tentativa de encantá-la ou assustá-la. Por trás da aparência rude de Julian, Scarlett pôde ver um resquício da expressão que havia em seu rosto quando vira o pai das garotas bater em Tella. Tinha ficado tão chocado quanto Scarlett ficara horrorizada.

Na bochecha, a marca da mão ia se esvaindo, e, quando desapareceu, Scarlett sentiu parte do terror arrefecer. Nem todos reagiam como seu pai.

Os dedos dela soltaram os cantos do barco, embora as mãos ainda tremessem.

— Sinto muito — repetiu. — Mas você e Tella nunca deveriam ter... espere. — Ela se deteve. A sensação horrível de ter perdido uma coisa vital aflorou novamente. E tal coisa tinha cabelos cor de mel e um rosto de querubim com o sorriso de um demônio. — Onde está Tella?

Julian voltou a mergulhar os remos na água, e desta vez molhou Scarlett. Gotas geladas se espalharam pelo colo dela.

— Se você tiver feito alguma coisa com ela, eu juro que...

— Relaxe, Carmim...

— É Scarlett.

— Mesma coisa. E sua irmã está bem. Você vai encontrá-la na ilha. — Julian apontou com o remo para o destino dos dois.

Estava preparada para continuar discutindo, mas, quando seus olhos captaram o ponto para onde apontava o marinheiro, o que quer que pretendesse dizer se derreteu como manteiga quente na língua.

A ilha no horizonte em nada se parecia com sua Trisda. Enquanto esta era toda areia preta, enseadas rochosas e arbustos de aspecto doentio, o pedaço de terra visto ao longe era todo vivo e exuberante. A névoa cintilante rodeava montanhas de um verde vívido — totalmente cobertas por árvores — que se erguiam rumo ao céu como esmeraldas gigantescas. Do alto do pico mais amplo uma cascata de azul iridescente caía como as plumas liquefeitas de um pavão, desaparecendo no anel de nuvens tingidas pela alvorada que circundavam agitadas a ilha surreal.

Isla de los Sueños.

A ilha dos sonhos. Scarlett nunca ouvira falar da ilha antes de ver seu nome nos ingressos para o Caraval, mas sabia sem dúvida que estava diante dela agora. *A ilha particular de Lenda.*

— Você tem sorte por ter dormido até aqui. O resto da nossa viagem não foi tão pitoresco — Julian disse isso como se tivesse feito um favor a ela. Não importava, porém, quanto essa ilha fosse sedutora, as lembranças de outra ilha pesavam em sua mente.

— A que distância fica Trisda? — perguntou.

— Estamos em algum lugar entre as Ilhas Conquistadas e o Império do Sul — respondeu Julian preguiçosamente, como estivessem só passeando na praia perto da casa do pai.

Na verdade, Scarlett nunca estivera assim tão longe de casa. Seus olhos arderam quando gotas de água salgada os atingiram.

— Há quantos dias nós saímos?

— É o décimo terceiro dia da estação. Mas, antes que você me bata de novo, saiba que sua irmã ganhou tempo fazendo com que pensem que vocês duas foram raptadas.

Scarlett relembrou o modo destrutivo como Tella remexera suas coisas, deixando o quarto em frangalhos.

— É por isso que meu quarto estava uma bagunça?

— Ela também deixou um bilhete pedindo resgate — acrescentou Julian. — Então, na volta, você ainda vai poder se casar com seu conde e viver *feliz para sempre.*

Scarlett admitia que a irmã era inteligente. Mas, se o pai descobrisse a verdade, ficaria furioso — especialmente com o casamento dali a apenas uma semana. A imagem de um dragão púrpura expelindo fogo pelas ventas veio à mente, cobrindo sua visão com as sombras fumegantes da ansiedade.

Mas talvez uma visita a esta ilha valha o risco. A brisa pareceu sussurrar as palavras, lembrando-a de que o décimo terceiro dia era também a data do convite de Lenda. *Qualquer pessoa que chegue depois disso não será capaz de participar do jogo, nem de conquistar o prêmio deste ano, que é de um desejo.*

Scarlett tentou não se deixar entusiasmar, mas a criança dentro dela se embriagou avidamente desse novo mundo. As cores eram mais vivas, mais densas, afiadas; em comparação, cada tom que ela já vira antes parecia magro e subnutrido.

As nuvens adquiriam um brilho bronzeado à medida que os dois se aproximavam da ilha, como se estivessem a ponto de pegar fogo em vez de expelir chuva. Isso a fez pensar na carta do Mestre Lenda do Caraval, com suas bordas que quase pareciam arder em chamas quando captavam a luz. Sabia que precisava voltar para casa imediatamente, mas a expectativa do que poderia encontrar na ilha particular de Lenda era tentadora, como esses preciosos momentos da alvorada, quando Scarlett poderia acordar e encarar a realidade implacável do dia ou continuar de olhos fechados, sonhando com coisas agradáveis.

Mas a beleza podia ser traiçoeira; prova disso era o jovem sentado diante dela, remando e levando o bote suavemente pela água, como se sequestrar garotas fosse coisa que fazia todos os dias.

— Por que Tella já está na ilha? — perguntou Scarlett.

— Porque neste bote só cabem dois por vez. — O remo de Julian espirrou água em Scarlett mais uma vez. — Você deveria ficar grata por eu voltar para buscá-la depois de deixar sua irmã lá.

— Para começo de conversa, nunca pedi para você me trazer.

— Mas passou sete anos escrevendo cartas para *Lenda*, não?

Scarlett sentiu um calor subir às faces. Não somente o fato de aquelas cartas terem sido um assunto íntimo que ela compartilhara apenas com Tella, mas o modo debochado como Julian mencionou o nome de Lenda fez com que ela se sentisse tola, como realmente fora por muitos anos. Uma criança à qual faltava perceber que a maior parte dos contos de fadas não terminava bem.

— Não precisa se envergonhar — acrescentou Julian. — Tenho certeza de que muitas mocinhas escrevem cartas para Lenda. Provavelmente você já ouviu dizer que ele nunca envelhece. E ouvi dizer que tem o hábito de fazer as pessoas se apaixonarem por ele.

— Não foi nada assim — argumentou Scarlett. — Não havia nada de romântico nas minhas cartas. Eu só queria conhecer a magia.

Julian estreitou os olhos como se não acreditasse nela.

— Se essa é a verdade, por que você não quer mais?

— Não sei o que minha irmã lhe contou, mas pensei que você tivesse entendido o que estava em jogo naquele dia, na adega. Quando era pequena, eu queria conhecer o Caraval. Agora, só quero que minha irmã e eu fiquemos seguras.

— Acha que sua irmã não quer a mesma coisa? — Julian parou de remar e deixou o bote flutuar numa onda suave. — Posso não conhecê-la muito bem, mas não acho que ela queira morrer.

Scarlett discordava.

— Acho que você esqueceu como é viver, e sua irmã está tentando fazê-la lembrar — prosseguiu ele. — Mas, se tudo o que você quer é *segurança*, eu a levo de volta.

Fez um gesto indicando um pontinho ao longe que lembrava um pequeno barco de pesca. De certo, era o navio que tinham usado para chegar até ali, já que o bote obviamente não fora construído para enfrentar os mares.

— Mesmo que você não saiba nada sobre navegação, não deve levar muito tempo para que seja pega por alguém e levada de volta à sua preciosa

Trisda. Ou — Julian fez uma pausa e indicou a ilha branca e nebulosa —, se for tão corajosa quanto sua irmã insiste em dizer, pode deixar que eu continue remando. Passe esta semana com ela na ilha e veja se ela tem razão sobre algumas coisas serem mais importantes que a segurança.

Uma onda sacudiu o bote, jogando a água turquesa nas laterais enquanto flutuavam em direção ao anel de nuvens frescas da ilha. Os cabelos de Scarlett se colaram à parte de trás do pescoço e os cachos escuros de Julian se ondularam ainda mais.

— Você não entende — disse ela. — Se eu esperar para voltar a Trisda, meu pai vai me destruir. Devo me casar com um conde daqui a uma semana, e esse casamento é nossa oportunidade de ter outra vida. Eu adoraria conhecer o Caraval, mas não estou disposta a arriscar minha única chance de ser feliz.

— Esse é um jeito bem dramático de ver as coisas. — O canto da boca de Julian repuxou, como se estivesse contendo um sorriso zombeteiro. — Posso estar enganado, mas a maior parte dos casamentos não é um mar de rosas.

— Não foi isso que eu disse. — Scarlett detestava o modo como ele distorcia suas palavras.

Julian mergulhou o remo no mar, só o bastante para espirrar água nela mais uma vez.

— Pare com isso!

— Eu paro quando você me disser aonde quer ir. — Molhou-a de novo enquanto o bote se aproximava da costa, e as nuvens cor de bronze começaram a perder o lustro, adquirindo tons gélidos de verde e azul.

Havia uma fragrância no ar que Scarlett nunca sentira. Trisda sempre fedia a peixe, mas o ar ali era um tanto doce com um toque cítrico e picante. Ela se perguntou se estaria impregnado de drogas, pois, embora soubesse o que tinha a fazer — chegar à ilha, encontrar Tella e voltar para casa o mais rápido possível —, estava tendo dificuldade para dizer isso a Julian. De repente, voltou a ter nove anos, uma menina ingênua e sonhadora o bastante para acreditar que uma carta poderia tornar seus sonhos realidade.

Escrevera pela primeira vez quando sua mãe, Paloma, as abandonara. Quisera dar a Tella um feliz aniversário. A irmã ficara mais devastada que ela com a partida da mãe. Scarlett havia tentado compensar a ausência de Paloma. Mas era jovem, e Tella não era a única desesperada de saudade da mãe.

Teria sido mais fácil se desapegar dela se ao menos tivesse se despedido, deixado um bilhete ou uma mínima pista sobre o paradeiro e a razão da partida. Mas Paloma tinha simplesmente desaparecido, sem levar nada consigo. Sumira como uma estrela cadente, deixando o mundo intocado, a não ser pela luz que ninguém jamais voltaria a ver.

Scarlett poderia ter se perguntado se o pai havia ferido a mãe, mas ele ficara furioso quando Paloma o deixara. Virou a propriedade do avesso à procura dela. Mandou os guardas vasculharem as cidades sob o pretexto de perseguir um criminoso, já que não queria que ninguém soubesse da fuga da esposa. Não tinha sido sequestrada, pois não havia sinais de luta e nenhum pedido de resgate jamais chegou. Ela parecia ter escolhido partir, o que tornava tudo muito pior.

Apesar de tudo, Scarlett sempre pensou na mãe como uma pessoa mágica, cheia de sorrisos cintilantes, riso melodioso e palavras adocicadas; quando ela ainda estava em Trisda, havia alegria no mundo de Scarlett, e o pai era mais brando. O Governador Dragna nunca fora violento com a família antes de Paloma o deixar.

A avó de Scarlett demonstrara mais interesse pelas meninas depois disso. Não era especialmente afetuosa. Scarlett sempre suspeitou que na verdade ela não gostasse de crianças pequenas, mas contava histórias primorosas. Encantara tanto Tella quando Scarlett com seus relatos sobre o Caraval. Dizia que era um lugar onde a magia vivia, e Scarlett se apaixonara por essa ideia, ousando acreditar que, se Lenda e seus atores fossem à ilha de Trisda, devolveriam um pouco de alegria à vida dela, pelo menos por alguns dias.

No momento, Scarlett considerava a ideia de experimentar não só um pouco de alegria, mas de magia. Pensou em como seria aproveitar o Caraval só por um dia, explorar a ilha particular de Lenda, antes de fechar para sempre a porta de suas fantasias.

Faltava uma semana para o casamento de Scarlett. Não era hora de embarcar numa aventura audaciosa. Tella havia saqueado o quarto de Scarlett, e Julian dizia que ela também deixara um bilhete pedindo resgate, mas o pai das duas acabaria descobrindo que era tudo uma farsa. Ficar ali era a pior ideia possível.

No entanto, se Scarlett e Tella ficassem somente durante o primeiro dia do Caraval, poderiam voltar a tempo para o casamento. Scarlett duvidava que o pai fosse descobrir tão depressa a verdade sobre o paradeiro das duas. Ficariam a salvo desde que só passassem as primeiras vinte e quatro horas lá, e o pai nunca saberia onde tinham realmente estado.

— O tempo está acabando, Carmim.

A nuvem que os envolvia se dissipou e a borda da ilha se tornou visível. Scarlett viu uma areia tão macia e branca que, a distância, parecia glacê num bolo. Quase podia visualizar Tella passando os dedos nessa areia — e encorajando Scarlett a fazer o mesmo —, para ver se o gosto era tão açucarado quanto a aparência.

— Se eu for com você, promete que não haverá mais tentativas de sequestro se eu tentar voltar para Trisda com Tella amanhã?

Julian pôs a mão no coração.

— Juro por minha honra.

Scarlett não sabia se acreditava que Julian tivesse muita honra. Mas, quando estivessem todos dentro do Caraval, ele provavelmente as abandonaria, de todo jeito.

— Pode começar a remar de novo. Só tome cuidado com os respingos.

Os cantos dos lábios do marinheiro se curvaram para cima quando voltou a mergulhar os remos, desta vez encharcando as sapatilhas de Scarlett com água gelada.

— Já mandei parar com isso.

— Não fui eu. — Julian remou de novo, desta vez com mais cuidado, mas a água ainda ensopava os pés dela. Era ainda mais gelada do que a costa fria de Trisda.

— Então acho que tem um buraco no barco.

Julian soltou um palavrão quando a água subiu até os tornozelos dela.

— Sabe nadar?

— Eu moro numa ilha. É claro que sei nadar.

Ele tirou o casaco e o jogou por cima da borda do bote.

— Se tirar a roupa, será mais fácil. Deve estar usando algum tipo de roupa íntima, certo?

— Tem certeza de que não podemos só remar até a praia? — argumentou Scarlett. Embora o frio lhe encharcasse os pés, suas mãos suavam. A Isla de los Sueños parecia estar a cem metros; nunca tinha nadado essa distância.

— Podemos tentar, mas este bote não vai aguentar. — Julian tirou as botas. — É melhor usar o tempo que temos para tirar a roupa. A água está fria; será impossível nadar com todas as peças.

Scarlett observou a água coberta por nuvens, à busca de algum sinal de barco ou bote.

— Mas o que vamos vestir quando estivermos na ilha?

— Acho que nós só precisamos nos preocupar em chegar à ilha. E, quando digo "nós", quero dizer "você". — Julian desabotoou a camisa, revelando uma fila de músculos castanhos que provavam que ele não teria nenhum problema na água.

Então, sem mais uma palavra, mergulhou no oceano.

Não olhou para trás. Os braços fortes cruzaram a corrente gelada com facilidade, enquanto a água ártica subia em torno de Scarlett até a metade inferior do vestido começar a boiar em torno das panturrilhas. Tentou remar, mas só conseguiu afundar ainda mais o barco.

Não tinha escolha senão pular.

O ar fugiu-lhe dos pulmões, uma coisa fria e sufocante tomando seu lugar. Só o que podia ver era a cor branca. Tudo era branco. Até os tons da água haviam mudado de torvelinhos rosa e turquesa para nuances assustadoras de branco glacial. Scarlett ergueu a cabeça à superfície, arfando em busca de um ar que ardeu ao entrar.

Tentou enfrentar a corrente com a mesma facilidade de Julian, mas ele tinha razão. O espartilho que lhe envolvia o peito era apertado demais; o tecido pesado em torno das pernas se enrolava nelas. Chutou freneticamente, mas de nada adiantou. Quanto mais lutava, mais o oceano revidava. Mal conseguia se manter na superfície. Uma onda de frieza cobriu sua cabeça, arrastando-a para as profundezas. Tão fria e pesada. Os pulmões ardiam enquanto lutava para voltar à tona. Devia ter sido assim que Felipe se sentiu quando o pai de Scarlett o afogou. *Você merece isso*, disse uma parte dela. A água, como se feita de mãos, a empurrava para baixo

baixo

baixo...

— Pensei que você soubesse nadar. — Julian a puxou para cima até a cabeça de Scarlett irromper na superfície. — Respire. Devagar — instruiu. — Não tente aspirar tudo de uma vez.

O ar ainda queimava, mas Scarlett conseguiu dizer:

— Você me deixou lá.

— Porque pensei que soubesse nadar.

— É o meu vestido... — Scarlett parou de falar quando sentiu que a peça a arrastava mais uma vez para baixo.

O marinheiro respirou fundo.

— Acha que consegue flutuar por um minuto sem a minha ajuda?

Brandiu uma faca com a mão livre e, antes que Scarlett pudesse concordar ou protestar, ele sumiu debaixo d'água.

Scarlett sentiu como se uma eternidade tivesse se passado antes de notar a pressão do braço de Julian envolvendo-lhe a cintura. Então, a ponta da faca se encostou nos seios dela. Prendeu a respiração enquanto o marinheiro cortava o espartilho, desenhando uma linha decidida que ia do estômago até o meio dos quadris. O braço em torno da cintura apertou-se, assim como alguma coisa dentro do peito de Scarlett. Nunca estivera em tal posição com um garoto. Tentou não pensar no que Julian estaria vendo ou sentindo ao terminar de cortar o vestido pesado e tirá-lo do corpo dela, deixando-a apenas com a *chemise* colada à pele.

Julian ofegou quando voltou à tona, espirrando água no rosto de Scarlett.

— Consegue nadar agora? — As palavras saíram com um esforço maior que antes.

— *Você* consegue? — perguntou Scarlett, rouca, com a habilidade de falar igualmente prejudicada. Sentia como se algo muito íntimo tivesse acabado de acontecer, ou talvez tivesse sido intenso apenas para ela. Imaginava que o marinheiro tivesse visto muitas garotas em vários estágios de nudez.

— Falar desperdiça energia. — Julian começou a nadar, desta vez ficando ao lado de Scarlett, embora ela não entendesse se era por se preocupar com sua segurança ou se por estar enfraquecido depois de ajudá-la.

Ela ainda sentia o oceano lutando para levá-la às profundezas, mas agora, sem o vestido pesado, podia enfrentá-lo. Aproximou-se da costa branca e cintilante da Isla de los Sueños ao mesmo tempo que Julian. De perto, a areia parecia ainda mais macia. Mais macia e, agora que parava para pensar, semelhante a neve. Muito mais neve do que jamais vira em Trisda. Nuvens preguiçosas de uma brancura mágica, um tapete frio estendido por toda a costa.

Tudo misteriosamente imaculado.

— Não desista agora. — Julian pegou a mão de Scarlett, puxando-a rumo aos montículos perfeitos de branco. — Venha, precisamos seguir em frente.

— Espere... — Scarlett examinou a neve fresca mais uma vez. Novamente, fez com que pensasse na cobertura de um bolo. Do tipo que vira na vitrine de uma padaria, perfeita e lisa, sem nem mesmo uma pegada do tamanho do pé de Tella na neve. — Onde está minha irmã?

As nuvens translúcidas da ilha haviam assumido posição cobrindo o sol e lançando o litoral num nevoeiro de sombras cinza-azuladas. Agora, a neve intocada aos pés de Scarlett não era mais branca e piscava para ela em faíscas de um azul pálido, como se fizesse uma piada particular.

— Onde está Tella? — repetiu Scarlett.

— Devo tê-la deixado em uma parte diferente da praia. — Julian pegou a mão de Scarlett novamente, mas ela se desvencilhou.

— Precisamos seguir em frente ou vamos congelar. Depois de nos aquecermos, podemos encontrar sua irmã.

— Mas e se ela também estiver congelando? Dona... tella! — gritou Scarlett, batendo os dentes. A neve debaixo dos dedos dos pés e do tecido molhado agarrado à sua pele gelada a fez sentir ainda mais frio do que na noite em que o pai a fizera dormir ao relento depois de descobrir que Tella tinha beijado um menino pela primeira vez. Ainda assim, Scarlett não iria embora sem encontrar a irmã. — Donatella!

— Está desperdiçando seu fôlego. — Encharcado e sem camisa, Julian parecia mais perigoso que o normal quando olhou com firmeza para Scarlett. — Quando deixei sua irmã na ilha, ela estava seca. Tinha um casado e um par de luvas. Onde quer que esteja, não vai congelar, mas nós vamos, se ficarmos aqui. Deveríamos passar por aquelas árvores e ver aonde isso leva.

Depois do ponto onde o manto nevado da praia tocava as fileiras de árvores frondosas e verdes, uma espiral de fumaça alaranjada se retorcia no céu. Scarlett poderia ter jurado que não estava ali um minuto atrás. Nem se lembrava de ver árvores. Diferentemente dos arbustos esqueléticos de Trisda, ali todos os troncos pareciam tranças grossas, entrelaçados uns aos outros e cobertos pelo verde-azulado de musgos e neve.

— Não. — Scarlett tremeu. — Nós...

— Não podemos continuar vacilando assim. Seus lábios estão ficando roxos. Precisamos localizar a fumaça.

— Não me importo. Se minha irmã ainda estiver por aí...

— Sua irmã provavelmente foi procurar a entrada do jogo. Só temos até o fim do dia para entrar no Caraval, o que significa que devemos seguir a fumaça e fazer o mesmo. — Julian marchou em frente, os pés descalços pisoteando a neve.

Pela última vez, Scarlett lançou um olhar à praia intocada. Tella nunca fora boa em manter a paciência e esperar — ou mesmo esperar sem paciência. Mas, se tinha entrado no Caraval, por que não havia sinal dela ali?

Relutante, ela seguiu Julian floresta adentro. Pedaços de folhas de pinheiro grudavam-se aos pés que ela não conseguia mais sentir, enquanto uma trilha de terra cor de avelã substituía a neve. Todavia, ainda que que seus pés deixassem pegadas úmidas, não viu nenhuma marca das botas de Tella.

— Ela provavelmente tomou um caminho diferente a partir da praia. — Os dentes de Julian não batiam de frio, mas a pele morena estava adquirindo um tom de anil, semelhante ao das sombras distorcidas das árvores.

Scarlett queria discutir, mas o tecido molhado da roupa estava virando gelo. A floresta era ainda mais fria que a praia. Envolveu o peito com os braços frígidos, porém isso só a fez tremer mais.

Um laivo de preocupação passou pelo rosto de Julian.

— Precisamos levar você a algum lugar quente.

— Mas minha irmã...

— É esperta o bastante para já estar dento do jogo. Se você congelar aqui fora, não vai encontrá-la. — Ele passou o braço por cima dos ombros dela.

Scarlett enrijeceu.

As sobrancelhas pretas do rapaz formaram uma linha ultrajada.

— Só estou tentando aquecer você.

— Mas você também está congelando... — *E está praticamente pelado.*

Scarlett se afastou, meio cambaleante, enquanto a floresta terminava e o chão de terra macia se transformava numa estrada mais firme, pavimentada com rochas opalinas, lisas como o vidro desgastado pelo mar. A estrada de pedras se estendia muito além do que ela podia ver, multiplicando-se num labirinto de ruas tortuosas. Todas eram contornadas por lojas e oficinas redondas, de tamanhos diferentes, pintadas em tons suaves ou vívidos e amontoadas umas sobre as outras como caixas de chapéus empilhadas com desleixo.

A cena era charmosa e encantadora, mas também anormalmente silenciosa. Todas as lojas estavam fechadas e a neve nos telhados se acumulava como pó em livros abandonados. Scarlett não sabia que tipo de lugar era esse, mas não era assim que imaginava o Caraval.

A fumaça laranja ainda subia pelo ar, mas parecia mais distante do que quando estavam na praia.

— Carmim, precisamos continuar. — Julian a instigou a seguir pela rua curiosa.

Ela não sabia se era possível que o frio lhe causasse alucinações ou se havia algo errado com sua mente. Além do estranho silêncio, nenhuma das placas das lojas em forma de estojo para chapéu fazia o menor sentido. Todas exibiam palavras em diversas línguas. Algumas diziam *Aberto: Em Torno da Meia-Noite.* Outras placas pediam *Volte Ontem.*

— Por que está tudo fechado? — perguntou. As palavras saíram em lufadas frágeis. — E onde está todo mundo?

— Precisamos ir em frente, só isso. Não pare de andar. Temos que encontrar um lugar quente. — Julian apertou o passo, passando pelas lojas mais peculiares que Scarlett já vira.

Havia chapéus-coco cobertos por corvos empalhados. Coldres para guarda-sóis. Faixas para cabelos cravejadas de dentes humanos. Espelhos capazes de refletir as trevas na alma de uma pessoa. O frio definitivamente estava brincando com suas vistas. Esperava que Julian tivesse razão e Tella estivesse num lugar quente. Continuou a procurar vislumbres dos cabelos cor de mel da irmã, atenta a ecos da sua risadinha vibrante, mas todas as lojas estavam vazias, mudas.

Julian tentou virar algumas maçanetas; nenhuma cedia.

A série seguinte de lojas abandonadas exibia uma coleção de coisas fantásticas. Estrelas cadentes. Sementes para plantar desejos. A Ótica Odette vendia óculos que viam o futuro (*Disponíveis em Quatro Cores*).

— Seria bom ter um desses — murmurou Scarlett.

Ao lado da ótica, uma faixa alegava que o proprietário da loja era capaz de consertar imaginações quebradas. A mensagem flutuava acima de garrafas de sonhos e pesadelos e umas coisas chamadas *pesadiurnos*, que Scarlett imaginava ser o que estava vivendo naquele momento, enquanto pingentes de gelo se formavam em seus cabelos negros.

A seu lado, Julian soltou um palavrão. Depois de muitos quarteirões de lojas em forma de caixa de chapéu, quase podiam ver de onde vinha a fumaça, e agora ela se retorcia na forma de um sol com uma estrela no interior e uma lágrima dentro da estrela — o símbolo do Caraval. Mas o frio havia chegado aos ossos e dentes de Scarlett; até as pálpebras estavam congelando.

— Espere... que tal... ali! — Com a mão trêmula, ela indicou para Julian a Relojoaria Casabian. À primeira vista, pensou que fosse só um efeito nas bordas de metal da vitrine, mas, por trás do vidro, passando por uma floresta de pêndulos e pesos e gabinetes de madeira lustrosa, havia uma lareira acesa. E uma placa na porta dizia *Sempre Aberto.*

Um coral de tique-taques, cucos, ponteiros e engrenagens recebeu a dupla congelada quando ambos entraram às pressas. Membros que

Scarlett deixara de sentir formigaram diante do calor súbito, enquanto o ar aquecido causticava os pulmões ao entrar.

Suas cordas vocais congeladas estalaram quando disse:

— Olá?

Tique-taque.

Taque-tique.

Somente engrenagens e rodas responderam.

A loja era redonda como o aro de um relógio. O chão era revestido de um mosaico de diferentes tipos de números, enquanto diversos mecanismos cobriam quase todas as superfícies. Alguns contavam o tempo ao contrário; outros estavam cheios de rodas e alavancas expostas. Na parede dos fundos, vários relógios funcionavam como quebra-cabeças, as peças se juntando enquanto a hora chegava. Um pesado estojo de vidro trancado no centro da sala alegava que o relógio de bolso em seu interior rebobinava o tempo. Em outro dia, Scarlett teria ficado curiosa, mas tudo o que lhe importava agora era chegar mais perto do círculo de calor crepitante que vinha da lareira.

Teria ficado feliz em derreter na frente dele até virar uma poça.

Julian afastou a grade da lareira e mexeu a lenha com um atiçador que estava ao lado.

— É melhor tirarmos estas roupas.

— Eu... — Scarlett parou no meio da queixa quando Julian foi até um relógio de carrilhão feito de pau-rosa. Havia dois pares de botas ao pé do relógio e dois cabides com roupas pendurados de cada lado do frontão.

— Parece que *alguém* está cuidando de você. — O toque de zombaria voltara à voz de Julian.

Scarlett tentou ignorá-lo ao se aproximar das roupas. Perto delas, sobre uma mesa dourada coberta por mostradores de relógio que exibiam as fases da lua, um vaso curvilíneo de rosas vermelhas jazia próximo a uma bandeja cheia de pão de figo, chá de canela e um bilhete.

Para Scarlett Dragna e seu acompanhante.

Fico muito feliz que tenham podido vir.

Lenda

A mensagem estava escrita no mesmo papel de bordas douradas da carta que Scarlett recebera em Trisda. Ela se perguntou se Lenda faria tamanho esforço por todos os seus hóspedes. Achava difícil acreditar que era especial, mas não podia imaginar que o mestre do Caraval concedesse presentes personalizados e rosas vermelho-sangue a cada visitante.

Julian pigarreou.

— Você se importa? — O marinheiro estendeu a mão à frente dela, tirou um naco de pão e apanhou o conjunto de roupas deixadas para ele. Então, começou a abrir o cinto que lhe segurava as calças. — Pode olhar enquanto tiro a roupa, pois não me importo.

Imediatamente constrangida, Scarlett desviou o olhar. Ele não tinha um pingo de decência.

Também ela precisava se vestir, mas não havia onde fazê-lo com segurança e privacidade. Parecia impossível que a sala tivesse ficado menor desde que chegaram, porém agora podia ver como ela era, na verdade, minúscula. Havia menos que três metros de espaço entre ela e a porta da frente.

— Se você se virar de costas, podemos nos vestir.

— Também podemos nos vestir de frente um para o outro. — Agora havia um sorriso na voz dele.

— Não foi isso que eu quis dizer — respondeu ela.

Julian deu uma risada baixa. No entanto, quando Scarlett ergueu a cabeça, ele estava de costas para ela. Tentou não ficar olhando. Cada centímetro daquelas costas era musculoso, assim como o torso que vira antes; entretanto, não era a única parte do corpo que lhe chamava a atenção. Uma cicatriz grossa desfigurava o espaço entre as escápulas. Outras duas atravessavam a lombar. Como se alguém o tivesse esfaqueado muitas vezes.

Engoliu um engasgo e sentiu-se culpada na mesma hora. Não deveria estar olhando. Às pressas, pegou as roupas deixadas para ela e tratou de se vestir. Tentou não imaginar o que teria acontecido com ele. Ela mesma não gostaria que ninguém visse as cicatrizes dela.

Na maior parte do tempo, o pai só deixava hematomas, mas por anos ela se vestira sem a ajuda de uma empregada para que ninguém visse nada. Imaginou que essa experiência seria útil agora, porém o vestido que Lenda deixara não exigia assistência; era um bocado simples, decepcionante. O oposto de como ela tinha imaginado as roupas do Caraval. Não havia espartilho. O tecido do corpete era de um tom desagradável de bege, com saia reta. Sem anágua, nem outra camada de saia, nem anquinha.

— Posso me virar agora? — perguntou Julian. — Não é nada que eu não tenha visto antes.

O modo firme como ele havia segurado a cintura de Scarlett ao cortar o vestido dela veio à mente na mesma hora, fazendo-a formigar do esterno aos quadris.

— Obrigada pelo lembrete.

— Não estava falando de você. Mal vi o seu...

— Não está melhorando nada. Mas pode se virar. Estou fechando as botas.

Quando ergueu o olhar, Julian estava diante dela, e Lenda definitivamente não dera a ele um conjunto de roupas sem graça.

Os olhos de Scarlett foram da gravata azul royal em torno do pescoço até o colete cor de vinho, ajustado, no qual a gravata se encaixava. Um fraque azul-marinho enfatizava os ombros fortes e a cintura fina. Do marinheiro, restava apenas o cinto com a faca em torno dos quadris das calças justas.

— Você está... diferente — comentou ela. — Não parece mais que acabou de sair de uma briga.

Julian se empertigou um pouco, como se ela o tivesse elogiado, e Scarlett não sabia se fizera isso. Não lhe parecia justo que alguém tão irritante pudesse ter uma aparência tão próxima da perfeição. Contudo, apesar das roupas finas, ele ainda estava longe de parecer um cavalheiro — e não era só pela barba por fazer ou pelas ondas emaranhadas dos cabelos castanhos. Havia simplesmente algo selvagem em Julian que não poderia ser domado pelos trajes de Lenda. A superfície angulosa do rosto, a expressão astuta no olhar — não eram minimizadas só porque agora ele usava gravata e... relógio de bolso?

— Você roubou isso?

— Peguei emprestado — corrigiu ele, enrolando a corrente em torno do dedo. — Assim como as roupas que você está usando. — Olhou para ela e meneou a cabeça, aprovando. — Dá para ver por que ele mandou os ingressos para *você*.

— O que isso signif... — Scarlett se deteve ao notar o próprio reflexo no vidro espelhado de um relógio. Não mais entediante e insípido, o vestido agora era de um tom de cereja intenso, a cor da sedução e dos segredos. Uma fila de laços elegantes percorria o centro de um corpete justo com decote profundo, terminando numa anquinha pregueada da mesma cor. Abaixo dela, as saias eram festonadas e ajustadas ao corpo, cinco camadas finas de diferentes tecidos, alternando entre a seda e o tule cereja, e detalhes de renda negra. Até as botas haviam mudado do marrom baço para uma elegante combinação de couro e renda negros.

Passou as mãos pelo material do vestido para ter certeza de que não era só um truque do espelho ou da luz. Ou talvez em seu estado congelado ela apenas imaginara que o vestido fosse insípido. Mas, no fundo, sabia que só havia uma explicação. Lenda dera a ela um vestido encantado.

Esse tipo de magia supostamente só existia nas histórias, mas aquele vestido era real, e Scarlett não sabia o que pensar. A criança dentro dela adorava a roupa; a Scarlett madura não tinha certeza de que se sentia confortável com ela — fosse ou não mágica. O pai jamais a teria deixado vestir algo tão chamativo e, embora ele não estivesse ali, atenção não era uma coisa pela qual ela ansiava.

Scarlett era bonita, ainda que, na maior parte do tempo, preferisse esconder isso. Tinha herdado os cabelos escuros e grossos da mãe, que combinavam com sua pele dourada. O rosto era mais oval que o de Tella, com nariz pequeno e olhos cor de avelã, tão grandes que, muitas vezes, sentia que expunham demais suas emoções.

Por um momento, quase desejou recuperar o vestido bege sem graça. Ninguém notava as garotas de roupas feias. Talvez, se pensasse nisso, o vestido se transformasse outra vez. Contudo, mesmo visualizando um corte mais simples e uma cor mais discreta, o vestido cereja continuou vibrante e ajustado, acompanhando as curvas que ela teria preferido esconder.

As palavras enigmáticas de Julian vieram à mente — *dá para ver por que ele mandou os ingressos para* você — e Scarlett imaginou se teria encontrado um jeito de escapar dos jogos letais do pai em Trisda apenas para tornar-se uma peça bem-vestida num novo tabuleiro.

— Quando tiver acabado de se admirar — provocou Julian —, podemos sair à procura daquela irmã que você está tão ansiosa para encontrar...

— Pensei que você também estivesse preocupado com ela.

— Então você me superestima. — Ele se dirigiu à porta e todas as campainhas da loja começaram a tocar.

— Talvez você não queira sair por essa porta — disse uma voz desconhecida.

O homem rotundo que acabava de entrar na loja lembrava, ele mesmo, um relógio. O bigode no rosto escuro e redondo se espalhava como um par de ponteiros, hora e minuto. A sobrecasaca castanha e brilhante fazia Scarlett pensar em madeira polida, e as fivelas de metal dos suspensórios, em polias.

— Não estávamos roubando nada — disse Scarlett. — Nós...

— Fale só por si mesma. — A voz de barítono do homem caiu várias oitavas quando ele focalizou os dois olhos estreitos em Julian.

Por lidar com o pai, Scarlett sabia que era melhor não aparentar culpa.

Não olhe para Julian.

Mas não pôde evitar um olhar de soslaio.

— Eu sabia! — exclamou o homem.

Julian se aproximou de Scarlett, como se pretendesse empurrá-la até a porta.

— Ah, não, não fujam! Só estou brincando! — gritou o estranho. — Não sou Casabian, não sou o proprietário! Sou Algie, e não ligo se seus bolsos estiverem recheados de relógios.

— Então, por que tenta nos impedir de sair? — As mãos de Julian estavam no cinto, uma delas já sobre a faca.

— Esse menino é meio paranoico, não é? — Algie se voltou para Scarlett, mas ela sentia também os tons verde-pálidos da suspeita. Seria sua imaginação ou os relógios na parede estavam funcionando mais rápido que antes?

— Vamos — disse ela a Julian. — Tella provavelmente está louca de preocupação conosco a esta altura.

— Quem quer que estejam procurando, vão encontrar mais rápido se forem por aqui. — Algie foi até o relógio de carrilhão feito de pau-rosa, abriu a porta de vidro e puxou um dos pesos. Quando fez isso, os relógios metálicos de quebra-cabeça se mexeram na parede. *Clique. Claque.* As peças de juntaram de uma vez, rearranjando-se numa magnífica porta de retalhos com uma roda de escape denteada no lugar da maçaneta.

Algie abanou o braço num gesto teatral.

— Só hoje! Por uma pechincha vocês dois podem usar esta entrada, um atalho para o coração do Caraval.

— Como vamos saber se não é só uma entrada para o seu porão? — perguntou Julian.

— Esta parece a porta de um porão? Olhe usando todos os seus sentidos. — Algie tocou a roda denteada da porta e, de uma só vez, todos os relógios do lugar silenciaram. — Se saírem desta loja pela outra porta, serão jogados no frio e ainda terão que passar pelos portões. Isto lhes poupará um tempo precioso. — Soltou a maçaneta e todos os mecanismos recomeçaram a funcionar.

Tique-taque. Taque-tique.

Scarlett não sabia se acreditava em Algie, mas era óbvio que havia algo de mágico naquele portal na parede. Era um tanto parecido com o vestido que usava, como se ocupasse mais espaço que todo o resto ao redor dela. E, se fosse um atalho para o Caraval, encontraria sua irmã mais rápido.

— Quanto isso vai nos custar?

As sobrancelhas escuras de Julian se ergueram.

— Está mesmo pensando na oferta dele?

— Se puder nos levar mais rápido até minha irmã. — Scarlett supunha que o marinheiro adorasse atalhos, mas, em vez disso, os olhos dele examinaram tudo ao redor, nervoso. — Acha que é má ideia?

— Acho que a fumaça que vimos é a entrada do Caraval e prefiro poupar meu dinheiro. — Dirigiu-se à porta da frente.

— Mas você nem sabe qual é o preço — argumentou Algie.

Julian lançou um olhar a Scarlett, parando pelo clique de um ponteiro de segundos. Alguma coisa insondável tremulava em seus olhos, e, quando ele voltou a falar, ela poderia ter jurado que a voz estava tensa.

— Faça o que quiser, Carmim, mas fique com um conselho de amigo para quando estiver lá dentro: escolha com cuidado em quem confiar; a maioria das pessoas aqui não é quem parece ser.

Uma campainha soou quando ele saiu.

Scarlett não esperara que ele ficasse com ela para sempre, mas viu-se mais que um pouco enervada pela partida repentina.

— Espere... — bradou Algie enquanto ela se dirigia à porta. — Sei que você acredita em mim. Vai sair atrás daquele garoto e deixá-lo decidir por você ou vai fazer sua própria escolha?

Ela sabia que precisava ir embora. Se não se apressasse, nunca encontraria o marinheiro e ficaria completamente só. Mas o uso que Algie fez da palavra *escolha* a fez parar. Com o pai sempre lhe dizendo o que fazer, Scarlett raramente sentia que tinha alguma escolha genuína. Ou talvez tivesse parado porque aquela parte do seu ser que ainda não descartara todas as fantasias de infância quisesse acreditar em Algie.

Pensou na facilidade com que a porta tinha se formado e em como cada relógio silenciara quando Algie tocara a maçaneta peculiar.

— Mesmo que eu estivesse interessada — explicou ela —, não tenho dinheiro.

— Mas e se eu não quiser dinheiro? — Algie ajeitou as pontas do bigode. — Eu disse que era uma pechincha; só quero que me empreste sua voz.

Scarlett reprimiu uma risada nervosa.

— Não parece uma troca justa. — *E a voz lá é coisa que se possa emprestar?*

— Só quero usar por uma hora — disse Algie. — É o tempo mínimo que você vai levar para seguir a fumaça e chegar à casa e começar o jogo, mas posso deixá-la entrar agora mesmo. — Tirou um relógio do bolso e empurrou tanto o ponteiro das horas quanto o dos minutos até o topo. — Diga que sim e este mecanismo tomará sua voz por sessenta minutos, e minha porta a levará diretamente ao coração do Caraval.

Podia encontrar a irmã agora mesmo.

Mas e se ele estivesse mentindo? E se levasse mais de uma hora? Scarlett não se sentia à vontade para confiar num homem que acabara de conhecer, ainda mais depois do aviso de Julian. A ideia de perder a voz também a aterrorizava. Seus gritos jamais impediram que o pai ferisse Tella, mas, pelo menos, Scarlett sempre fora capaz de gritar. Se fizesse isso e alguma coisa acontecesse, estaria impotente. Se visse Tella ao longe, não seria capaz de chamar seu nome. E se Tella a estivesse esperando no portão?

Scarlett só sabia sobreviver por meio da cautela. Quando o pai fazia negócios, quase sempre havia alguma coisa terrível que deixava de mencionar. Não podia correr esse risco agora.

— Vou experimentar a entrada normal — disse ela.

O bigode de Algie murchou.

— A perda é sua. Teria sido mesmo uma pechincha. — Abriu a porta de retalhos. Por um momento brilhante, Scarlett vislumbrou o outro lado: um céu intenso feito de tons de limão derretido e pêssegos em chamas. Rios estreitos que cintilavam como pedras preciosas. Uma garota risonha com caracóis de cabelos cor de mel...

— Donatella! — Scarlett correu para a porta, mas Algie a bateu, fechando-a, antes que os dedos da garota roçassem o metal. — Não! — Ela agarrou a roda denteada e tentou virá-la, mas a peça se dissolveu em cinzas, caindo numa pilha tristonha a seus pés. Ficou olhando, impotente, enquanto as partes do quebra-cabeça voltavam a se mover, separando-se até a porta deixar de existir.

Deveria ter aceitado o negócio. Tella teria aceitado. Na verdade, Scarlett imaginava que fora assim que a irmã tinha entrado. Tella nunca se preocupava com o futuro, nem com as consequências; era tarefa de Scarlett fazer isso por ela. Então, embora devesse ter se sentido melhor por saber que Tella definitivamente estava no Caraval, Scarlett só conseguia se preocupar com os tipos de apuros nos quais a irmã se meteria. Deveria estar lá com ela. E agora perdera também Julian.

Saindo apressada da loja de Casabian, ela correu para a rua. Todo o calor que sentira desapareceu. Não imaginava que tivesse passado muito tempo lá dentro, mas a manhã já desaparecera, assim como o começo da tarde. As lojas cilíndricas agora estavam escurecidas por um punhado de sombras cor de chumbo.

O tempo deve passar mais rápido nesta ilha. Scarlett teve medo de piscar e ver que já era noite estrelada. Não só se afastara de Tella e Julian como desperdiçara minutos preciosos. O dia estava quase acabando, e o convite de Lenda dizia que ela tinha somente até a meia-noite para passar pelos portões principais do Caraval.

O vento dançava nos braços de Scarlett, os dedos frios e brancos envolvendo a pele dos pulsos que o vestido não cobria.

— Julian! — gritou, cheia de esperança.

Mas não havia sinal do acompanhante. Estava totalmente sozinha. Não sabia se o jogo já tinha começado, porém era como se já estivesse perdendo.

Por um instante de pânico, pensou que a fumaça também tivesse desaparecido, mas logo a avistou de novo. Atrás das lojas escuras e empilhadas, anéis de fumaça de cheiro adocicado ainda subiam ao céu, saindo de uma enorme chaminé de tijolos, no topo de uma das maiores casas que Scarlett já tinha visto. Com quatro andares, torretas elegantes, terraços e vasos de flores cheios de coisas bonitas e intensas — iberis de botões brancos, papoulas magenta, bocas-de-leão cor de tangerina. Todas, de algum modo, intocadas pela neve, que voltara a cair.

Scarlett correu na direção da casa, sentindo uma nova frieza quando ouviu passos se aproximarem e uma risada baixa emergir do véu de neve.

— Não aceitou a oferta do Vovô Relógio?

Scarlett pulou de susto.

— Não precisa ter medo, Carmim, sou só eu. — Julian surgiu das sombras de uma construção próxima dali, ao mesmo tempo que o sol se punha.

— Por que não entrou ainda? — Ela apontou para a casa das torres. Em parte aliviada por não estar sozinha, em parte nervosa por ver o marinheiro outra vez. Minutos atrás, ele saíra correndo da relojoaria. Agora, vinha gingando vagarosamente, como se tivesse todo o tempo do mundo.

O tom de voz de Julian foi caloroso e amigável quando disse:

— Talvez eu estivesse esperando você aparecer...

Scarlett achava difícil acreditar que tivesse ficado parado ali, esperando por ela, principalmente depois do modo abrupto como a deixara. Ele estava escondendo alguma coisa. Ou talvez ela estivesse paranoica por ter perdido Tella na relojoaria. Disse a si mesma que logo estaria com a irmã. Mas e se não conseguisse encontrá-la depois de entrar?

De perto, a mansão de madeira parecia ainda maior, subindo ao céu como se as vigas de madeira ainda estivessem crescendo. Scarlett precisou inclinar o pescoço para vê-la por completo. Uma cerca de ferro com quinze metros de altura a circundava, criando silhuetas, umas vulgares, outras inocentes: pareciam se mexer, até mesmo dançar. Garotas viravam cambalhotas, garotos maliciosos as perseguiam. Bruxas cavalgavam tigres, imperadores passeavam em elefantes. Carruagens eram puxadas por cavalos alados. E, no centro de tudo, havia uma bandeira de vívido carmim bordada com o símbolo do Caraval.

Se Tella estivesse aqui, as duas ririam juntas, do jeito como só as irmãs fazem. Tella teria fingido não se impressionar, embora secretamente estivesse deliciada. Não era a mesma coisa estar ali com o estranho marinheiro, que não parecia nem deliciado nem impressionado.

Depois do modo como Julian a ajudara no mar, Scarlett precisava admitir que ele não era o patife que aparentava ser, mas também duvidava que fosse um simples marinheiro. Olhava desconfiado para o portão, os ombros tensos, as linhas das costas rigidamente retas. Toda a indolência que ela vira no bote tinha desaparecido; agora, Julian era uma mola encolhida, retesado como se estivesse se preparando para algum tipo de luta.

— Acho que deveríamos seguir em frente e procurar um portão — recomendou ele.

— Mas está vendo essa bandeira? — perguntou Scarlett. — Deve ser aqui a entrada.

— Não, acho que é mais adiante. Confie em mim.

Não confiava, mas, depois do último erro, também não confiava em si mesma. E não queria ficar sozinha novamente. Cerca de vinte metros adiante, encontraram outra bandeira.

— Essa é exatamente como a outra que vimos antes...

— Bem-vindos! — Uma garota de pele escura surgiu de trás da bandeira pedalando um monociclo, interrompendo Scarlett. — Vocês chegaram bem na hora.

A garota parou e, uma por uma, lanternas de vidro penduradas nas pontas do portão se acenderam em chamas. Faíscas douradas e azuis — *a cor dos sonhos de infância*, pensou Scarlett.

— Adoro quando isso acontece. — A garota do monociclo bateu palmas. — Agora, boa gente, antes de deixar vocês passarem, preciso ver seus ingressos.

Os ingressos. Scarlett os tinha esquecido completamente.

— Ah...

— Não se preocupe, querida. Estão comigo. — Julian envolveu Scarlett com um dos braços e a trouxe inesperadamente para perto de si. E ele a tinha chamado de "querida"? — Colabore, por favor — sussurrou no ouvido dela enquanto punha a mão no bolso e tirava dois pedaços de papel, ambos um pouco amassados e enrugados depois do mergulho no oceano.

Scarlett evitou dizer alguma coisa enquanto seu nome aparecia no primeiro. Então, a monociclista ergueu o outro em direção à luz de uma das lanternas do portão.

— Isso é incomum. Normalmente, não vemos ingresso sem nome.

— Há algum problema? — perguntou Scarlett, apreensiva.

A monociclista olhou Julian com ar de superioridade, e pela primeira vez a atitude entusiasmada da garota se desmanchou.

Scarlett estava prestes a explicar como tinha recebido os ingressos, mas Julian se antecipou, o braço apertando-a ainda mais no ombro como se fizesse uma advertência.

— O Mestre Lenda do Caraval mandou os convites. Nós dois vamos nos casar. Os convites foram um presente para minha noiva, Scarlett.

— Ah! — A monociclista voltou a bater palmas. — Sei tudo sobre vocês! Os convidados especiais do Mestre Lenda. — Olhou mais atentamente para Scarlett. — Eu deveria ter reconhecido seu nome. Sinto muito. São tantos nomes que às vezes esqueço até o meu. — Riu da própria piada.

Scarlett tentou forçar uma risadinha, mas só conseguia pensar no braço em torno dela e no uso que Julian fizera da palavra *noiva*.

— Tratem de manter os convites consigo. — A monociclista estendeu a mão pelo portão, devolvendo os ingressos a Julian, e por um momento seu olhar se cravou nele como se quisesse dizer mais alguma coisa. Então, pareceu mudar de ideia. Afastando o olhar, tirou do bolso do colete de retalhos um rodo de papel preto. — Agora, antes de deixar vocês entrarem, há mais uma coisa. — Apertou o passo no pedal, levantando lascas pálidas de neve do chão. — Isso será repetido quando vocês estiverem lá dentro. O Mestre Lenda gosta que todo mundo ouça duas vezes.

Então, pigarreou e pedalou ainda mais rápido.

— Bem-vindos, bem-vindos ao Caraval! O maior espetáculo na terra ou no mar. Aqui vocês conhecerão mais maravilhas do que a maioria das pessoas vê em toda uma vida. Poderão beber magia numa taça e comprar sonhos engarrafados. Mas, antes que entrem no nosso mundo, devem recordar que tudo é um jogo. O que acontece atrás destes portões pode assustar ou encantar, mas não deixem que nada os engane. Tentaremos convencer vocês de que é real, porém tudo é teatro. Um mundo feito de faz de conta. Então, apesar de querermos vê-los arrebatados, cuidado; não se deixem levar longe demais. Os sonhos que se realizam podem ser belos, mas também podem se tornar pesadelos quando as pessoas não acordam.

Ela parou, pedalando cada vez mais rápido até os raios da roda parecerem ter desaparecido, sumindo diante dos olhos de Scarlett enquanto os portões de ferro fundido se abriam.

— Se vieram para participar do jogo, vão querer tomar este caminho. — Uma pista curva à esquerda da garota se acendeu em poças de cera prateada líquida que fizeram o caminho brilhar em meio à escuridão. — Se vieram só olhar... — Indicou a direita, e uma brisa súbita trouxe lanternas de papel à vida, balançando-as e lançando um clarão cor de abóbora sobre uma trilha em declive.

Julian aproximou a cabeça de Scarlett.

— Não me diga que está pensando em só olhar.

— É claro que não — respondeu ela, mas hesitou antes de dar um passo na outra direção. Observou as velas bruxuleando na noite absoluta, as sombras escondidas atrás das árvores escuras e dos arbustos floridos que contornavam a rota cintilante rumo ao jogo.

Vou ficar só por um dia, lembrou a si mesma.

A NOITE DA VÉSPERA DO CARAVAL

O céu estava negro, a lua em visita a alguma outra parte do mundo, quando Scarlett deu o primeiro passo para entrar no Caraval. Umas poucas estrelas rebeldes se exibiam acima, observando enquanto ela e Julian cruzavam a soleira do portão de ferro, chegando a um reino que, para alguns, jamais existiria senão em histórias delirantes.

Ao passo que o resto do universo ficara subitamente escuro, a grande casa se acendera. Cada janela cintilava numa iluminação suave, transformando as floreiras abaixo em berços cheios de matéria estelar. O cheiro cítrico de antes se fora. Agora, o ar era açucarado e denso, muito mais doce que o de Trisda; Scarlett, porém, só sentia um gosto amargo.

Estava consciente demais da proximidade de Julian. Do peso do braço dele sobre os ombros dela e do modo como ele usara esse braço para vender mentiras. Diante do portão, ficara nervosa demais para discutir, ansiosa demais para entrar e achar a irmã. Agora, imaginava se não teria se metido em outra confusão.

— De que se tratou aquilo? — perguntou finalmente, afastando-se no meio do caminho entre a monociclista e as grandes portas da mansão. Parou bem diante do anel de luz sedutora, perto de uma fonte, onde o burburinho da água abafaria suas palavras caso mais alguém viesse por ali. — Por que não disse a verdade?

— A verdade? — Julian fez um som sinistro que não era bem uma risada. — Tenho razoável certeza de que ela não teria gostado disso.

— Mas tinha o ingresso, não? — Scarlett sentia-se como quem não entende uma piada.

— Imagino que você pense que aquela garota parecia boa gente e teria acabado me deixando entrar. — Julian deu um passo determinado para perto dela. — Não esqueça o que eu lhe disse na relojoaria: a maior parte das pessoas aqui não é quem parece ser. Aquela garota cumpriu um papel, feito para fazer você baixar a guarda. Eles dizem que não devemos nos deixar levar longe demais, mas é esse o objetivo do jogo. Lenda gosta de... jogar.

A palavra saiu um tanto vaga, como se Julian quisesse dizer outra coisa e tivesse mudado de ideia no último instante.

— Cada convidado é escolhido por uma razão — continuou. — Então, se você quer saber, menti porque seu convite não era destinado a um marinheiro comum.

Não, pensou Scarlett, *foi destinado a um conde.*

Um vermelho intenso de pânico se alvoroçou no peito dela ao lembrar como a carta de Lenda tinha sido específica. O outro ingresso era para seu noivo. Não para o garoto selvagem que, na frente dela, puxava o nó da gravata. Scarlett já se arriscara bastante ao decidir ficar e participar do jogo por um dia. Fingir que era noiva de Julian a fazia sentir como se estivesse pedindo um castigo. Como saber o que poderiam ser levados a fazer juntos como parte do jogo?

Ainda que Julian a tivesse socorrido antes, mentir por ele fora um erro, e isso sempre tinha consequências. A própria vida de Scarlett era prova disso.

— Precisamos voltar e contar a verdade — declarou. — Isso não vai funcionar. Se meu noivo ou meu pai souberem que me comportei como se nós...

De repente, Scarlett estava de costas contra a fonte, e as mãos de Julian estavam apoiadas de cada um dos lados, muito maiores que as dela.

— Carmim, relaxe. — A voz dele soou anormalmente suave, embora, ouvindo-o falar, fosse impossível relaxar na mesma hora. A cada palavra ele se aproximava mais, até que a casa e as luzes desapareceram e tudo o que ela pôde ver foi Julian. — Nada disso chegará nem ao seu pai nem ao seu dedicado conde. Depois que entrarmos na casa, o jogo será a única coisa importante. Ninguém aqui se interessa por quem são os outros quando não estão na ilha.

— Como sabe disso?

Julian exibiu um sorriso malévolo.

— Eu sei porque já joguei.

Ele se afastou da fonte. As luzes fortes da casa das torres reapareceram, mas um frio se apossou dos ombros de Scarlett.

Não admirava ele parecer um especialista. Ela não deveria estar chocada. Desde o momento em que o vira em Trisda pela primeira vez, tinha sentido que não era totalmente confiável, mas parecia estar escondendo ainda mais do que ela imaginara por trás das roupas elegantes de Lenda.

— Então, por que ajudou a mim e a minha irmã a vir para a ilha? Foi porque queria jogar de novo?

— Se eu dissesse que não, e que fiz isso por querer salvar vocês do seu pai, acreditaria em mim?

Scarlett balançou a cabeça, negando.

Encolhendo os ombros, Julian se aproximou, tirou a gravata e jogou-a por cima do ombro de Scarlett. Um ruído leve de água espirrando soou quando a peça caiu na fonte.

Agora fazia sentido ele parecer tão seguro de si. Por isso atravessara a ilha cheio de propósito, em vez de admiração.

— Você está me olhando como se eu tivesse feito algo errado — comentou ele.

Scarlett sabia que não deveria estar aborrecida, não significavam nada um para o outro, mas detestava ser enganada; já tivera sua cota de ilusão para toda a vida.

— Por que motivo quis voltar ao Caraval?

— Preciso de motivo? Quem é que não quer ver os artistas mágicos? Ou ganhar um dos prêmios?

— Por alguma razão, não acredito nisso. — Ela poderia ter pensado que ele viera por causa do prêmio daquele ano, *o desejo*, mas alguma coisa em seu íntimo dizia que essa não era a verdade. Os desejos eram coisas portentosas que exigiam certa dose de fé, e Julian parecia do tipo que só acreditava vendo.

O jogo era diferente a cada ano, mas algumas coisas, segundo os rumores, não mudavam. Sempre havia algum tipo de caçada ao tesouro envolvendo um objeto supostamente mágico —coroa, cetro, anel, tabuleta ou pingente. E os vencedores dos anos anteriores sempre recebiam convite para voltar com um acompanhante. Não imaginava que isso seria um obstáculo para Julian, já que ele era muito bom em achar quem o ajudasse a entrar.

Se Scarlett nem mesmo tinha certeza de que acreditasse em desejos, não podia cogitar que Julian estivesse atrás de um. Não, o que o atraía àquela ilha não eram os desejos, nem o mágico e o fabuloso.

— Diga sua verdadeira razão para estar aqui — mandou ela.

— Confie em mim quando digo que é melhor se não souber. — Julian fingiu um ar apreensivo. — Só vai estragar sua diversão.

— Só está dizendo isso porque não quer me contar a verdade.

— Não, Carmim, desta vez estou dizendo a verdade.

Seus olhos se cravaram nos dela, firmes, inabaláveis, um olhar que exigia autocontrole total. Com um arrepio, viu que o marinheiro indolente do bote tinha sido uma farsa parcial, e que, se ele quisesse, poderia ter levado aquele teatro adiante, continuando a bancar o garoto que esbarrara nela e na irmã e em todo esse jogo por acidente. Mas era como se ele quisesse que Scarlett visse que sua história era muito maior, ainda que se recusasse a contá-la.

— Não vou discutir isso com você, Carmim. — Julian se endireitou, parecendo mais alto enquanto flexionava as costas e os ombros, como se tivesse tomado uma súbita decisão. — Acredite em mim quando digo que tenho bons motivos para querer entrar nessa casa. Se quiser voltar e me denunciar, não vou impedir, nem usar isso contra você, mesmo que eu tenha salvado sua vida hoje.

— Só fez isso para que eu fosse sua entrada no jogo.

O rosto de Julian se fechou.

— É isso mesmo o que pensa? — Por um momento, pareceu realmente ofendido.

Scarlett sabia que ele estava tentando manipulá-la. Tinha experiência suficiente para reconhecer os sinais. Infelizmente, apesar dos muitos anos em que fora usada pelo pai, ou talvez *por causa* deles, nunca fora boa em se desvencilhar. Por mais que quisesse evitar Julian, não podia ignorar o fato de que ele *tinha* salvado sua vida.

— E a minha irmã? Essa mentira pode afetar seu relacionamento com ela.

— Eu não chamaria de "relacionamento". — Julian deu um piparote num fiapo de tecido que estava no ombro do casaco, como se fosse o que ele pensava de Tella. — Sua irmã me usou tanto quanto eu a usei.

— E agora você está fazendo o mesmo comigo.

— Não fique tão irritada por causa disso. Já participei desse jogo. Posso ajudar você. E nunca se sabe, pode até acabar gostando. — A voz de Julian adquiriu um ritmo de flerte enquanto voltava a ser o marinheiro desleixado. — No seu lugar, muitas garotas diriam que têm sorte. — Roçou a face de Scarlett com um dedo frio.

— Não. — Ela recuou, a pele formigando onde ele a tocara. — Se vamos seguir em frente, não pode haver mais... *dessas coisas*, a não ser que seja absolutamente necessário. Ainda tenho um noivo de verdade. Então, só porque dizemos que somos noivos não significa que precisemos nos comportar como tais quando ninguém estiver olhando.

Os cantos da boca de Julian se curvaram para cima.

— Isso quer dizer que não vai me denunciar?

Ele era a última pessoa a quem Scarlett queria se associar. Mas também não queria se arriscar a ficar na ilha por mais que um dia. Julian já havia jogado, e Scarlett tinha a impressão de que precisaria da ajuda dele se quisesse encontrar logo a irmã.

Nesse momento, um novo grupo de pessoas chegou ao portão. Scarlett pôde ouvir o som vago da conversa distante.

Dentro da casa, violinos começavam a tocar uma música mais intensa que o mais escuro chocolate. Vazava para o exterior e sussurrava para Scarlett enquanto o sorriso de Julian se tornava sedutor, todo curvas imodestas e promessas imorais. Um convite para lugares nos quais mocinhas decentes não pensavam, muito menos visitavam. Scarlett não queria imaginar o tipo de coisas que esse sorriso havia convencido outras garotas a fazer.

— Não me olhe assim — mandou ela. — Não funciona comigo.

— É por isso que é tão divertido.

Scarlett amava sua avó, mas pensava nela como uma daquelas mulheres que jamais superariam o fato de envelhecer. Ela havia passado os últimos anos da vida exaltando a grandiosidade da juventude. Como havia sido bonita. Como havia sido adorada pelos homens. Como usara, durante o Caraval, um vestido roxo que era de fazer inveja a qualquer garota.

Ela havia mostrado esse vestido a Scarlett em muitas ocasiões. Quando Scarlett ainda era pequena — e antes que ela começasse a odiar a cor roxa —, concordava que aquele era o vestido mais bonito que já vira na vida.

— Posso vestir? — pedira a menina um dia.

— É claro que não! Este vestido não é brinquedo.

Depois disso, a avó sumira com o vestido, mas ele perdurava nas memórias de Scarlett.

Scarlett pensava no vestido essa noite, enquanto as portas da casa das torres deslizavam, abrindo-se para ela. E, nesse momento, ela se perguntou se sua avó realmente assistira a alguma apresentação do Caraval, pois Scarlett não conseguia imaginar aquele vestido roxo se destacando em um lugar tão espetacular.

Um tapete vermelho luxuoso amorteceu seus passos, enquanto luzes douradas e suaves lambiam seus braços com beijos leves e calorosos. O calor estava em todo lugar; um piscar de olhos atrás, o mundo estivera coberto pelo frio. Tinha sabor de luz, borbulhante em sua língua e açucarada conforme descia, fazendo com que tudo, desde os pés até a ponta dos dedos, formigasse.

— Isso é... — As palavras lhe faltavam. Scarlett queria dizer que era lindo ou maravilhoso. Mas, subitamente, esses sentimentos pareceram comuns demais para uma visão tão pitoresca. Porque a mansão com as torres não era nada do que parecia do lado de fora. As portas que Scarlett e Julian cruzaram não os levaram para dentro de uma casa, mas para um camarote — apesar de o camarote ser do tamanho de uma casa pequena. O teto era como um dossel de lustres de cristal, o chão forrado de tapetes de pelúcia cereja, ladeado por balaustradas folhadas a ouro e varões que se arqueavam ao redor das cortinas pesadas de veludo vermelho.

As cortinas se fecharam de súbito no instante em que Scarlett e Julian entraram, mas houve tempo suficiente para Scarlett ter um lampejo da grandiosidade que havia adiante.

Julian não parecia surpreso, mas soltou uma risada sombria ao perceber que Scarlett continuava à procura de palavras.

— Continuo me esquecendo que você nunca tinha saído da sua ilhazinha antes.

— Qualquer um acharia isto incrível — retrucou Scarlett. — Você viu todos os outros camarotes? Tem pelo menos... dúzias! E logo abaixo parece que há um reino em miniatura.

— Você esperava que esta fosse uma casa comum?

— Não, é claro que não; ela obviamente parece muito maior do que uma construção comum. — Mas não grande a ponto de ter um mundo debaixo do camarote. Incapaz de conter o entusiasmo, ela se aproximou da extremidade, mas hesitou à beira das cortinas pesadas e cerradas. Julian veio para junto dela e afastou de leve um pedaço da cortina.

— Acho que não deveríamos tocar em nada — disse Scarlett.

— Ou talvez seja por isso que fecharam as cortinas quando entramos. Querem que sejamos nós a abri-las. — Ele puxou ainda mais o tecido.

Scarlett tinha certeza de que Julian devia estar quebrando alguma regra, mas, mesmo assim, ela não conseguiu fazer outra coisa senão inclinar-se ainda mais para se maravilhar com o reino fantástico que jazia dez andares abaixo.

Assemelhava-se às ruas de pedras através das quais Scarlett e Julian tinham acabado de se aventurar, ainda que a vila não estivesse abandonada: parecia um livro de histórias ganhando vida. Ela espreitou os telhados claros e pontiagudos, as torres cobertas de líquen, os chalés de contos de fadas, as pontes douradas reluzentes, as ruelas de pedras azuis, as fontes borbulhantes; tudo iluminado, as lamparinas penduradas por todos os lados, dando a sensação de um tempo que não é dia nem noite.

Era quase do mesmo tamanho da sua aldeia em Trisda, mas parecia incrivelmente maior, do jeito como uma palavra parece maior quando se coloca um ponto de exclamação junto a ela. As estradas pareciam tão vivas que Scarlett jurava que elas se mexiam.

— Não entendo como conseguiram fazer um mundo inteiro caber aqui dentro.

— É só um teatro muito elaborado. — O tom de Julian era seco enquanto seus olhos saltavam do cenário abaixo para as dezenas de camarotes diferentes ao alto, todos com a mesma vista curiosa.

Scarlett não tinha percebido antes, mas ele tinha razão. Os camarotes formavam um círculo — um círculo enorme. Seu ânimo sofreu um considerável abalo. Às vezes, encontrar Tella na propriedade de seu pai tomava-lhe o dia inteiro. Como poderia encontrá-la ali?

— Olhe bem enquanto puder — Julian disse. — Assim vai ficar mais fácil se orientar quando estiver lá embaixo. Depois disso, não vamos voltar para cá, a não ser que...

— *Aham*. — Da entrada do camarote alguém pigarreou. — Vocês precisam se afastar e fechar as cortinas.

Scarlett virou-se de imediato, apavorada com a ideia de que seriam expulsos por desobedecer a alguma regra, mas Julian não teve pressa em soltar as cortinas.

— E quem é você? — Julian mediu o intruso de alto a baixo, como se fosse esse jovem cavalheiro quem acabara de fazer algo errado.

— Pode me chamar de Rupert. — Ele olhou para Julian com o mesmo desdém, como se soubesse que o marinheiro não deveria estar ali. O homem endireitou a cartola de modo pomposo. Sem ela, provavelmente era mais baixo que Scarlett.

À primeira vista, parecia um cavalheiro em suas calças cinzentas impecáveis e paletó com cauda, mas, quando ele se aproximou, Scarlett percebeu que era apenas um garoto trajado como um homem, com bochechas ainda rechonchudas de criança e membros que pareciam não ter acabado de crescer, apesar de cobertos pelas roupas elegantes. Scarlett imaginou se o traje dele não seria uma homenagem a Lenda, conhecido por suas cartolas e gostos refinados.

— Estou aqui para explicar as regras e responder a quaisquer perguntas antes que o jogo comece oficialmente. — Sem nenhum floreio, Rupert repetiu o mesmo discurso proferido pela garota do monociclo.

Scarlett só queria que a deixassem entrar logo. Conhecendo Tella, ela já devia ter se apaixonado por um problema inteiramente novo.

Julian cutucou-a nas costelas.

— Você precisa prestar atenção.

— Nós já ouvimos isso.

— Tem certeza? — sussurrou ele.

— Uma vez lá dentro, vocês serão apresentados a um mistério que deve ser resolvido — disse Rupert. — Haverá pistas escondidas ao longo de todo o jogo para ajudá-los no seu trajeto. Queremos vê-los arrebatados, mas cuidado; não se deixem levar longe demais — repetiu Rupert.

— E o que acontece se alguém se deixar levar longe demais? — perguntou Scarlett.

— Aí é quando as pessoas morrem ou ficam loucas — Rupert respondeu com tanta tranquilidade que ela pensou ter entendido errado. Com a mesma calma, ele retirou a cartola e puxou de dentro dela dois rolos de pergaminho. Segurou os papéis cor de creme na frente de Scarlett e Julian, para que lessem, mas as letras eram impossivelmente pequenas. — Precisarei de uma gota de sangue no final de cada página — avisou Rupert.

— Para quê? — perguntou Scarlett.

— Para confirmar que vocês ouviram as regras, duas vezes, e que nem o Estado do Caraval nem o Mestre Lenda serão responsáveis em caso de acidente, loucura ou morte.

— Mas você disse que nada do que acontece lá dentro é real — argumentou Scarlett.

— Às vezes, as pessoas confundem fantasia com realidade. Isso pode resultar em acidentes. Raramente acontece — acrescentou Rupert. — Se estiver preocupada, não precisa participar. Sempre se pode apenas assistir. — Ele parecia praticamente entediado quando concluiu, fazendo Scarlett sentir-se como se estivesse temerosa sem motivo.

Se Tella estivesse ali, Scarlett podia imaginá-la dizendo: É só *por um dia. Se ficar sentada assistindo, vai se arrepender.*

Mas a ideia de um contrato selado com sangue não caía bem para Scarlett.

Ademais, se Tella estivesse jogando e Scarlett não, talvez ela não conseguisse encontrá-la, tornando impossível que partissem no dia seguinte e chegassem em casa a tempo do casamento com o conde. Apesar das instruções de Rupert, Scarlett ainda estava um pouco insegura quanto aos pormenores do jogo. Tentara aprender tudo o que podia com a avó, mas a mulher sempre fora vaga a respeito das regras. Em vez de fatos reais, sempre dera a Scarlett impressões românticas que agora começavam a parecer desconexas. Quadros pintados por uma mulher que via o passado de acordo com o que ela gostaria que tivesse sido em vez de como ele realmente foi.

Scarlett olhou para Julian. Sem hesitar, ele deixou Rupert picar seu dedo com um tipo de espinho e apertou a ponta ensanguentada na parte inferior do contrato.

Scarlett recordou que, anos atrás, o Caraval tinha parado de viajar por um tempo. Uma mulher havia sido morta. Scarlett não sabia os detalhes ou o porquê. Sempre acreditara que havia sido apenas um acidente trágico, sem relação com o jogo, mas agora imaginava se a mulher não se deixara levar demais pelas ilusões do Caraval. Scarlett, no entanto, havia jogado os jogos distorcidos do pai por todos esses anos. Sabia quando estava sendo enganada e não conseguia imaginar-se iludida a ponto de perder a vida ou a sanidade. Ainda assim, isso não significava que não estivesse nervosa ao esticar a mão. Não cairia no erro de pensar que qualquer tipo de jogo viria sem custo.

Rupert picou seu dedo tão rápido que Scarlett mal percebeu. Entretanto, quando ele apertou o dedo contra a folha delicada, foi como se todas as luzes se apagassem por um momento. Quando ela retirou o dedo, o mundo se acendeu, ficando ainda mais claro que antes. Ela sentiu como se pudesse saborear o vermelho das cortinas. Bolo de chocolate embebido em vinho.

Scarlett apenas bebericara um gole de vinho em toda a sua vida, mas desconfiava que nem uma garrafa inteira fosse capaz de trazer tão iridescente euforia.

Apesar de seus temores, ela teve um momento incomum de puro êxtase.

— O jogo começa oficialmente amanhã ao pôr do sol e termina ao amanhecer do décimo nono dia. Todos terão cinco noites para terminar o jogo — Rupert continuou. — Cada um receberá uma pista para dar início à jornada. Depois disso, terão que encontrar as demais pistas por conta própria. Recomendo agir rápido. Há somente um prêmio, e serão muitos buscando por ele. — Ele deu um passo adiante e ofereceu um cartão a cada um.

Dizia: LA SERPIENTE DE CRISTAL.

A *serpente de cristal.*

— O meu é igual — notou Julian.

— Esta é nossa primeira pista? — perguntou Scarlett.

— Não — respondeu Rupert. — Vão encontrar acomodações prontas para recebê-los. Seus dormitórios lhes darão a primeira pista, mas apenas se conseguirem fazer chegar antes do raiar do dia.

— O que acontece ao raiar do dia?

Como se não tivesse ouvido, o garoto puxou um cordão na extremidade do camarote, abrindo as cortinas. Pássaros cinzentos haviam alçado voo no céu e, mais além, as ruas coloridas estavam mais cheias que antes, e os camarotes, mais vazios. Os anfitriões liberavam a saída de todos ao mesmo tempo.

Outra onda prateada de entusiasmo estourou sobre Scarlett. Este era o Caraval. Ela o imaginara muito mais vezes do que sonhara com o próprio casamento.

Mesmo que só pudesse ficar por um dia, já percebia que seria difícil partir.

Rupert tirou o chapéu com uma mesura.

— Lembrem-se, não se deixem enganar por seus olhos ou emoções. — Ele subiu na balaustrada do camarote e saltou.

— Não! — gritou Scarlett. Toda a cor se esvaiu de seu rosto ao vê-lo despencar.

— Não se preocupe — aconselhou Julian. — Olhe. — Apontou para a beira da balaustrada quando o paletó do rapaz se transformou em asas. — Ele está bem, só fez uma saída dramática.

Como uma tira de tecido cinzento, ele continuou a planar até ficar parecido com os demais pássaros grandes no céu.

Parecia que os truques já haviam começado a operar nos olhos de Scarlett.

— Vamos. — Julian deu um passo para fora do camarote, com tanta determinação que pareceu lhe dizer para acompanhá-lo. — Se você prestou atenção no que ele disse, deve ter ouvido que tudo estará fechado ao raiar do dia. Este jogo tem um toque de recolher ao contrário. As portas se fecham ao amanhecer e só voltam a se abrir ao pôr do sol. Não temos muito tempo para encontrar nossa hospedaria.

Julian parou de andar. Diante dos pés dele, via-se um alçapão aberto. Muito provavelmente era por onde o garoto havia entrado sem ser visto. Levava a uma escadaria de mármore negro, que espiralava para baixo como o interior de uma concha escura, iluminada por candeeiros de cera onde escorriam velas de cristal.

— Carmim... — Julian a fez parar no limiar do alçapão. Por um momento sua expressão pareceu dividida, como ficara naqueles segundos tensos antes de deixá-la na relojoaria.

— O que foi? — Scarlett perguntou.

— Temos que nos apressar. — Ele deixou Scarlett ir primeiro, mas, depois de alguns lances, ela desejou que o marinheiro tivesse ido na frente ou simplesmente a tivesse deixado à própria sorte, como pensara ter sido a intenção dele no topo das escadas. De acordo com Julian, os passos dela eram lentos demais.

— Não temos a noite inteira — repetiu ele. — Se não chegarmos à Serpente antes do amanhecer...

— Ficaremos congelando do lado de fora até amanhã à noite. Eu sei. Estou indo o mais rápido que posso. — Scarlett pensou que o camarote tinha dez andares de altura, mas agora pareciam cem. Jamais conseguiria encontrar Tella.

Seria diferente se seu vestido não fosse tão pegajoso. Mais uma vez, tentou fazê-lo mudar de forma, mas o vestido estava determinado a continuar como estava. As pernas estavam bambas e uma fina camada de suor cobria-lhe a pele, até que finalmente alcançou a saída com Julian.

Do lado de fora, o ar estava mais cortante e um pouco úmido, apesar de não haver neve em nenhuma das ruas. A umidade vinha dos canais. Scarlett não havia percebido quando estava lá em cima, mas muitas outras ruas eram feitas de água. Barcos listrados passavam por elas, brilhantes como peixes tropicais e em formato de meia-lua, todos conduzidos por rapazes e moças aproximadamente da idade dela.

Mas nem sinal de Donatella.

Julian logo conseguiu parar um barco, água-marinha com listras vermelhas, guiado por uma jovem marinheira vestida a caráter. Os lábios dela também estavam pintados de vermelho, e Scarlett notou como eles se escancararam quando Julian se aproximou.

— Em que posso ajudar, doçuras? — perguntou ela.

— Ah, eu é que acho você uma doçura. — Julian passou os dedos pelos cabelos, atirando um olhar cheio de mentiras e outras coisas pecaminosas. — Consegue chegar até La Serpiente de Cristal antes do amanhecer?

— Posso levar vocês aonde quiserem, contanto que estejam dispostos a pagar. — A garota dos lábios vermelhos enfatizou a palavra *pagar*, confirmando o que Scarlett já suspeitava desde a relojoaria: o dinheiro não era a principal moeda usada neste jogo.

Julian não pareceu preocupado.

— Fomos informados de que o primeiro passeio da noite seria de graça. Minha noiva é uma convidada especial do Mestre Lenda.

— É mesmo? — A garota estreitou os olhos como se não acreditasse nele, mas, para a surpresa de Scarlett, ela os convidou a embarcar. — Não sou eu que vou decepcionar os convidados especiais de Lenda.

Julian saltou com agilidade e virou-se para ajudar Scarlett. O barco parecia mais firme que o último que haviam tomado e tinha assentos com almofadas decoradas, mas ainda assim Scarlett não conseguia deixar a rua de pedras.

— Este não vai afundar — garantiu Julian.

— Não é isso que me preocupa. A minha irmã, e se ela estiver aqui fora procurando por nós?

— Então, espero que alguém avise a ela que o sol já está para nascer.

— Você nem se importa com ela, não é?

— Se não me importasse, não estaria desejando que alguém avisasse a ela que o sol está para nascer. — Julian gesticulou impaciente para Scarlett subir no barco. — Não precisa se preocupar, *querida*. Eles provavelmente a colocaram na mesma hospedaria que nós.

— Mas e se não tiverem feito isso?

— Então você terá ainda mais chances de encontrá-la de barco. Vamos nos deslocar mais rápido assim.

— Ele tem razão — falou a garota. — A luz do dia já se aproxima. Mesmo se você encontrasse sua irmã, não conseguiria andar até La Serpiente antes de o sol nascer. Diga como é a aparência dela e eu fico de olho enquanto navegamos.

Scarlett queria argumentar. Mesmo que não conseguisse encontrá-la até o raiar do dia, queria fazer tudo o que estivesse a seu alcance para tentar. Imaginava que este fosse o tipo de lugar onde uma pessoa poderia se perder e nunca mais ser encontrada.

Contudo, Julian e a marinheira estavam certos; iriam mais rápido no barco em formato de lua crescente. Scarlett não fazia ideia de quanto tempo havia se passado desde que o sol desaparecera, mas tinha certeza de que o tempo passava de modo diferente naquele lugar.

— Minha irmã é mais baixa que eu e muito bonita, com o rosto um pouco mais arredondado e longos cachos loiros.

Scarlett havia herdado os tons mais escuros da mãe, enquanto Tella ganhara as madeixas claras do pai.

— O cabelo claro deve facilitar a tarefa de encontrá-la — comentou a marinheira, mas, até onde Scarlett podia ver, ela passava a maior parte do tempo com os olhos cravados no belo rosto de Julian.

Julian também não estava ajudando. Conforme deslizavam sobre o anil profundo das águas, ela percebeu que ele procurava alguma coisa, mas não era Tella.

— Você pode remar mais rápido? — perguntou ele, um músculo repuxando no maxilar.

— Para quem não está pagando, você é muito exigente. — A garota lhe deu uma piscadela, mas a expressão dura de Julian não se alterou.

— O que foi? — perguntou Scarlett.

— O tempo está acabando.

Uma sombra recaiu sobre ele quando, à beira do canal, um conjunto de lamparinas falhou até se apagar. O barco avançou e mais velas se extinguiram, a fumaça mortiça lançando brumas sobre as águas e as poucas pessoas que ainda vagavam nas ruas de pedras.

— É assim que vocês marcam o tempo aqui? As lamparinas se apagam perto do amanhecer? — Scarlett olhava para toda parte, ansiosa, enquanto Julian anuía sombriamente e outro conjunto de candeeiros passava das chamas para a fumaça.

Com um sacolejo o barco finalmente parou em frente a uma doca caindo aos pedaços. Ao final dela, uma porta verde incandescente observava Scarlett como um olho cintilante. Trepadeiras agarravam-se às paredes e, apesar de a maior parte da construção estar mergulhada na noite, duas lanternas mortiças iluminavam a placa acima da entrada: uma serpente branca enrolada em volta de um cacho de uvas negras.

Julian já estava fora do barco. Ele agarrou o pulso de Scarlett, rebocando-a para a doca.

— Mais rápido! — Uma das lamparinas acima da entrada se apagou e a cor da porta pareceu desmaiar também. Estava quase invisível quando Julian a escancarou e empurrou Scarlett para a frente.

Ela entrou aos tropeços. Todavia, antes que Julian pudesse segui-la, a porta se fechou. Madeira chocou-se com madeira enquanto um ferrolho pesado deslizava para o encaixe, trancando-o do lado de fora.

— Não! — Scarlett tentou forçar a porta a se abrir novamente, mas uma mulher roliça com uma touca de tricô já colocava um pesado cadeado na tranca. — Você não pode fazer isso. Meu...

Scarlett hesitou. Por alguma razão, a mentira parecia mais real quando era ela que a contava; isso a fez sentir que, de algum modo, estava sendo infiel ao conde. Julian tinha prometido que o que acontecesse no jogo jamais chegaria ao conhecimento do pai e do verdadeiro noivo, mas como ter certeza? E ele não ia *de fato* ser deixado lá fora à noite.

Mas, aparentemente, os dias na ilha poderiam ser piores que as noites. Scarlett se lembrava da vila fria e abandonada que atravessaram para chegar à casa das torres. Se Julian ficara trancado lá fora, tinha sido por ter empurrado Scarlett, fazendo-a entrar antes dele. Ele arriscou tudo o que queria pela segurança dela. Scarlett não podia abandoná-lo.

— Meu noivo — continuou ela. — Ele está lá fora, você precisa deixá-lo entrar.

— Sinto muito — disse a estalajadeira. — Regra é regra. Se não entrar antes de a primeira noite terminar, não pode jogar.

Não pode jogar?

— Essa não é a regra que eu ouvi. — Se bem que ela não tinha ouvido todas as regras. Percebeu que fora por isso que Julian estivera tão ansioso no barco.

— Sinto muito, querida. — E a estalajadeira realmente parecia lamentar. — Detesto separar um casal, mas não posso quebrar as regras. Depois que o sol nasce e a porta se tranca, ninguém entra nem sai até o pôr do...

— Mas o sol ainda não nasceu! — protestou Scarlett. — Ainda está escuro. Não pode deixá-lo lá fora.

A estalajadeira continuou a olhar para ela com pena, mas a expressão nos lábios era implacável. Era óbvio que não ia mudar de ideia.

Scarlett tentou pensar no que Julian faria se a situação fosse invertida. Por um instante, imaginou que ele não teria se importado. No entanto, embora a tivesse deixado para trás no bote e na relojoaria, também havia retornado — e, mesmo que fosse só para poder usá-la para entrar no jogo, ela ainda se sentia grata por ele ter voltado.

Reunindo uma coragem que quase sempre reservava para proteger a irmã, Scarlett endireitou a postura.

— Acho que está cometendo um erro. Meu nome é Scarlett Dragna, e somos convidados especiais do Mestre Lenda do Caraval.

Os olhos da estalajadeira se arregalaram quase com a mesma rapidez com que suas mãos voaram para destrancar a porta.

— Ah, devia ter dito isso antes!

A porta se escancarou. O exterior tinha o tom de negro inevitável que só assume o céu quando o sol está a ponto de nascer.

— Julian! — Scarlett esperava encontrá-lo do outro lado da porta, mas só o que via era a escuridão implacável. Seu coração bateu mais rápido. — Julian!

— Carmim?

Scarlett ainda não conseguia ver, mas ouviu as botas de Julian batendo no deque no mesmo ritmo em que seu pulso palpitava.

O coração continuou acelerado mesmo depois que Julian já estava dentro da estalagem, a salvo. O fogo que iluminava o vestíbulo era fraco;

algumas toras de madeira fumegante forneciam luz suficiente para enxergar, mas ela poderia jurar que o marinheiro parecia apavorado, como se aqueles momentos lá fora tivessem lhe custado algo valioso. Sentia a noite ainda pairando ao redor dele. As pontas dos cabelos escuros estavam úmidas.

Ao longe, o som de sinos anunciou a alvorada. Se tivesse esperado mais alguns segundos, teria sido tarde demais para salvá-lo. Lutou contra a vontade inesperada de abraçá-lo. Julian podia ser um canalha e um mentiroso, mas, até que encontrassem Tella, ele era tudo o que Scarlett tinha no jogo.

— Você me deu um susto — comentou ela.

E parecia não ter sido a única a se assustar. O rosto da estalajadeira estava mais pálido ao olhar para a porta uma segunda vez.

Julian se aproximou de Scarlett, pousando a mão suavemente na parte mais baixa das costas dela.

— Como você a convenceu a me deixar entrar?

— Hã... — Scarlett relutou em contar a verdade sobre o que dissera. — Eu só disse que o sol ainda não tinha nascido.

Julian ergueu a sobrancelha, cético.

— Talvez eu também tenha dito que vamos nos casar — acrescentou ela.

Minha mentirosinha, murmurou ele sem emitir som, os lábios abrindo-se ligeiramente ao se aproximar devagar.

Scarlett se retesou. Por um instante, pensou que Julian ia beijá-la, mas, em vez disso, ele murmurou:

— Obrigado. — Os lábios pairaram perto da orelha dela, arrepiando a pele, e ela estremeceu quando a mão dele ficou mais firme em sua cintura.

Alguma coisa nesse gesto parecia muito íntima.

Scarlett se afastou um tanto, mas a mão do marinheiro continuou onde estava, mantendo-a por perto quando ele se voltou para a estalajadeira. Ela agora estava atrás do grande balcão verde-oliva que ocupava a maior parte da sala de teto baixo.

— E obrigado à senhora — falou Julian. — Agradeço pela gentileza que nos fez hoje.

— Ah, não foi nada de mais — respondeu a mulher, embora Scarlett pudesse jurar que ela ainda estava abalada. Os dedos tremiam enquanto ajustava a touca na cabeça. — Como eu disse à sua noiva, detesto separar um casal. Na verdade, tenho uma reserva especial para vocês dois.

A estalajadeira remexeu atrás do balcão e tirou duas chaves de vidro, uma com a gravação do número oito e a outra com o nove.

— Fácil de achar, basta subir a escada à sua esquerda. — Piscou ao entregar as chaves para eles.

Scarlett esperava que a piscada fosse só um tique. Nunca tivera muito apreço por piscadas. O pai gostava de piscar, normalmente depois de ter feito alguma maldade. A garota não achava que essa estalajadeira tivesse feito alguma coisa nefasta com os quartos, mas as pequenas chaves de vidro combinadas com o gesto estranho causaram em Scarlett um nervosismo azul e gelado.

Provavelmente era só sua imaginação, disse a si mesma. Talvez as chaves também fossem parte do jogo. Talvez destrancassem algo mais que os quartos oito e nove e fosse isso que ela quisera dizer com "reserva especial".

Ou quem sabe fosse só uma bela vista dos canais.

A estalajadeira explicou que cada corredor tinha um lavabo e uma sala com uma banheira.

— À sua direita fica a Taverna de Vidro, fecha uma hora depois do amanhecer, abre uma hora antes do pôr do sol.

Dentro do bar, lustres de esmeralda lançavam uma luz cor de jade, pairando sobre mesas de vidro que tilintavam com as taças e o peso das falas vagarosas. O lugar cheirava a cerveja velha e conversa ainda mais velha. Estava a ponto de fechar por hoje. Só restava um punhado de clientes, todos com diferentes cores e feições, o que fazia parecer que tinham vindo dos continentes. Nenhum deles tinha cabelos loiros e encaracolados.

— Tenho certeza de que vai encontrá-la amanhã — disse Julian.

— Ou talvez ela já esteja no quarto, quem sabe? — Scarlett se voltou para a estalajadeira. — A senhora saberia nos dizer se uma jovem chamada Donatella Dragna está hospedada aqui?

A mulher hesitou. Scarlett pôde jurar que ela reconhecera o nome.

— Sinto muito, queridos. Não posso contar quem também está hospedado aqui.

— Mas é minha irmã.

— Mesmo assim, não posso ajudar. — A estalajadeira olhou de Scarlett para Julian com um leve pânico no olhar. — Regra do jogo. Se ela estiver aqui, terão que encontrá-la por conta própria.

— A senhora não pode...?

A mão de Julian pousou nas costas de Scarlett e logo os lábios dele voltaram a seu ouvido.

— Ela já nos fez um favor hoje — avisou ele.

— Mas... — A garota tentou argumentar, porém a expressão do marinheiro a deteve. Alguma coisa ali passava da cautela e parecia muito mais próxima do medo.

Os cabelos escuros caíram por cima dos olhos dele quando se inclinou para mais perto dela e sussurrou:

— Sei que quer encontrar sua irmã, mas nesta ilha os segredos têm valor. Não entregue os seus por pouco. Se as pessoas souberem o que você mais deseja, podem usar contra você. Vamos. — Começou a subir a escada.

Scarlett sabia que era madrugada, mas os corredores retorcidos de La Serpiente tinham o cheiro do fim da noite, suor e fumaça de um fogo quase findo misturados ao hálito persistente das palavras cujos fantasmas ainda assombravam o ar. As portas não pareciam ter nenhuma ordem. O quarto dois era no segundo andar, enquanto o quarto um era no terceiro. A porta verde-azulada do quarto cinco vinha depois da entrada cor de framboesa do quarto onze.

Os corredores do quarto andar eram revestidos de um papel de parede aveludado com listras grossas em preto e creme. Scarlett e Julian finalmente encontraram seus quartos no meio do corredor. Eram vizinhos.

Ela hesitou perante a porta arredondada do quarto oito, enquanto Julian a esperava entrar.

A sensação era de que tinham passado mais do que só um dia juntos. O marinheiro não fora o pior dos companheiros. Scarlett sabia que talvez não tivesse chegado até ali sem a ajuda dele.

— Eu estava pensando — começou ela. — Amanhã...

— Se eu vir sua irmã, aviso que você está procurando por ela. — O tom de Julian foi educado, mas soou claramente como uma despedida.

Então, tinha acabado.

Não deveria estar surpresa ou aborrecida com o fim da parceria. Julian alegara que a ajudaria, mas Scarlett já aprendera o bastante sobre ele para saber que, quando ele queria alguma coisa, dizia o que fosse necessário para consegui-la. Ela não sabia quando passara a esperar mais que isso. Nem por quê.

Lembrava-se do que ele dissera na relojoaria, sobre como ela o superestimava por achar que ele se preocupava com a irmã. Julian usava as pessoas. Seu uso de Scarlett fora benéfico para ambos, mas ainda assim a usara. Lembrava-se da sua primeira impressão sobre ele: alto, dono de uma beleza rude e perigoso, como veneno contido numa garrafa atraente.

Era melhor ficar longe dele. Mais seguro. Ele podia tê-la ajudado hoje, mas Scarlett não devia baixar a guarda; claramente, ele estava ali por interesse próprio. E, depois de encontrar a irmã na noite seguinte, não estaria mais sozinha, nem ficaria muito mais tempo na ilha.

— Adeus — disse Scarlett no mesmo tom que ele usara, e, sem mais uma palavra, entrou no quarto.

Já havia um fogo aceso na lareira, quente e luminoso, lançando sombras de cobre nas paredes com papel de parede florido — rosas brancas com bordas de rubi em vários estágios de florescimento. A lenha estalava ao queimar, uma suave canção de ninar que a atraía para a imensa cama de dossel, a maior que Scarlett já vira. Devia ser por isso que o quarto era considerado especial. Envolta de camadas drapeadas e diáfanas de tecido branco que pendia das colunas de madeira esculpida, a cama estava repleta de travesseiros de seda, feitos de cobertores de retalhos, espessos e macios, atados com belos laços de fita cor de groselha. Mal podia esperar para cair no colchão e...

A parede se moveu.

Scarlett congelou. O quarto, de repente, ficou mais quente e menor. Por um instante, esperou que fosse só um truque da imaginação.

— Não — disse, olhando enquanto Julian chegava por uma porta estreita que até aquele momento estivera camuflada pela parede estampada ao lado do guarda-roupa. — Como é que você entrou aqui? — perguntou ela. Contudo, antes mesmo de ouvir uma resposta, soube exatamente o que tinha acontecido.

A piscada. As chaves. A reserva especial.

— Ela nos deu o mesmo quarto de propósito!

— Você fez um excelente trabalho ao convencê-la de que estávamos apaixonados. — O olhar de Julian seguiu para a cama luxuosa.

As bochechas se Scarlett arderam, ficando da cor dos corações, do sangue e da vergonha.

— Eu não disse que estávamos apaixonados... só disse que éramos noivos.

Julian riu, mas ela estava horrorizada.

— Não tem graça. Não podemos dormir aqui juntos. Se alguém descobrir, estarei completamente arruinada.

— Lá vai você fazendo drama de novo. Acha que tudo vai destruir sua vida.

Mas, se alguém soubesse, isso de fato destruiria o noivado com o conde.

— Você conheceu meu pai. Se um dia ele descobrir que eu...

— Ninguém vai descobrir. Imagino que seja essa a razão das duas portas com números diferentes. — Ele foi até a cama enorme e se jogou nela.

— Você não pode dormir nessa cama — protestou Scarlett.

— Por que não? É bem confortável. — Julian tirou as botas, largando-as no chão com dois baques altos. Então, tirou o colete e começou a desabotoar a camisa.

— O que está fazendo? Não pode fazer isso!

— Escute, Carmim. — Ele parou de abrir os botões. — Já disse que não vou tocar em você, e prometo cumprir minha palavra. Mas não vou dormir no chão nem naquela saleta só porque você é uma garota. Esta cama é grande o bastante para nós dois.

— Acha mesmo que vou me deitar numa cama com você? Está louco? — Uma pergunta ridícula, pois ele claramente estava. Continuou a desabotoar a camisa, e ela tinha certeza de que fazia isso por saber que a deixava constrangida. Ou talvez só gostasse de se exibir.

Scarlett teve outro vislumbre dos músculos lisos enquanto se virava para a porta.

— Vou descer e perguntar se ela tem outro quarto.

— E se não tiver? — gritou Julian.

— Então dormirei no corredor.

Um cavalheiro teria protestado, mas Julian não era cavalheiro. Uma coisa leve foi ao chão. Provavelmente sua camisa.

Scarlett estendeu a mão para a maçaneta.

— Espere aí...

Um objeto quadrado de bordas douradas pousou aos pés dela. Um envelope. Seu nome estava escrito na frente, numa letra elegante.

— Achei isso na cama. Imagino que seja sua primeira pista.

A avó de Scarlett costumava dizer que o mundo do Caraval era o domínio do Mestre Lenda. Nada se dizia sem que ele ouvisse. Nem um sussurro escapava a seus ouvidos, nenhuma sombra passava despercebida por seus olhos. Ninguém jamais via Lenda — ou quem via não sabia que era ele —, mas ele tudo via durante o Caraval.

Scarlett poderia jurar que sentiu o olhar dele sobre ela ao sair para o corredor. Sentia-o no modo como as velas acesas nas lanternas pareciam brilhar mais intensamente, como olhos atentos, enquanto ela examinava a mensagem.

O envelope era igual àquele que Lenda enviara antes, dourado e creme e repleto de mistério.

Quando o abriu, várias pétalas de rosa vermelha caíram na palma da mão, bem como uma chave. Uma delicada peça de vidro verde. Semelhante à do quarto, só que esta chave tinha o número cinco gravado, e atada a ela havia uma fitinha preta que prendia um pedaço largo de papel com um nome: Donatella Dragna.

Scarlett sabia que esta deveria ser sua primeira pista. Para ela, porém, parecia mais um presente de Lenda, assim como o vestido e os ingressos. Na relojoaria, Scarlett achara difícil acreditar que ela era especial, mas talvez estivesse sentindo um toque da magia do Caraval, pois se viu ousando esperar que Lenda de fato estivesse dando a ela um tratamento diferente, mais uma vez tomando conta dela ao mostrar o paradeiro da irmã. Por um momento, sentiu que tudo daria certo.

Voou pelo corredor até chegar aos degraus que levavam ao terceiro andar. O quarto cinco vinha depois do onze: uma porta quadrada verde-azulada cuja maçaneta de vidro verde parecia uma enorme pedra preciosa. Pomposa e magnífica. Perfeita para Tella.

Scarlett pôs a chave na fechadura, mas o som da respiração do outro lado da porta pareceu um pouco alto demais para Tella. Laranja fumegante, uma sensação de desconforto subiu pelo pescoço de Scarlett quando encostou o ouvido na porta.

Bam.

Alguma coisa pesada caiu no chão.

Seguida de um gemido.

— Tella... — Scarlett segurou a maçaneta. — Você está bem?

— Scarlett? — A voz de Tella saiu com dificuldade, parecendo sem fôlego.

— Sim! Sou eu, vou entrar!

— Não... não entre!

Outro baque alto.

— Tella, o que está acontecendo aí dentro?

— Nada... só... *não* entre.

— Tella, se houver algo errado...

— Não há nada errado. Só estou... ocupada... — Tella parou de falar.

Scarlett hesitou. Havia algo errado, *sim*. A voz não parecia normal.

— Scarlett! — A voz de Tella soou alta e clara, como se pudesse ver a irmã pegando a maçaneta. — Se abrir essa porta, nunca mais falarei com você!

O tom era baixo, e desta vez uma voz profunda seguiu-se à dela. A voz de um rapaz.

— Você ouviu sua irmã — disse ele.

As palavras ricochetearam pelo corredor torto, atingindo Scarlett como uma rajada de vento indesejado, chegando a todos os lugares que suas roupas não podiam proteger.

Ao se afastar, sentiu-se como uma tola em cinco diferentes tons de cereja. Passara todo esse tempo preocupada com Tella, mas a irmã obviamente não se afligira por ela. É provável que nem tivesse pensado nela. Não quando estava na cama com um rapaz.

Scarlett não deveria estar surpresa. Tella sempre fora mais aventureira; gostava do sabor dos apuros. Todavia, não era o espírito aventureiro que a magoava. Tella era a pessoa mais importante do mundo para Scarlett, mas sempre lhe doía saber que a irmã não sentia o mesmo por ela.

Quando sua mãe, Paloma, as abandonara, todas as partes ternas do pai de Scarlett pareceram desaparecer com ela. As regras da casa foram de estritas a severas, assim como as consequências pela desobediência a elas. Teria sido tão diferente se ao menos Paloma tivesse ficado em Trisda. Scarlett havia prometido jamais abandonar Tella como a mãe o fizera. Ela a protegeria. Mesmo que Scarlett fosse apenas um ano mais velha, não confiou em nenhuma outra pessoa para tomar conta da irmã e, quando Tella cresceu, Scarlett não confiou em Tella para tomar conta de si mesma. Contudo, embora tivesse amparado a irmã, também a tinha mimado. Muitas vezes, Tella pensava apenas em si mesma.

No fim do corredor, Scarlett desabou no chão. As tábuas brutas de madeira rangeram estranhamente debaixo dela. Neste andar mais baixo, fazia mais frio do que no superior. Ou talvez ela só sentisse frio por ter sido dispensada pela irmã. Tella escolhera outra pessoa que não ela. Um jovem cujo nome provavelmente nem sabia. Ao passo que Scarlett quase sempre temia os homens, Tella era o oposto, sempre perseguindo os rapazes errados, na esperança de que um deles pudesse oferecer o amor que o pai negava.

Scarlett pensou em voltar ao próprio quarto, aquecido pelo fogo e cheio de cobertores. Mas nem todo o calor do mundo poderia convencê-la a dividir a cama com Julian. Teria descido e pedido outro quarto à estalajadeira, mas algo lhe dizia que essa não era uma ideia sensata, depois te ter feito aquela algazarra para conseguir que a mulher deixasse Julian entrar. Julian idiota.

Idiota. Idiota. Idiota... Repetiu a palavra mentalmente até os olhos começarem a se fechar.

— Senhorita... — A mão quente balançou o ombro de Scarlett, fazendo-a despertar.

Ela se sobressaltou, levando as mãos ao peito enquanto os olhos se abriam, só para voltarem a se fechar na mesma hora. O jovem diante dela segurava uma lanterna perto demais do seu rosto. Sentia o calor da chama lambendo-lhe a face, embora ele estivesse a uma distância segura.

— Acho que ela está bêbada — comentou uma mulher jovem.

— Não estou bêbada. — Scarlett reabriu os olhos. O rapaz com a lanterna parecia uns anos mais velho que Julian. Entretanto, diferentemente do marinheiro, o jovem usava botas engraxadas e cabelos cuidadosamente amarrados. Era atraente, e o zelo que tivera com a aparência fez Scarlett pensar que ele também sabia disso.

Vestido inteiramente de preto, era o tipo de garoto que Tella teria chamado de imprestavelmente bonito, ao mesmo tempo que, em segredo, pensaria em modos de chamar sua atenção. Scarlett reparou em toda a tinta que cobria as mãos e subia pelos braços dele. Tatuagens, sensuais e complexas, símbolos arcanos, uma máscara fúnebre, lábios curvados numa forma sedutora, garras de aves e rosas negras. Cada uma competia com as outras em sua aparência refinada, o que deixava Scarlett mais curiosa do que deveria ficar.

— Fui colocada num quarto com outra pessoa por acidente — explicou ela. — Estava indo pedir outra acomodação à estalajadeira, mas aí...

— Você simplesmente adormeceu no corredor? — Quem disse isso foi a garota que chamara Scarlett de bêbada. Estava longe da lanterna, e o resto das luzes do corredor havia se apagado, de modo que Scarlett não conseguia ver o rosto dela. Imaginava-o carrancudo e pouco atraente.

— É complicado. — Scarlett hesitou. Teria sido fácil contar a verdade a eles, mas, ainda que a dupla não conhecesse Tella, não queria expor a insensatez da irmã. Era tarefa sua proteger Tella. E Scarlett não sabia se dava real importância ao que essa gente pensava dela, mesmo que seus olhos não parassem de voltar ao jovem tatuado. Ele tinha o tipo de perfil procurado por escultores e pintores. Lábios carnudos, maxilar forte, olhos de carvão abrigados por sobrancelhas escuras e grossas.

Estar assim acuada por um rapaz, num corredor mal iluminado, deveria tê-la incomodado, mas a expressão dele era mais apreensiva que predatória.

— Não precisa se explicar — disse ele. — Tenho certeza de que tem uma boa razão para dormir aqui fora, mas creio que não deva ficar. Estou no quarto número onze. Você pode dormir lá.

Pelo modo como o jovem falou, Scarlett teve razoável certeza de que ele não pretendia ficar no quarto com ela — diferentemente de certo rapaz que conhecia —, mas estava tão acostumada aos perigos ocultos que não pôde deixar de hesitar.

Observou-o novamente à luz da lanterna, o olhar caindo na rosa negra gravada no dorso da mão, elegante, bela e um tanto melancólica. Scarlett não sabia o motivo, mas sentiu como se aquela tatuagem, de algum modo, o definisse. A parte elegante e bela poderia tê-la afugentado — tinha aprendido que, muitas vezes, essas características eram só um disfarce —, mas a parte triste a atraía.

— E você, onde vai dormir?

— No quarto da minha irmã. — Ele indicou a garota ao lado. — Há duas camas lá, e ela não precisa de ambas.

— Preciso, sim — retrucou a garota, e, embora Scarlett ainda não conseguisse vê-la com clareza, poderia julgar que a estranha a olhava com aversão.

— Não seja rude — respondeu o jovem. — Eu insisto — acrescentou, antes que Scarlett pudesse protestar de novo. — Se minha mãe descobrisse que deixei uma jovem dama trêmula de frio dormir no chão, ela me renegaria, e eu não a culparia por isso. — Estendeu a mão tatuada para ajudá-la a se levantar. — A propósito, eu sou Dante, e esta é minha irmã, Valentina.

— Sou Scarlett, obrigada — respondeu ela, relutante e ainda surpresa por ele não querer nada em troca. — É muito generoso da sua parte.

— Acho que está me superestimando. — Dante segurou a mão de Scarlett um instante a mais. Por um breve momento, os olhos negros a apreciaram pescoço abaixo, e ela pôde jurar que o rosto dele ficou corado, mas Dante ergueu o olhar antes que ela ficasse constrangida. — Vi você hoje na taverna, mas parecia estar com outra pessoa, não?

— Ah, eu... — Scarlett hesitou. Sabia o que ele estava perguntando. Mas não conseguia distinguir se a curiosidade de Dante se devia ao jogo ou a algum tipo de interesse genuíno por ela. Só o que sabia era que o modo firme como Dante a encarava aquecia as partes frias de seus membros, e imaginou que, se Julian estivesse no corredor com uma moça bonita, não apresentaria Scarlett como sua noiva.

— Então, estaria livre para jantar comigo ao cair da noite? — perguntou ele.

Valentina resmungou de desgosto.

— Cale-se — ordenou Dante. — Por favor, ignore minha irmã; ela bebeu demais esta noite. Isso a torna um pouco mais desagradável que o normal. Prometo que, se aceitar jantar comigo, ela não nos fará companhia. — Continuava a sorrir para Scarlett de um jeito que ela sempre tinha esperado que um garoto sorrisse, como se não sentisse apenas atração por ela, mas também vontade de protegê-la e cuidar dela. O olhar de Dante permanecia com ela como se não fosse capaz de se desviar.

O conde me olhará do mesmo modo, garantiu Scarlett a si mesma. Pois, embora não estivesse de fato envolvida com Julian, ainda tinha um noivado, e ignorá-lo era perigoso.

— Sinto muito. Eu... não posso. Eu...

— Está tudo bem — interrompeu Dante depressa. — Não precisa se explicar. — Sorriu novamente, um sorriso mais amplo, mas nem de longe sincero. Em silêncio, conduziu-a até o quarto antes de entregar-lhe uma chave de ônix.

Por um momento tenso, ambos ficaram parados diante da porta — estreita e pontiaguda. Scarlett temeu que, apesar da palavra, Dante tentasse entrar com ela. Mas ele meramente esperou que experimentasse a chave antes de sussurrar:

— Durma bem.

Scarlett começou a dizer adeus, mas se deteve ao entrar no quarto. Havia uma lâmpada a óleo sobre o guarda-roupa baixo, iluminando o espelho acima dele. Mesmo na penumbra, a imagem de Scarlett era nítida. Os cabelos pretos caíam abaixo dos ombros quase nus sob as pregas de tecido branco e transparente.

Ela arfou. O vestido perverso se transformara de novo, ficando translúcido, rendado e escandaloso demais para ser usado em local público ou enquanto se conversava com um jovem desconhecido.

Scarlett bateu a porta, fechando-a sem terminar de se despedir. Não admirava Dante ser incapaz de tirar os olhos dela.

Scarlett não teve bons sonhos.

Ao adormecer, sonhou com Lenda. Ela tinha voltado ao camarote dourado e não usava nada além de um espartilho preto decotado e uma anágua vermelha, e tentava se cobrir com as cortinas.

— O que está fazendo? — Lenda chegou pavoneando-se, exibindo a cartola de veludo azul pela qual já era conhecido e um olhar cheio de más intenções.

— Eu só estava tentando assistir ao jogo. — Scarlett se embrulhou mais nas cortinas, mas Lenda a tirou dali. A mão dele era fria como a neve, o rosto juvenil oculto por uma sombra.

O frio mordiscou os ombros nus de Scarlett.

Lenda riu e envolveu a cintura dela com as mãos.

— Não convidei você para ficar vendo, preciosa. — A boca se aproximou da dela, como se prestes a beijá-la. — Quero que você jogue — sussurrou.

Então, ele a jogou do camarote.

PRIMEIRA NOITE DO CARAVAL

13

Scarlett acordou coberta por suor frio. Havia encharcado a testa e a parte de trás dos joelhos. Sabia que fora só um sonho, mas por um momento se indagou se a magia do Caraval — a magia de *Lenda* — não teria de algum modo invadido seus pensamentos.

Ou talvez o sonho fosse feito dos pensamentos dela? Duas vezes disseram-lhe que isso era apenas um jogo, e ainda assim ela se comportava como se tudo fosse real. Como se suas ações pudessem ser descobertas, julgadas e punidas.

Não convidei você para ficar vendo.

Mas nem isso Scarlett estava fazendo.

No dia anterior fizeram coisas incríveis, mas passara o tempo todo dominada pelo medo. Lembrava a si mesma de que o pai não estava ali. E, se fosse ficar por apenas uma noite, mais tarde se arrependeria de ter passado o tempo inteiro amedrontada demais para conseguir aproveitar.

Tella provavelmente dormiria pelo menos mais uma hora; Scarlett podia passar esse tempo sem se preocupar com ela. E, enquanto isso, divertir-se um pouquinho não faria mal.

Seus pensamentos voaram para Dante, para a rosa negra tatuada na mão dele e o jeito caloroso como ele a fizera sentir-se desejada. Deveria ter dito sim. Era só um jantar, nada tão escandaloso quanto conversar com ele em um corredor escuro, só de camisola. E mesmo isso não terminara tão mal quanto ela teria imaginado.

O dormitório emprestado tinha apenas uma janelinha octogonal, mas era o bastante para ver o sol se pondo vagarosamente e os canais e ruas voltando à vida. O mundo estava à beira do anoitecer, na hora nebulosa antes que tudo se tornasse completamente escuro. Talvez, se ela se dirigisse rapidamente à Taverna de Vidro, não fosse tarde mais para encontrar Dante e aceitar seu convite para jantar. De todo modo, sentia como se devesse tomar café da manhã. Havia se acostumado a dormir durante o dia com uma facilidade surpreendente, mas a ideia de acordar e ir jantar ainda não parecia natural.

Antes de sair, deu uma última olhada em sua aparência no espelho. Enquanto lavava o rosto, percebeu que sua roupa se transmutava; o tecido leve da camisola transformava-se em camadas pesadas de seda.

Preferia algo mais discreto, um vestido que se camuflasse na noite, mas sua roupa definitivamente tinha opinião própria.

Um laço gigante cor de vinho se acomodou acima da anquinha, suas duas fitas grossas escorrendo pela saia até o chão. O restante do vestido era do mais puro branco, exceto pelo corpete, que era recoberto de fitas vermelhas, deixando à mostra somente pequenos lampejos do tecido alvo.

Seus ombros estavam nus, apesar dos braços cobertos por mangas compridas. Assim como o corpete, eram revestidas de fitas cor de rubi, que se atavam acima das mãos, deixando as pontas dançarem entre os dedos esbeltos.

Tella adoraria esse vestido. Scarlett podia até imaginar os gritinhos da irmã quando a visse em traje tão arrojado.

Apesar de Scarlett ter prometido não se preocupar com a irmã na primeira hora da noite, ainda não conseguia evitar pensar em Tella ao passar diante do dormitório número cinco.

A porta estava entreaberta. Uma luz verde-esmeralda, a mesma cor da maçaneta de cristal, vazava de dentro como névoa.

Scarlett disse a si mesma que continuasse andando. Devia encontrar Dante, alguém que realmente queria passar um tempo com ela. Contudo, havia algo naquela luz, na porta entreaberta e no magnetismo que sempre a levava para junto da irmã que fez com que Scarlett se aproximasse.

— Tella... — Scarlett bateu timidamente na porta. A fenda se ampliou, deixando vazar ainda mais luz verde, a cor das coisas más.

O sentimento esquisito de antes voltou.

— Tella? — Abriu a porta completamente. — Ah, meu De... — Scarlett cobriu a boca.

O quarto de Tella parecia um campo de batalha. A destruição estava toda recoberta por plumas, como se um anjo rebelde tivesse enlouquecido por ali. Elas se misturavam às lascas de madeira que estalavam sob as botas de Scarlett e às roupas rasgadas, arrancadas do guarda-roupa destruído.

A cama também estava avariada. A colcha estava rasgada ao meio, e um dos pés da cama havia desaparecido como se fosse um membro decepado.

Isso tudo era culpa de Scarlett. Tella estivera sozinha com um homem nesse quarto, mas não pelo motivo que Scarlett pensara. Ela deveria saber.

E deveria ter entrado, apesar dos protestos de Tella. Era dever de Scarlett cuidar da irmã. Tella era descuidada demais com os homens. E Scarlett fora tola ao pensar que pudessem se hospedar ali, mesmo que fosse por apenas um dia.

Deveria ter ido embora da ilha com Tella no instante em que a encontrara. Se tivessem ido embora imediatamente, isso não teria...

— Pela divina dentadura!

Scarlett se virou ao som da exclamação favorita de sua irmã, mas proferida por uma voz que não era nada familiar.

— Olhe, Hector... Outra pista. — A mulher que marchou para dentro do dormitório era esbelta, de cabelos prateados, e com certeza não era Donatella. — Isto é magnífico! — Ela puxou pela porta um homem mais velho, de óculos.

— O que estão fazendo? — perguntou Scarlett. — Este é o quarto da minha irmã. Vocês não podem ficar aqui.

O casal levantou os olhos como se tivessem acabado de notar Scarlett.

A mulher de cabelos prateados sorriu, mas não foi com gentileza. Era um sorriso ganancioso e tão verde quanto a luz que banhava a poeira do quarto.

— Sua irmã é Donatella Dragna?

— Como você sabe disso?

— Quando foi a última vez que a viu? — indagou a mulher de cabelos prateados. — Como é a aparência dela?

— Eu... Ela... — Scarlett começou a responder, mas a pergunta lhe soou sórdida como uma banheira repleta de água suja. O tom da mulher era ansioso, assim como seus olhos pálidos e as mãos crispadas.

Foi então que Scarlett viu, nas palmas enrugadas da mulher. Era uma chave de vidro verde. Exatamente igual à que Scarlett havia recebido, gravada com um número cinco e atada a um pedaço de papel com o nome de Donatella.

As palavras de Julian vieram-lhe à mente. O nome de sua irmã era a primeira pista para Scarlett. E outras pessoas haviam recebido exatamente a mesma pista.

É tudo um jogo. Scarlett lembrou-se do aviso da garota no monociclo. Isso não era real.

Mas era como se fosse. Os vestidos espalhados pelo quarto eram mesmo de Donatella. E, quando sua irmã a avisara para não entrar no dormitório, aquela fora mesmo a sua voz, e ela realmente soara aborrecida, embora por um motivo, Scarlett temia, muito diferente do imaginado.

Plumas alçaram voo quando a mulher arrancou uma pena da camisola de renda azul-clara de Tella, caída no chão, e o acompanhante dela surrupiou uma bijuteria do piso.

— Por favor, não toquem em nada — pediu Scarlett.

— Desculpe, querida, mas não é porque ela é *sua irmã* que você vai ficar com todas as pistas.

— Isso não são pistas! São as coisas da minha irmã! — Scarlett elevou a voz, mas tudo o que conseguiu foi atrair mais gente. Ávidos como urubus, homens e mulheres, jovens e velhos irromperam no dormitório como animais famintos querendo arrancar a última carne da carcaça. Scarlett sentiu-se incapaz de impedi-los. Como havia pensado que esse jogo era sobre magia?

Alguns deles tentavam fazer-lhe perguntas — como se ela fosse conduzi-los a outras pistas —, mas, ao verem que Scarlett não respondia, simplesmente seguiam em frente, apressados.

Ela tentou confiscar o que podia. Agarrou vestidos e roupas de baixo, fitas e joias e cartões ilustrados. Tella devia ter sido sincera sobre nunca mais voltar para Trisda, pois não eram somente suas roupas espalhadas pelo quarto. Todas as suas coisas favoritas estavam ali — e algumas coisas de Scarlett, também. Scarlett não tinha certeza se Tella as pegara por egoísmo ou se as trouxera consigo porque, em seus planos, nenhuma das duas voltaria para Trisda.

— Com licença. — Uma moça grávida, de bochechas rosadas e cabelos louro-avermelhados, aproximou-se de Scarlett. Sua voz era o único som calmo em meio ao caos. — Parece que você precisa de ajuda. Eu não consigo me agachar direito. — Ela gesticulou para a barriga volumosa e redonda. — Talvez eu possa segurar essas coisas enquanto você continua recolhendo?

Scarlett estava chegando ao ponto em que não conseguia pegar mais nada, mas não queria soltar as coisas que conseguira apanhar.

— Acho difícil que eu saia correndo — acrescentou a moça. Ela era jovem, quase da mesma idade de Scarlett, e pelo seu tamanho parecia que teria o bebê a qualquer instante.

— Não sei se...

A frase morreu quando Scarlett viu um homem em calças baratas de belbutina e chapéu-coco marrom chutar um pedaço de vidro colorido. Alguma coisa vermelha cintilou abaixo dele.

— Não! Você não pode pegar isso! — Scarlett se lançou na direção do homem. No entanto, no momento em que ele notou seu interesse, o dele próprio se inflamou muito mais. Ele arrebatou os brincos preciosos do chão e disparou rumo à porta.

Ela correu atrás dele, mas o homem era rápido e os braços dela estavam carregados. Ela estava a meio caminho do corredor quando ele chegou à escadaria rangente.

— Aqui, me deixe segurar para você. — A moça grávida estava ao lado dela no corredor. — Vou estar bem aqui quando você voltar — prometeu.

Scarlett não queria soltar o que havia recolhido, mas não podia perder aqueles brincos de jeito nenhum. Abandonando as coisas nos braços da moça, ela agarrou a barra da saia cor de neve e tentou alcançar o homem. Teve um vislumbre do chapéu-coco marrom quando chegou às escadas, depois ele sumiu de vista.

Sem fôlego, ela disparou escada abaixo, vendo a porta do La Serpiente bater como se alguém tivesse acabado de passar por ela às pressas. Scarlett correu naquela direção e segurou a borda da porta de tom verde espalhafatoso. Do lado de fora, o mundo era anoitecer e resplandecer a um só tempo. As estrelas piscavam lá no alto como olhos maléficos, enquanto hostes de lampiões ateavam luz às ruas com suas velas cintilantes. Uma melodia alegre de acordeão ressoava pelas ruas e as pessoas se moviam no embalo da música, balançando as saias e sacolejando os paletós.

Mas nenhum chapéu-coco marrom à vista. O homem havia desaparecido.

Isso não deveria importar tanto. Eram apenas brincos. Mas não eram somente brincos. Eram escarlates.

Cristais de escarlate para Scarlett, sua mãe dissera. Fora o último presente antes de ela partir. Scarlett sabia que não existia nada chamado "cristal de escarlate" e que aquelas eram somente contas de vidro colorido, mas isso não tinha a menor importância. Aqueles brincos eram uma parte de sua mãe e um lembrete de que o Governador Dragna já fora um homem muito diferente. *Seu pai me deu esses brincos*, ela dissera, *porque escarlate é a minha cor favorita.*

Agora seria difícil imaginar seu pai sendo assim atencioso. Ele havia sido tão diferente antes. Depois da fuga de Paloma e de não mais encontrá-la, ele destruíra tudo o que poderia fazê-lo lembrar-se dela, deixando somente os brincos, e isso apenas porque Scarlett os escondera. Tinha sido nessa época que Scarlett prometera estar sempre com a irmã, e jamais deixar Tella despojada de tudo senão um par de joias e de memórias baças, assim como fizera sua mãe. Mesmo anos depois, o desaparecimento de Paloma se agarrava a ela como uma sombra que nenhuma quantidade de luz seria capaz de apagar.

Os olhos de Scarlett arderam em lágrimas. Novamente, tentou lembrar que aquilo era apenas um jogo. No entanto, não era o jogo que ela pensou que seria.

De volta à entrada tortuosa do La Serpiente, não ficou surpresa ao descobrir que a moça grávida havia sumido com todas as suas coisas. No corredor, nada restara dos preciosos pertences de Tella. Tudo o que Scarlett encontrou foram somente um botão de vidro e um cartão ilustrado que a moça ou qualquer outra pessoa provavelmente tinha deixado cair.

— Aqueles urubus.

— Não sabia que você era capaz de xingar alguém. — Julian estava apoiado à parede oposta, os braços castanhos cruzados casualmente sobre o peito, fazendo Scarlett se perguntar onde ele estivera por todo aquele tempo.

— Não sabia que a palavra *urubu* era xingamento — emendou Scarlett.

— Do jeito que você disse, soou como se fosse.

— Você também xingaria se sequestrassem uma irmã sua como parte do jogo.

— Aí vem você me superestimando outra vez. Se sequestrassem uma irmã minha como parte do jogo, usaria isso a meu favor. Pare de sentir pena de si mesma, Carmim, vamos lá. — Julian abandonou a parede e foi em direção ao dormitório saqueado de Tella.

Os urubus haviam partido levando consigo tudo o que era importante. Até o vidro verde da maçaneta da porta fora confiscado.

— Tentei recolher todas as coisas dela, mas... — A voz de Scarlett falhou ao adentrar o quarto, lembrando-se daqueles olhos e mãos vorazes agarrando os pertences de Tella, como se fossem peças de um quebra-cabeça, e não pertences de uma pessoa.

Ela mirou Julian, mas não havia piedade no olhar sombrio dele.

— É só um jogo, Carmim. Aquelas pessoas só estavam jogando. Se quiser vencer, terá que ser um pouco impiedosa. O Caraval não é uma lição sobre gentileza.

— Não acredito em você — contestou Scarlet. — Não é porque sua bússola moral está quebrada que todo mundo aqui é inescrupuloso.

— Os que chegam perto de vencer o jogo são. Nem todos vêm aqui só para se divertir. Alguns jogam só para vender o que conquistaram a quem pagar mais. Assim como o sujeito que fugiu com os seus brincos.

— Ele não vai conseguir muito dinheiro com eles — comentou Scarlett amargamente.

— Você se surpreenderia se soubesse. — Julian pegou no chão um dos puxadores do guarda-roupa destruído. — Há quem esteja disposto a gastar muito dinheiro ou abrir mão de seus segredos mais profundos por um pouco da magia do Caraval. Mas aqueles que não jogam limpo normalmente pagam ainda mais caro. — Julian jogou a peça no ar e deixou-a cair no chão antes de admitir serenamente: — Lenda tem certo senso de justiça.

— Bem, eu não quero jogar — declarou Scarlett. — Só quero encontrar minha irmã e voltar para casa em tempo para o meu casamento.

— Isso vai ser um problema. — Julian pegou a maçaneta do guarda-roupa mais uma vez. — Se quiser encontrar sua irmã antes de partir, vai ter que vencer o jogo.

— Do que está falando?

— Deixe-me adivinhar, você não reparou na pista que eu lhe dei?

— Tudo o que minha pista dizia era o nome de Donatella.

— Tem certeza? — indagou ele em tom de desafio.

— Claro. Só não tinha percebido que era uma pista. Pensei que Lenda... — Scarlett se deu conta de seu erro tarde demais.

Os lábios de Julian estavam curvados na mesma expressão zombeteira que surgia quando a garota mencionava o nome de Lenda, apesar de ela ainda não ter completado seu raciocínio desmiolado.

Scarlett olhou duas vezes para o papel que viera atado à chave. As únicas palavras no bilhete eram o nome da irmã, mas logo abaixo havia um grande espaço vazio. Atravessando o quarto até a lamparina de vidro verde mais próxima, Scarlett levantou o papel do modo como Tella fizera com os ingressos enviados por Lenda. Novas linhas de uma escrita elegante surgiram, bastante claras.

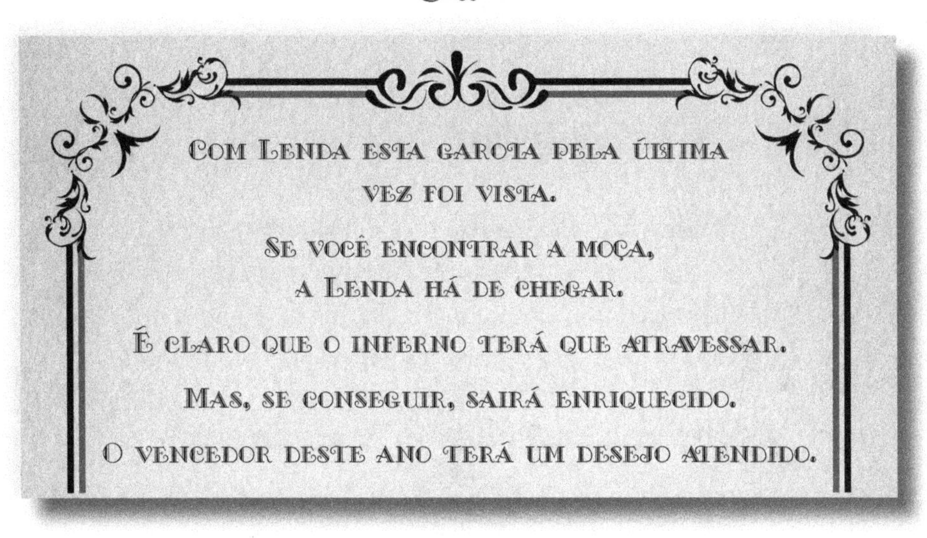

Depois de um momento, o poema desapareceu e um novo conjunto de palavras tomou seu lugar:

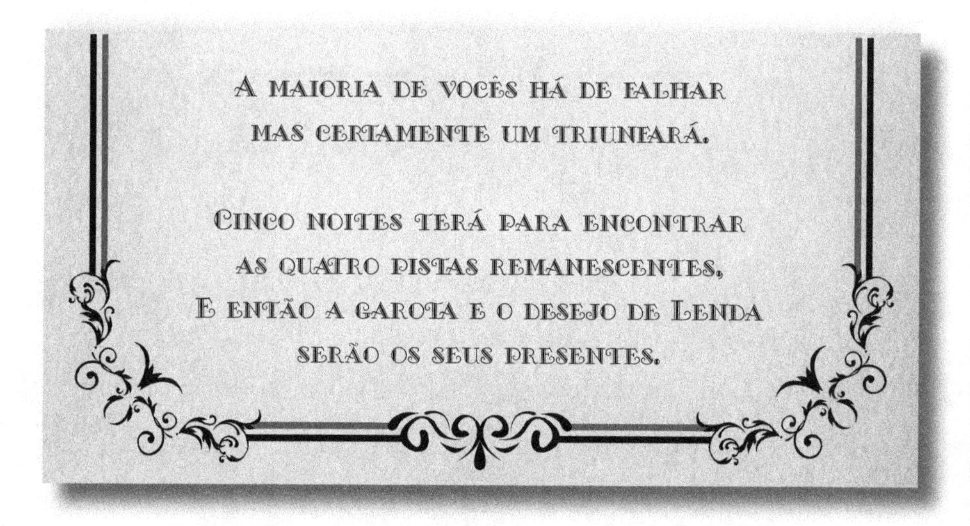

Talvez os sonhos de Scarlett tivessem sido muito mais que uma ilusão. Lenda realmente a queria ali. Ela recordou o que o garoto do camarote dissera: *Uma vez lá dentro, vocês serão apresentados a um mistério que deve ser resolvido.*

Descobrir para onde Tella fora levada devia ser o mistério deste ano. E devia ser por isso que tanta gente andara vasculhando o dormitório dela; eles também estavam à sua procura. O bilhete não dizia o que aconteceria a Tella se ninguém a encontrasse, mas Scarlett sabia que sua irmã não tinha planos de voltar a Trisda ao término do jogo. Se Scarlett não a encontrasse, Tella desapareceria assim como a mãe. Se quisesse vê-la novamente, teria que ficar e participar do jogo.

Scarlett, porém, não poderia ficar até o final. O casamento com o conde seria dentro de seis dias, no vigésimo dia do mês. Seriam cinco noites no Caraval, mas a viagem de volta para Trisda levaria outros dois dias inteiros. Para chegar em casa a tempo do casamento, teria que achar todas as pistas e encontrar Tella antes da última noite do jogo.

— Não precisa ficar apavorada — disse Julian. — Se sua irmã está com Lenda, tenho certeza de que está sendo bem tratada.

— E como você pode ter certeza disso? — retrucou Scarlett. — Você não a ouviu; ela parecia amedrontada.

— Você chegou a vê-la?

— Só ouvi a voz dela. — E Scarlett explicou o que acontecera.

Parecia que Julian estava tentando conter uma risada.

— Você continua esquecendo que isto aqui é um jogo. Ou ela estava fingindo, ou outra pessoa estava se passando por ela. De qualquer forma, acho que você não precisa se preocupar com a sua irmã. Acredite em mim quando digo que Lenda sabe tomar conta de seus convidados.

As últimas palavras de Julian deveriam ter afrouxado os nós no estômago de Scarlett, mas algo no modo como ele falou apenas acentuou aquele aperto. O sorriso não chegava aos olhos dele, frios, distantes.

— Como você sabe de que modo Lenda trata os convidados dele?

— Olhe só o dormitório que recebemos por você ser a *convidada especial* dele. — O sotaque de Julian pesou quando disse a palavra *especial.* — Faz sentido pensar que ele colocou sua irmã em algum lugar tão bom quanto.

Novamente, isso deveria ter feito Scarlett se sentir aliviada. Tella não estava correndo nenhum perigo. Sua irmã era apenas parte do jogo, e uma parte importante. E era exatamente isso que deixava Scarlett tão perturbada. Por que, entre todas as pessoas possíveis, ele resolvera escolher justamente sua irmã?

— Ah, entendi — acrescentou Julian. — Você está com ciúme.

— Não, não estou.

— Faria sentido se estivesse. Foi você quem escreveu cartas para ele por todos esses anos. Ninguém a culparia por se sentir mal porque ele escolheu sua irmã, e não você.

— Não estou com ciúme — repetiu Scarlett, mas isso só fez o marinheiro alargar o sorriso e continuar a brincar com a peça do guarda-roupa, fazendo-a sumir e reaparecer entre os dedos hábeis.

Um truque barato de mágica.

Ela tentava pensar no desaparecimento de Tella dessa forma, como uma simples manobra — ela não havia desaparecido para sempre, apenas estava fora do seu alcance.

Scarlett leu de novo a primeira pista. *Na balbúrdia da partida dela a pista número dois vai estar.* Scarlett devia ter recebido alguma vantagem por ser a irmã de Tella. Se alguma coisa no quarto não pertencesse a

Tella, Scarlett saberia, mas já não restava quase nada ali. Exceto por um botão de vidro e pelo cartão ilustrado em sua mão, os quais, depois de um olhar mais atento, já não pareciam tão comuns.

— O que é isso? — Julian perguntou. Como Scarlett não respondeu de imediato, o tom de voz dele se tornou mais encantador. — Vamos, achei que fôssemos parceiros.

— Essa parceria tem beneficiado apenas a você, não a mim.

— Eu não diria *apenas*. Está esquecendo que, se não fosse por mim, você nem estaria aqui.

— Eu poderia dizer o mesmo — retrucou Scarlett. — Na noite passada evitei que você fosse expulso do jogo, mas só você dormiu no nosso quarto!

— Você poderia ter dormido na cama também. — Julian brincou com o botão da camisa.

Scarlett franziu o cenho.

— Você sabe que essa nunca foi uma opção.

— Tudo bem. — Ele levantou os braços num sinal exagerado de rendição. — Daqui em diante será uma parceria mais equilibrada. Vou continuar contando a você o que sei sobre o jogo. Nós vamos compartilhar as descobertas um com o outro e vamos alternar os dias para usar o dormitório. Quando você dormir nele, prometo que ficarei do lado de fora. De todo modo, você é bem-vinda para dormir junto comigo sempre que quiser.

— Canalha — Scarlett murmurou.

— Já me chamaram de coisas bem piores. Agora, me mostre o que tem nas mãos.

Scarlett espiou o corredor para ter certeza de que não haveria ninguém escutando atrás da porta.

Então ela mostrou a Julian o cartão ilustrado.

— Isto não pertencia à minha irmã.

14

Quando Scarlett tinha onze anos, era perdidamente apaixonada por castelos. Não importava se eram feitos de areia, pedra ou pedaços de imaginação. Eram fortalezas, e Scarlett imaginava que, se vivesse num deles, seria protegida e tratada como uma princesa.

Tella não tinha tais ideias românticas. Ela não queria ser mimada e servida, nem passar a vida trancada em algum castelo velho e mofado. Tella queria viajar pelo mundo, ver as aldeias de gelo do Extremo Norte e as selvas do Continente Oriental. E que melhor maneira de fazer isso do que com uma bela cauda de peixe verde-esmeralda?

Tella nunca contara a Scarlett, mas queria ser uma sereia.

Scarlett rira tanto que chorara ao descobrir a coleção secreta de cartões ilustrados de Tella. Todos com brilhantes sereias — e tritões!

Depois disso, sempre que brigavam, ou sempre que Tella provocava Scarlett, esta ficava tentada a zombar dela por causa daquela história de sereia. Pelo menos os castelos existiam, mas até mesmo Scarlett, que na época ainda tinha sonhos inviáveis e imaginação sem limites, sabia que não havia sereias. Nunca dizia uma palavra, porém. Nem quando Tella debochava dela por causa dos castelos, nem por sua obsessão crescente pelo Caraval. Pois a fantasia de Tella sobre ser uma sereia dava esperança a Scarlett — esperança de que, apesar do abandono da mãe, e do desamor do pai, a irmã ainda conseguia sonhar, e isso era algo que Scarlett jamais queria destruir.

— Os cartões ilustrados da minha irmã eram uma coleção muito especial — disse ela a Julian. — Tella não teria um cartão com o desenho de um castelo.

— Creio que na verdade seja um palácio — comentou ele.

— Mesmo assim, não é um desenho que ela teria. Esta deve ser a próxima pista.

— Tem certeza?

— Se não confia no meu conhecimento sobre minha irmã, então pode encontrar outra pessoa com quem trabalhar.

— Acredite ou não, Carmim, eu gosto de trabalhar com você. E acho que me lembro de ver esse palácio depois que tomamos o barco ontem à noite. Se estiver certa e esse cartão for a segunda pista, é no palácio que devemos procurar a terceira. Quando joguei antes... — Julian se aquietou quando ouviu o som de botas. Passos pesados. Confiantes. Pararam bem diante da porta do quarto de Tella.

Scarlett espiou o corredor.

— Ora, olá — cumprimentou-a Dante, com um sorriso um pouco torto demais para ser perfeito. Novamente, estava vestido de preto, combinando com as tatuagens escuras, mas pareceu se iluminar ao ver Scarlett. — Eu vinha mesmo ver como você estava. Dormiu bem no meu quarto?

Vindo de Dante, as palavras *dormir* e *meu quarto* soavam mais do que um tanto escandalosas.

— Quem está aí, meu amor? — Julian surgiu atrás de Scarlett. Não chegou a tocá-la, mas o modo como se aproximou foi igualmente possessivo. Ela pôde sentir o frescor do corpo dele acariciando o seu quando colocou a mão no batente da porta logo atrás dela.

A expressão encantadora de Dante sumiu. Seus olhos foram de Scarlett para Julian. Não disse uma palavra, mas ela pôde interpretar claramente suas feições endurecidas. Sentiu que algo também mudara em Julian.

O peito de Julian roçou-lhe as costas, e, ao fazer isso, todos os músculos estavam duros e rijos, em conflito com o tom descontraído.

— Alguém vai me apresentar?

— Julian, este é Dante — falou Scarlett.

Dante estendeu a mão. A que tinha a rosa tatuada no dorso.

— Ele fez a gentileza de ceder seu quarto para mim — explicou ela —, já que houve uma confusão envolvendo o meu.

— Ora, então é ótimo conhecer você. — Julian apertou a mão de Dante. — Fico muito feliz que tenha podido ajudar minha noiva. Quando eu soube o que tinha acontecido, fiquei abalado. Gostaria que ela tivesse vindo falar comigo. — Julian se voltou para Scarlett, todo falsos afetos e olhares enfurecedores.

Estava errada ao pensar que isso o perturbara. Ele estava se divertindo. Bancando o noivo preocupado apenas para afugentar Dante, quando na verdade não se importava nem minimamente.

Scarlett voltou a olhar para Dante, esperando encontrar um bom modo de explicar que realmente não mentira. Mas ele não a olhava mais, e seu rosto bonito mudara de aborrecido para estranhamente apático, como se ela tivesse deixado de existir.

— Venha, querida — sussurrou Julian. — Vamos abrir passagem para ele dar uma olhada aqui.

— Está tudo bem — respondeu Dante. — Creio que já vi o que precisava. — Saiu pelo corredor sem mais uma palavra.

Scarlett girou para encarar Julian no momento em que Dante sumiu das vistas.

— Não sou propriedade sua e não aceito que me trate assim.

— Mas gostou do jeito como ele olhou para você? — Julian a fitou, piscando com os cílios grossos e negros ao abrir um sorriso intencionalmente enviesado. — Acha que ele ensaia aquele olhar num espelho?

— Pare. Ele não me olhou desse modo. É só uma boa pessoa. Diferente de alguns, estava disposto a fazer um sacrifício para me ajudar.

— Ele parecia disposto a se beneficiar desse sacrifício também.

— Argh! Nem todo mundo é como você! — Scarlett marchou porta afora até o corredor, segurando firme a segunda pista, o cartão ilustrado de Tella.

— Só estou avisando que aquele lá é encrenca — disse Julian. — É melhor você ficar longe dele.

Scarlett parou no alto da escada, empertigando os ombros ao se voltar para Julian, claramente recordando o olhar voraz que ele exibiu quando ela o flagrara com Tella, na adega.

— Como se você fosse melhor que ele.

— Não estou dizendo que sou um homem bom. Mas não quero de você nenhuma das coisas que aquele sujeito quer. Se quisesse, aconselharia você a ficar longe de mim também. Ele ganhou o Caraval da última vez que joguei. Lembra-se do que eu disse sobre este jogo ter um custo? Até a vitória tem preço, e o triunfo custou muito a ele. Aposto que fará qualquer coisa para ganhar o desejo e tentar recuperar tudo o que perdeu. Se você acha que minha bússola moral está danificada, saiba que a dele não existe.

— Ah, se não é o casal feliz! — exclamou com entusiasmo a garota bonita de pele escura, quando Scarlett e Julian subiram no barco.

A última coisa que Scarlett tinha vontade de fazer agora era bancar a feliz noiva de Julian, mas conseguiu acrescentar doçura à voz quando disse:

— Você não estava pedalando um monociclo ontem?

— Ah, eu faço muita coisa — respondeu a garota, orgulhosa.

Scarlett lembrou-se do aviso de Julian sobre ela, mas, quando a garota começou a remar, ficou difícil pensar que ela fosse feita de alguma coisa além de alegria genuína. Muito mais amigável que a marinheira da noite anterior.

Talvez Julian simplesmente não gostasse de ninguém que parecesse agradável.

Apesar disso, ele foi amável com a garota; depois de mostrar a ela o cartão ilustrado com o destino dos dois, perguntou o nome dela.

— Jovan, mas as pessoas me chamam de Jo — respondeu. Enquanto ela remava, Julian fez mais perguntas e riu das piadas da moça. Scarlett ficou impressionada com a maneira como ele podia ser educado quando queria, embora imaginasse que o objetivo era angariar informações. Jovan apontava todos os tipos de pontos marcantes. Os canais eram circulares, como uma longa casca de maçã espalhada em torno das ruas curvas iluminadas por lamparinas, cheias de tavernas que emitiam fumaça avermelhada, padarias em forma de bolinhos e lojas envoltas em cores que as faziam parecer embalagens de presentes de aniversário. Azul-celeste. Laranja-damasco. Amarelo-açafrão. Rosa-prímula.

Ao passo que os canais continuavam escuros como a meia-noite, as lanternas de vidro contornavam as bordas de cada edifício, enfatizando as cores vívidas enquanto as pessoas entravam e saíam. Scarlett achou a cena semelhante a uma dança animada ao som dos vários tipos de música que tocavam. Harpas, gaitas de fole, violinos, flautas e violoncelos. Cada canal tinha um diferente pulsar instrumental.

— Há muito que ver aqui — comentou Jovan. — Se estiverem dispostos a pagar e olharem com atenção, encontrarão nesta ilha coisas que não poderão ver em nenhum outro lugar. Algumas pessoas vêm aqui só para garimpar nas lojas e nem se interessam pelo jogo.

Jovan continuou a tagarelar, mas suas palavras se perderam quando Scarlett avistou o que parecia ser uma comoção na esquina de uma rua. Aparentemente, uma mulher estava sendo arrancada à força de uma loja. Scarlett ouviu um grito, depois só pôde ver um aglomerado de pessoas puxando a mulher, toda braços e pernas se debatendo.

— O que está acontecendo ali? — Scarlett apontou. Mas, na hora em que Jovan e Julian olharam, alguém na rua apagou todas as lanternas mais próximas, ocultando numa cortina de noite o que quer que Scarlett tivesse testemunhado.

— O que você viu? — perguntou Julian.

— Havia uma mulher de vestido cinza sendo arrastada para fora de uma loja.

— Ah, provavelmente foi só um espetáculo de rua — disse Jovan alegremente. — Às vezes, os atores fazem isso para tornar tudo o mais interessante para as pessoas que só vieram observar. Talvez tenham feito parecer que ela roubou alguma coisa ou enlouqueceu. Tenho certeza de que você verá mais disso com o decorrer do jogo.

Scarlett quase sussurrou para Julian que a cena parecera muito real, mas não lhe tinham avisado sobre isso quando entrara no jogo?

Jovan bateu palmas quando parou de remar.

— Agora, cá estamos. O palácio do cartão. Também conhecido como Castillo Maldito.

Por um momento, Scarlett esqueceu a mulher. Linhas de areia cintilante se elevavam formando um palácio na forma de uma colossal gaiola de passarinho, coberto por pontes curvas, arcos em formato de ferradura e cúpulas redondas, tudo salpicado por pintas douradas de raios de sol. O cartão ilustrado não fizera jus ao lugar. Em vez de ser iluminado por velas, a própria estrutura era luminosa. Enchia o mundo de luz, tornando-o mais brilhante que em qualquer outro lugar, como se tivessem encontrado um trecho de terra capaz de acumular fachos de luz diurna.

— Quanto lhe devemos pelo trajeto? — perguntou Julian.

— Ah, para vocês dois não há tarifa — respondeu Jovan, e Scarlett percebeu que esta provavelmente era mais uma razão pela qual ele fora tão gentil com a remadora. — Vão precisar de tudo o que têm lá dentro. No Castillo, o tempo passa ainda mais rápido.

Jovan indicou as duas imensas ampulhetas que flanqueavam a entrada do palácio de areia, cada uma chegando à altura de mais de dois andares e cheia de contas de rubi em torvelinho. Só havia uma pequena fração das contas na parte de baixo.

— Devem ter notado que as noites e os dias nesta ilha são mais curtos — continuou Jovan. — Certos tipos de magia são movidos pelo tempo, e este lugar usa muita magia, então, quando entrarem, tratem de usar seus minutos com sabedoria.

Julian ajudou Scarlett a sair do barco. Enquanto andavam até a ponte arqueada e passavam pelas ampulhetas enormes, Scarlett se perguntou quantos minutos de sua vida seriam necessários para formar uma daquelas contas. Um segundo no Caraval parecia mais intenso que um segundo comum, como aquele momento no fim do entardecer, quando todas as cores do céu se fundem na magia.

— Devemos procurar o tipo de lugar que atrairia sua irmã — sugeriu Julian. — Aposto que isso vai nos levar à terceira pista.

Pensou no bilhete preso à chave. A número três vocês devem merecer.

Passando as ampulhetas, o caminho à direita levava a uma série de terraços dourados que formavam a maior parte do Castillo. Vistos de baixo, pareciam bibliotecas, cheias do tipo de livro antigo em que as pessoas sempre mandavam não tocar.

O caminho diretamente à frente chegava a um enorme pátio, repleto de cor, som e gente. Uma figueira crescia no coração do pátio, apinhada de passarinhos feitos de sonho. Zebras aladas e gatinhos planadores, diminutos tigres voadores lutando com elefantes que cabiam na palma da mão e usavam as orelhas para alçar voo. Uma coleção variada de gazebos e tendas cercava a árvore, a música dançante brotando de algumas delas, enquanto a risada saltitava de outras, como a tenda verde-jade onde se vendiam beijos.

Não havia dúvida sobre o local para onde Tella se arriscara a ir, e, se Julian tivesse perguntado, Scarlett teria confessado que também estava hipnotizada pelo que via no pátio das tendas. Não deveria estar tentada.

Deveria estar pensando somente em Tella, procurando a próxima pista. Todavia, ao observar a tenda verde dos beijos, tremulando entre risadinhas e sussurros e uma promessa de deleite, ela imaginou...

Scarlett já tinha sido beijada. Na época, dissera a si mesma que tinha sido bom e se contentara com isso, mas, agora, *bom* parecia a palavra que as pessoas usavam quando não tinham nada melhor a dizer. Scarlett duvidava que o beijo bom se comparasse a um beijo durante o Caraval. Num lugar onde até o ar tinha um gosto doce, tentou imaginar que sabor teriam os lábios de outrem colados aos seus.

— Isso agrada a você? — Julian soltou as palavras numa voz rouca, gerando um rubor instantâneo no rosto de Scarlett.

— Eu estava procurando a próxima porta. — Apontou depressa para uma tenda com uma infeliz cor de ameixa.

O sorriso de Julian se ampliou. Obviamente, não acreditava nela. O sorriso se alargava ainda mais conforme as bochechas de Scarlett se ruborizavam.

— Não precisa ter vergonha — disse ele. — Mas, caso precise praticar antes do seu casamento, estou mais que disposto a ajudar de graça.

Scarlett tentou emitir um som de nojo, porém o que saiu de sua boca foi quase um gemido.

— Isso foi um sim? — perguntou o marinheiro.

Ela lhe lançou um olhar desagradável que deveria servir de não. Mas, ao que parecia, provocá-la o deixava de bom humor.

— Você ao menos já viu seu noivo? Talvez ele seja horroroso.

— A aparência dele não importa. Ele escreve para mim toda semana, e as cartas são gentis e atenciosas e...

— Em outras palavras, é um mentiroso — interrompeu-a Julian.

Scarlett fez uma carranca.

— Você nem sabe o que as cartas dizem.

— Sei que ele é conde. — Julian começou a contar nos dedos. — Isso quer dizer que é da nobreza, e ninguém consegue sustentar uma posição como essa sendo honesto. Se ele está procurando uma noiva ilhéu, provavelmente é porque a família dele é feita de consanguíneos, o que também significa que ele é feio. — O tom de voz ficou sério quando um dos dedos foi pousar debaixo do queixo de Scarlett, erguendo o rosto dela em direção ao dele. — Tem certeza de que não quer reconsiderar minha oferta e praticar aquele beijo?

Scarlett se afastou com um resmungo de repulsa, mas este saiu alto demais, errado demais. E, para seu próprio horror, em vez de sentir aversão, um formigamento azulado de curiosidade ferroou-lhe os sentidos.

Agora, ela e Julian estavam mais perto da tenda dos beijos. Um perfume emanava de lá. Tinha o aroma do meio da noite, fazendo Scarlett pensar nuns lábios macios e mãos fortes, numa barba por fazer a roçar-lhe a face, e tudo isso a fazia pensar demais em Julian.

Ignorando o modo como seu pulso se acelerou, ela tentou imaginar algo inteligente para dizer em resposta ao próximo chiste do marinheiro.

Pela primeira vez, porém, ele permaneceu mudo. De certo modo, o súbito silêncio foi mais constrangedor que uma nova e possível provocação.

Não podia imaginar que sua resposta à oferta o tivesse ofendido, embora percebesse que agora ele não mais andava tão perto dela. Mesmo que não tivesse feito nenhuma tentativa de tocá-la, normalmente ficava próximo o bastante para poder fazê-lo, se quisesse, mas continuaram a atravessar o pátio, um tanto afastados demais e demasiado quietos, em nada semelhantes a um casal de noivos.

— Deseja conhecer seu futuro? — perguntou um rapaz.

— Ah, eu... — balbuciou Scarlett ao se virar e dar de cara com uma muralha de carne. Nunca tinha visto um homem nu, e, embora esse homem não estivesse exatamente nu, estava tão perto disso que ela sabia que seria impróprio até mesmo entrar na tenda avermelhada. Mas não recuou.

Ele usava apenas um tecido marrom que ia dos quadris à metade das coxas grossas, revelando planícies de pele lisa totalmente cobertas por tatuagens em cores vívidas. Um dragão com fogo a sair das ventas caçava uma sereia numa floresta em seu abdômen, enquanto querubins disparavam flechas de cima das costelas. Alguns atingiam carpas, enquanto outros perfuravam nuvens que sangravam dentes-de-leão amarelos e pétalas de flor cor de pêssego. Algumas das pétalas chegavam às pernas, que estavam cobertas de cenas circenses detalhadas.

O rosto era igualmente decorado; um olho púrpuro espiava em cada bochecha, enquanto estrelas negras rodeavam os olhos de verdade. Mas foram os lábios que atraíram a atenção de Scarlett. Cercados por tatuagens azuis de arame farpado, um lado estava fechado com a imagem de um cadeado dourado, enquanto o outro tinha o desenho de um coração.

— Quanto cobra pela leitura? — perguntou Julian. Se estava surpreso com a aparência única do homem, não demonstrou.

— Desvelo seu futuro na proporção daquilo que você me der — respondeu o homem tatuado.

— Não, tudo bem — disse Scarlett. — Creio que ficarei contente em descobrir meu futuro quando ele chegar.

Julian a encarou.

— Não foi o que pareceu ontem quando passamos por aqueles óculos ridículos.

— Que óculos?

— Sabe, aqueles que tinham cores diferentes e deixavam ver o futuro.

Agora ela se lembrava: tinha ficado intrigada no momento, mas surpresa por ele ter notado.

— Se quiser entrar, eu posso continuar procurando as pistas. — Julian tocou a parte baixa das costas de Scarlett, empurrando-a gentilmente.

Ela pensou em discutir; colocar os óculos não era a mesma coisa que entrar numa tenda escura com um homem seminu. No entanto, ontem ela perdera Tella por estar apavorada demais para aceitar um acordo. Se a terceira pista precisava ser merecida, talvez pudesse fazer por merecer também as informações sobre o futuro — sobre onde encontraria Tella.

— Não quer entrar comigo? — perguntou Scarlett.

— Prefiro que meu futuro continue sendo uma surpresa. — Julian indicou com a cabeça a tenda dos beijos. — Quando tiver terminado, encontre-me ali. — Soprou um beijo provocante para ela, o que a fez pensar que talvez todo o constrangimento de antes fosse produto da própria imaginação.

— Não sei se eu concordaria com isso — disse o homem tatuado.

Scarlett poderia ter jurado que não falara em voz alta; aquele estranho certamente não poderia ter lido sua mente. Ou talvez só tivesse achado que tal declaração se aplicaria facilmente ao que quer que ela estivesse pensando — outro jeito de atraí-la para dentro da tenda escura.

O rapaz tatuado se apresentou como Nigel enquanto a guiava através das portas lustrosas da tenda, depois descendo degraus na areia que a levaram até um recanto coberto de almofadas e enevoado por fumaça de velas e incenso de jasmim.

— Sente-se — instruiu Nigel.

— Acho que prefiro ficar de pé. — O mar de almofadas fazia Scarlett lembrar-se da cama de seu dormitório no La Serpiente. Por um momento, pensou em Julian, quando ele se espreguiçara naquela cama e desabotoara a camisa.

Quando olhou novamente para as almofadas, Nigel havia se sentado com uma pose semelhante; os braços nus espalhados sobre as almofadas, deixando-a com uma vontade enorme de dar meia-volta e subir correndo as escadas.

— Onde está sua bola de cristal? Ou aquelas cartas que as pessoas costumam usar? — perguntou ela.

Os cantos dos lábios tatuados de Nigel se repuxaram e isso bastou para fazer Scarlett voltar na direção dos degraus.

— Você tem muito medo.

— Não, sou só cautelosa — disse ela. — E estou tentando descobrir como tudo isto funciona.

— Porque você está com medo — repetiu Nigel, observando-a de um jeito que a fez acreditar que ele não estava falando apenas de como ela hesitara ao entrar na tenda. — Seus olhos continuam procurando o cadeado pintado nos meus lábios. Você se sente encurralada e insegura. — Ele apontou para o coração no outro lado da própria boca. — Seus olhos vêm para cá também. Você quer amor e proteção.

— E não é isso o que toda garota quer?

— Não posso falar por toda garota, mas a maioria das pessoas é atraída por outras coisas. Muitas querem poder. — Nigel apontou um dedo, tatuado com uma adaga, para o dragão em seu abdômen. — Outras querem prazer. — Passou a mão pelo circo selvagem em suas coxas, além de outras tatuagens. — Seus olhos passaram sobre todas estas imagens.

— Então, é assim que você prevê o futuro? — Scarlett se aproximou, ficando ainda mais curiosa. — Usa os desenhos em seu corpo para interpretar as pessoas?

— Para mim, são espelhos. O futuro é muito parecido com o passado; geralmente, já está decidido, mas sempre pode ser alterado...

— Eu achava que fosse o contrário — declarou Scarlett. — O passado está decidido, mas o futuro é mutável, não?

— Não. O passado está decidido apenas em sua maior parte, e o futuro é ainda mais difícil de mudar do que você imagina.

— Então, quer dizer que tudo está preso ao destino?

Scarlett não simpatizava com a ideia de destino. Ela costumava acreditar que, se fosse boa, coisas boas lhe aconteceriam. O destino a fazia sentir-se impotente e desesperançada, com um sentimento geral de desimportância. Para ela, o destino era como uma versão maior e onipotente de seu pai, roubando suas escolhas e controlando sua vida sem nenhuma consideração para com os sentimentos dela. O destino significava que nada do que ela fizesse importava.

— Você mergulha muito rápido no medo — afirmou Nigel. — O que pensa sobre o destino só se aplica ao passado. Nosso futuro só é previsível porque, como criaturas deste mundo, nós somos previsíveis. Pense no gato e no rato. — Ele mostrou o lado inferior do braço, onde um gato amarelo estendia as garras na direção de um rato de listras pretas e brancas. — Quando um gato vê um rato, ele sempre o persegue, a não ser, talvez, que o gato seja caçado por algo maior, como um cão. Somos muito parecidos. O futuro sabe das coisas que desejamos, a menos que haja algo ainda maior em nosso caminho para nos afugentar. — Nigel usou os dedos para contornar uma cartola azul-escura em seu pulso, enquanto Scarlett o observava, fascinada. Era muito semelhante à cartola que Lenda usara no sonho dela, fazendo-a lembrar do tempo em que tudo o que queria era receber uma carta dele.

— No entanto, mesmo as coisas que podem alterar nossa trajetória são vistas pelo futuro — prosseguiu Nigel. — Não é o destino, é simplesmente o futuro observando aquilo que mais desejamos. Cada pessoa tem o poder de alterar o destino se for corajosa o bastante para lutar pelo que deseja acima de tudo.

Scarlett desviou os olhos da cartola e flagrou Nigel sorrindo para ela mais uma vez.

— Está intrigada com esta cartola?

— Ah, na verdade eu não estava olhando para ela. — Scarlett não sabia por que se sentia tão constrangida, exceto pelo fato de que deveria estar pensando em Tella, e não em Lenda. — Eu só estava vendo os outros desenhos no seu braço.

Era óbvio que Nigel não acreditava nela. Ele continuou com seu sorriso escancarado como a boca de um tigre.

— Está preparada para ouvir o que vejo em seu futuro?

Scarlett deslocou o peso do corpo de um pé para o outro, observando a fumaça tecer espirais sobre as almofadas aos seus pés. Os limites do jogo começavam a ficar confusos de novo. O que Nigel dizia fazia mais sentido do que ela gostaria que fizesse. Conforme olhava para o dragão no abdômen dele, pensava em seu pai — e sua sede destrutiva de poder. O circo selvagem nas coxas de Nigel a lembrava de Tella — e sua necessidade de prazer para ajudá-la a esquecer as feridas que tanto queria ignorar. E Nigel acertara em cheio sobre o cadeado e o coração em sua boca.

— O que isso vai me custar?

— Só algumas respostas. — Nigel abanou uma mão, lançando sopros de fumaça roxa na direção dela. — Vou lhe fazer perguntas e, para cada uma que responder com a verdade, darei uma resposta em troca.

O modo como ele falava fazia tudo parecer tão simples.

Eram só algumas respostas.

Não o seu filho primogênito.

Não uma parte de sua alma.

Tão simples.

Simples demais.

Mas Scarlett sabia que nada era tão simples, não em uma tenda como aquela, um lugar engendrado para aprisionar e seduzir.

— Vou começar com uma fácil — disse Nigel. — Fale sobre seu acompanhante, o belo rapaz com quem viajou até aqui. Estou curioso, o que você sente por ele?

Os olhos de Scarlett imediatamente se voltaram aos lábios de Nigel. Pousaram no arame farpado ao redor deles. *Não no coração. Não no coração.* Os sentimentos dela por Julian não eram nada desse tipo.

— Julian é egoísta, desonesto e oportunista.

— E ainda assim você concordou em jogar ao lado dele. Esses não devem ser seus únicos sentimentos. — Nigel parou por um instante. Ele a viu olhar para o coração.

Por que isso importava, Scarlett não tinha certeza, mas podia afiançar que importava. Tinha percebido no modo como ele perguntara.

— Você o acha atraente?

Scarlett queria negar. Julian era o arame farpado. Não o coração. Contudo, apesar de nem sempre gostar dele como pessoa, não podia negar que ele era extremamente atraente. O rosto áspero, o cabelo escuro desalinhado, a pele de um castanho quente. E, ainda assim, ela nunca diria isso a ele. Adorava o modo como ele se movia, com absoluta autoconfiança, como se nada no mundo pudesse atingi-lo. Sentia-se menos temerosa quando estava perto dele. Sentia que a coragem e a audácia nem sempre resultavam em derrota.

Mas também não queria contar isso a Nigel. E se Julian estivesse ouvindo do lado de fora da tenda?

— Eu... — Scarlett tentou dizer que não se importava com a aparência dele, mas as palavras grudaram em sua língua como melado.

— Está com algum problema? — Nigel abanou a mão sobre um cone de incenso. — Aqui, isto ajuda a soltar a língua.

Ou força as pessoas a dizer a verdade, pensou Scarlett.

Quando ela voltou a abrir a boca, as palavras se derramaram.

— Acho que ele é a pessoa mais atraente que eu já vi.

Quis dar um tapa na própria boca e empurrar as palavras todas de volta para dentro.

— E também acho que ele é completamente presunçoso — Scarlett conseguiu acrescentar, só para o caso de o canalha estar ouvindo do lado de fora.

— Interessante — Nigel uniu as mãos como numa prece. — Agora, quais são as duas perguntas que gostaria de me fazer?

— O quê? — Scarlett ficou alarmada ao perceber que Nigel só queria saber sobre Julian. — Você não tem mais nenhuma pergunta para mim?

— Nosso tempo está acabando. Aqui, as horas escorrem como se fossem minutos.

As mãos de Nigel vagaram na direção das velas mortiças que contornavam o interior da tenda.

— Você tem duas perguntas.

— Só duas?

— Deseja que essa seja uma das suas perguntas?

— Não, eu só... — Scarlett fechou a boca com força antes que deixasse sair alguma coisa indevida por acidente.

Se isso era de fato um jogo, então não importava o que viesse a perguntar. Quaisquer respostas que recebesse seriam faz de conta. Mas e se alguma parte fosse verdadeira? Por um instante, Scarlett deixou os pensamentos entrarem furtivamente nesse terreno perigoso. Ela já havia testemunhado a magia antes, na relojoaria, por meio da porta de engrenagens de Algie e do vestido encantado que Lenda lhe dera. E o incenso de Nigel a fizera dizer a verdade, o que também era evidência de magia. Se o homem diante dela pudesse realmente prever o futuro, o que ela gostaria de saber?

Seus olhos voltaram a fitar o coração no canto dos lábios dele. Vermelho. A cor do amor, do coração partido e de outras tantas coisas, das virtuosas às torpes. Conforme olhava o coração, pensava no conde, em suas cartas amáveis e se podia confiar ou não nas coisas que ele dissera.

— A pessoa com quem vou me casar, você pode me dizer que tipo de homem ele é? Se é uma pessoa boa, honesta?

Scarlett imediatamente se arrependeu de não perguntar primeiro por sua irmã. Deveria estar pensando somente em Tella; fora por isso que entrara na tenda, para começar. Mas agora era tarde demais para retirar a pergunta.

— Ninguém é verdadeiramente honesto — respondeu Nigel. — Mesmo se não mentirmos para os outros, mentimos para nós mesmos. E a palavra *boa* significa coisas diferentes para pessoas diferentes. — Nigel se inclinou para a frente, perto o bastante para Scarlett ter a sensação de que todas as cenas pintadas no corpo dele também estavam olhando para ela. Observou-a com tanta atenção que Scarlett se perguntou se não havia no rosto dela imagens pintadas que só ele fosse capaz de ver. — Sinto muito, mas o homem com quem vai se casar não é o que você chamaria de bom. Talvez já tenha sido, mas se desviou desse caminho e ainda não está claro se retornará.

— O que você quer dizer? Como isso pode não estar claro? Pensei que tivesse dito que o futuro estava em sua maior parte decidido... que somos como gatos, sempre perseguindo o mesmo rato.

— Sim, mas quase sempre há dois ratos a seguir. Ainda não está claro qual rato ele continuará perseguindo. Será sábio de sua parte tomar cuidado.

Mais uma vez, Nigel olhou para Scarlett como se ela estivesse coberta de desenhos que só ele era capaz de enxergar. Desenhos que fizeram o rosto dele se franzir, como se ela também tivesse um coração perto da boca, só que todo estilhaçado.

Ela tentou dizer a si mesma que isso tudo era obra da própria imaginação. Ele apenas tentava iludi-la. Assustá-la como parte do jogo. Mas seu casamento com o conde nada tinha a ver com o jogo. Ela não tinha nada a ganhar com o aviso enigmático de Nigel.

Ele se levantou das almofadas e caminhou em direção aos fundos da tenda.

— Espere — pediu Scarlet. — Eu não fiz minha segunda pergunta.

— Na verdade, você me fez três.

— Mas duas delas não foram perguntas de verdade. Você não explicou as regras direito. Você ainda me deve uma resposta.

Nigel olhou novamente para Scarlett. Um totem de imagens caleidoscópicas coroado por um sorriso perverso.

— Eu não lhe devo nada.

— Por favor! — Scarlett correu atrás dele. — Não estou pedindo um vislumbre do futuro. Minha irmã foi sequestrada como parte do jogo; pode me dizer onde encontrá-la?

Nigel se virou. Um clarão de tinta e cor.

— Se você se importa mesmo com sua irmã, por que não perguntou sobre ela primeiro?

— Não sei — respondeu ela.

Mas não era bem verdade. Cometera mais um erro, exatamente como na relojoaria. Estivera mais preocupada com o próprio futuro do que com a tarefa de encontrar a irmã. Talvez pudesse consertar o erro, contudo. Nigel dissera que desvelaria o futuro na proporção do que ela desse a ele.

— Espere! — gritou quando ele começou a se afastar de novo. — Foi o coração — confessou. — Toda vez que eu olhava para você, via o coração em torno dos seus lábios e isso me fazia pensar no meu casamento, que será daqui a uma semana. Eu quero muito me casar, mas não conheço meu noivo, então há coisas que não sei sobre ele e... — Não queria admitir seus verdadeiros sentimentos, mas forçou as palavras a sair: — Tenho medo.

Devagar, Nigel se virou mais uma vez. Ela tentou imaginar se ele podia ver quão profundo era o medo, mais fundo do que a própria

Scarlett percebera. Seus olhos encontraram uma corrente em torno do pescoço de Nigel, e ela imaginou um grilhão invisível em torno do próprio pescoço, sempre a contendo, formado pelos anos de castigos cruéis impostos pelo pai.

— Se quiser ganhar este jogo — disse Nigel —, deverá esquecer o casamento. E, se quiser encontrar sua irmã, não a encontrará neste Castillo. Siga o garoto do coração negro.

— Essa é a terceira pista? — perguntou Scarlett. Mas Nigel já se fora.

Quando ela voltou ao pátio, o brilho do Castillo havia diminuído. Seus arcos agora pareciam feitos de um bronze opaco em vez de ouro polido, lançando sombras alongadas no palácio. Ela esgotara quase todo o seu tempo. Todavia, atreveu-se a esperar que, ao confessar seus medos a Nigel, tivesse *merecido* a terceira pista. Talvez estivesse mais perto de encontrar Tella.

Quando Nigel dissera *siga o garoto do coração negro*, pensara primeiro em Julian, egoísta e traiçoeiro. Podia imaginar facilmente que o coração dele fosse feito de trevas.

Infelizmente, não pôde ver nenhum sinal do marinheiro desencaminhado, nem da tenda verde dos beijos onde ele dissera que a encontraria. Viu uma tenda verde-trevo peluda e outra brilhante, verde-esmeralda, mas nada de verde-jade em lugar nenhum.

Scarlett sentiu como se a ilha estivesse lhe pregando peças.

Foi até a tenda esmeralda. Garrafas cobriam cada superfície: chão, paredes, vigas de sustentação do teto. O vidro cintilou como pó de fada quando ela olhou o interior.

Além da proprietária feminina, as outras pessoas dentro da tenda eram um par de mulheres jovens e frívolas. Ambas estavam diante de uma caixa de vidro, fechada e cheia de frascos negros com rótulos vermelho-rubi.

— Talvez, se nós chegarmos àquela garota antes e encontrarmos Lenda, possamos fazê-lo beber um desses — disse uma das jovens para a outra.

— Elas estão falando do meu tônico romântico — explicou a proprietária. Colocou-se na frente de Scarlett, saudando-a com um borrifo de algo mentolado. — Mas imagino que você não esteja aqui por isso. Está procurando uma nova fragrância? Temos óleos que atraem e perfumes que repelem.

— Ah, não, obrigada. — Scarlett recuou antes que a mulher pudesse borrifá-la outra vez. — O que tem nesse frasco?

— Só meu jeito de dizer olá.

Scarlett duvidava disso. Virou-se para sair, porém algo a puxou de volta à tenda, um chamado silencioso, atraindo-a para uma estante rústica no fundo. Apinhada de garrafas e frascos de boticário, rotulados com palavras como *Tintura do Esquecimento* e *Extrato dos Amanhãs Perdidos*.

Uma voz na cabeça de Scarlett dizia que estava perdendo tempo — precisava encontrar Julian e seguir seu coração negro. Começou a se virar para sair mais uma vez, mas uma ampola azul-celeste numa prateleira alta captou seu olhar. *Elixir de Proteção*.

Por um segundo, pôde jurar que o líquido azulado no interior pulsou como um coração.

A proprietária pegou o frasco e o ofereceu a Scarlett.

— Você tem inimigos?

— Não, só estou curiosa — respondeu, evasiva.

Os olhos da mulher eram verde-escuros, uma intensa concentração de cor, e os cantos enrugados diziam: *Não acredito em você*. Mesmo assim, fez a gentileza de fingir que acreditava.

— Se uma pessoa estiver prestes a lhe fazer mal — continuou ela, tranquilamente —, isso a deterá. Basta borrifar um pouco no rosto dela.

— Como a senhora fez comigo?

— Meu perfume somente lhe abriu os olhos para que visse do que pode precisar.

Scarlett segurou o recipiente na palma da mão. Era pouco mais que um frasquinho, mas pesado. Imaginou o peso solidamente reconfortante em seu bolso.

— Quanto custaria?

— Para você? — A mulher observou Scarlett com atenção, avaliando sua postura, o modo como se retraía e se recusava a ficar totalmente de costas para a entrada da tenda. — Conte-me quem você mais teme.

Scarlett hesitou. Julian a avisara sobre entregar seus segredos por pouco. Também afirmara que, para vencer o jogo e encontrar a irmã, precisava ser um pouco impiedosa. Imaginava que aquela poção pudesse ser implacável, embora esta não fosse a única razão pela qual soltou de uma só vez as palavras:

— Marcello Dragna.

Com o nome veio uma onda medonha de anis e lavanda e alguma coisa semelhante a ameixa podre. Scarlett olhou em torno de si, certificando-se de que o pai não estava parado à entrada.

— Este elixir pode ser usado numa pessoa somente uma vez — advertiu a mulher — e os efeitos passam depois de duas horas.

— Obrigada. — Assim que disse as palavras, pensou ter visto Julian logo atrás da borda da tenda adjacente. Um vulto de cabelos escuros e movimentos furtivos. Poderia jurar que olhou diretamente para ela, mas depois continuou na direção oposta.

Scarlett saiu às pressas, correndo para o lado mais fresco do pátio, onde os pavilhões coloridos já não cresciam. Contudo, Julian desapareceu outra vez. Escapuliu sob o arco à esquerda.

— Julian! — Ela passou por baixo do mesmo arco sombreado, percorrendo uma trilha estreita que levava a um jardim tristonho. Mas não teve um vislumbre dos cabelos escuros de Julian atrás de nenhuma das estátuas rachadas. Nenhum sinal dos movimentos precisos perto das plantas mortiças. Ele sumira, assim como todas as cores tinham se esvaído do jardim, deixando-o pálido e desprovido de beleza.

Scarlett procurou outro arco que ele pudesse ter usado para sair, mas o jardim terminava sem saída, numa fonte gasta que cuspia a espuma de uma água marrom numa bacia suja, contendo umas poucas e patéticas moedas e um botão de vidro. O poço dos desejos mais triste que Scarlett já vira.

Não fazia sentido. Nem o desaparecimento de Julian nem este trecho de terra negligenciado, deixado à míngua no meio de um domínio tão meticulosamente refinado. Até mesmo o ar parecia diferente. Fétido e estagnado.

Scarlett quase pôde sentir a tristeza da fonte contagiá-la, transformando seu desânimo no tipo de desespero amarelo e lúgubre que sufocava a vida. Imaginou se fora isso que acontecera às plantas. Sabia como a tristeza podia ser paralisante. Não fosse sua determinação em proteger a irmã a todo custo, poderia ter desistido há muito tempo.

Provavelmente deveria ter desistido. Como era aquele ditado, *de boas intenções o inferno está cheio*? De muitos modos, amar Tella era uma fonte de dor contínua. Não importava quanto Scarlett tentasse cuidar da irmã, nunca bastava para ocupar a lacuna deixada pela mãe. E Tella não amava Scarlett de fato. Se amasse, não teria arriscado tudo o que Scarlett queria arrastando-a, contra a própria vontade, para dentro daquele jogo miserável. Tella nunca ponderava. Era egoísta e descuidada e...

Não! Balançou a cabeça e respirou fundo, com força. Nenhum desses pensamentos era real. Ela amava Tella mais do que tudo. Queria encontrá-la mais do que tudo.

Isso é efeito dessa fonte, percebeu. O desespero que sentia era produto do mesmo tipo de encantamento, muito provavelmente criado para evitar que as pessoas ficassem ali por tempo demais.

O jardim estava escondendo alguma coisa.

Talvez por isso Nigel tivesse lhe dito para seguir Julian e seu coração negro — porque Nigel sabia que isso a traria para cá. Este devia ser o lugar onde a próxima pista estava escondida.

As botas de Scarlett estalaram no chão de pedra opaca quando se aproximou de onde avistara o botão. Era o segundo que via naquela noite. Tinha que ser parte da pista. Usou um graveto para apanhá-lo. Foi então que viu...

Era tão discreto que ela quase não notou — olhos menos atentos poderiam ter deixado passar. Debaixo da água turva e marrom, gravado na borda da bacia, havia um sol com uma estrela no interior e uma lágrima dentro da estrela — o símbolo do Caraval. Não parecia tão mágico quanto as letras prateadas na primeira carta que Lenda enviara; nada, obviamente, parecia encantado naquele jardim horroroso.

Scarlett tocou o símbolo com o graveto. Imediatamente, a água começou a escoar, levando consigo todos os sentimentos infelizes, enquanto os tijolos da fonte se moviam, revelando uma escada sinuosa que desaparecia rumo à escuridão do desconhecido. Era o tipo de escada que ela relutava em descer sozinha. E estava ficando perigosamente sem tempo se quisesse voltar à hospedaria antes de o dia raiar. Mas, se ali era onde Julian tinha desaparecido, e se ele era o garoto do coração negro, Scarlett precisava segui-lo para descobrir a próxima pista. Ou Tella seria aquilo que Scarlett perseguiria, ou o medo de Scarlett seria capaz de afugentá-la.

Tentando não se preocupar com a ideia de estar cometendo um enorme engano, desceu os degraus correndo. Depois do primeiro trecho úmido, a areia começou a circular suas botas enquanto espiralava pela escada, indo muito mais fundo que os degraus da adega em sua casa.

A descida era iluminada por tochas, lançando sombras dramáticas nos tijolos de areia em tom de ouro claro que ficavam mais escuros a cada volta. Imaginou que estivesse três degraus debaixo da terra; a sensação era de ter entrado no coração do Castillo. Um lugar ao qual tinha razoável certeza de que não pertencia.

As apreensões que tentara enterrar voltavam à tona conforme descia. E se o garoto que seguira não fosse Julian? E se Nigel tivesse mentido? Julian não lhe avisara que não deveria confiar nas pessoas? Todos os medos apertavam a corrente invisível em torno do seu pescoço, instigando-a a dar meia-volta.

Ao pé da escada, um corredor se estendia em múltiplas direções, uma cobra com mais de uma cabeça. Escuro e tortuoso, magnífico e apavorante. Um ar frio soprava de um túnel. De outro vinha uma brisa quente. Mas não se ouvia o som de passos vindo de nenhum deles.

— Como chegou aqui embaixo?

Scarlett virou-se. Uma luz fraca tremeluziu na boca do corredor frio, e saiu dali a garota de lábios vermelhos que, na noite anterior, não conseguira tirar os olhos de Julian ao levar os dois até La Serpiente.

— Estou procurando meu acompanhante. Eu o vi descer...

— Não há ninguém mais aqui embaixo — falou a garota. — Você não deveria estar neste...

Alguém gritou. Um grito ardente como fogo.

Uma voz fraca na mente de Scarlett lembrou-a de que aquilo era só um jogo, que o grito era uma ilusão. Todavia, a moça dos lábios vermelhos diante dela parecia autenticamente assustada, e aquele lamento soara muito real. Seus pensamentos se voltaram ao contrato que assinara com sangue e aos rumores sobre a mulher que tinha morrido durante o jogo, alguns anos antes.

— O que foi isso? — perguntou Scarlett.

— Você precisa ir embora. — A garota pegou o braço dela e a empurrou de volta aos degraus.

Outro grito sacudiu as paredes, e um pó se elevou nos corredores, misturando-se à luz da tocha, como se tremesse perante o som pavoroso. Foi um único segundo de tremor, mas Scarlett juraria ter visto uma mulher ser amarrada — a mesma mulher de vestido cinza que ela vira ser retirada de uma loja. Jovan dissera que era só um espetáculo. Contudo, não havia ninguém ali para ouvir os lamentos da mulher, exceto Scarlett.

— O que vocês estão fazendo com ela? — Continuou a lutar com a garota dos lábios vermelhos, esperando chegar à outra mulher, mas a jovem era forte. Scarlett lembrou-se da força que ela usara para remar o barco na noite anterior.

— Pare de lutar comigo — avisou a garota. — Se entrar mais fundo nesses túneis, vai acabar louca, assim como ela. Não estamos machucando essa mulher; estamos impedindo que machuque a si mesma. — Ela empurrou Scarlett mais uma vez, derrubando-a de joelhos ao pé da escada. — Não vai encontrar seu companheiro aqui embaixo. Só insanidade.

Um novo grito pontuou a frase; este, masculino.

— Quem foi... — Uma porta de arenito se fechou diante de Scarlett antes que pudesse terminar. Separou-a da garota, do corredor e dos gritos. Mas, enquanto subia de volta ao pátio, os ecos permaneceram em sua mente como a umidade num dia sem sol.

O último grito não parecera ser de Julian. Ou foi isso que ela tentou dizer a si mesma enquanto pegava um barco de volta ao La Serpiente. Lembrou que era apenas um jogo. Mas a parte da loucura começava a parecer muito real.

Se a mulher de cinza tivesse mesmo enlouquecido, Scarlett não podia deixar de se perguntar: Por quê? E, se não tivesse, se fosse só uma atriz, Scarlett podia entender como ir atrás dela, acreditando que seus gritos de dor fossem verdadeiros, poderia enlouquecer uma pessoa.

Pensou em Tella. E se ela estivesse amarrada em algum lugar, aos gritos? *Não.* Esse tipo de pensamento era exatamente o que faria Scarlett enlouquecer. Lenda provavelmente fornecera a Tella toda uma ala de acomodações luxuosas; podia imaginá-la dando ordens aos servos e comendo morangos mergulhados em açúcar cor-de-rosa. Julian não dissera que Lenda tinha um cuidado especial para com os convidados?

Scarlett esperava encontrar Julian na taverna, zombando dela por ter corrido atrás de alguém parecido com ele e por ter passado tanto tempo na tenda sedosa de Nigel. Convenceu-se de que ele tinha desistido de esperar por ela; ficou entediado e foi embora. Ela não o deixara gritando no túnel. Era outro jovem de cabelos escuros aquele que ela vira correr para o jardim. E as palavras de Nigel tinham sido outro truque do jogo. Já tinha certeza de tudo isso no momento em que chegou ao La Serpiente. *Quase*.

A Taverna de Vidro estava ainda mais cheia que no dia anterior. Cheirava a risada e gabolice, ornamentadas com cerveja doce. Meia dúzia de mesas de vidro atravancadas por mulheres desalinhadas e homens de bochechas vermelhas, todos fazendo alarde dos seus achados — ou lamentando a falta de descobertas.

Para imenso prazer de Scarlett, ouviu a mulher de cabelos grisalhos que encontrara no quarto de Tella contar como fora feita de boba por um homem que alegava vender maçanetas encantadas.

— Experimentamos a maçaneta — relatou ela. — Colocamos na porta lá em cima, mas não nos levou a nenhum lugar diferente.

— É porque é só um jogo — respondeu um homem de barba preta. — Não há magia de verdade aqui.

— Ah, eu acho que não...

Scarlett teria adorado continuar a ouvir às escondidas, na esperança de descobrir alguma coisa, já que os limites entre o jogo e a realidade estavam começando a se confundir demais para o seu gosto, mas um rapaz perto do canto chamou sua atenção. Cabelos caóticos e escuros. Ombros fortes. Confiante. *Julian*.

Ficou zonza de alívio. Ele estava bem. Não estava sendo torturado; na verdade, parecia muitíssimo bem. Estava de costas para ela, mas a inclinação da cabeça e o ângulo do peito deixavam claro que estava flertando com a jovem perto da mesa dele.

O alívio de Scarlett transformou-se em outra coisa. Se ela não podia conversar com outro rapaz por causa do noivado de faz de conta, não ia permitir que Julian flertasse com uma rameira no bar. Especialmente quando essa rameira era a loira grávida que escapulira com as coisas de Scarlett. Só que agora a jovem não parecia estar carregando nenhum bebê. O corpete do vestido era liso e achatado, não curvo em torno do ventre saliente.

Fervendo ligeiramente de raiva, Scarlett pôs a mão no ombro de Julian ao se aproximar.

— Querido, quem é...

As palavras sumiram quando ele se voltou.

— Ai, sinto muito! — Deveria ter percebido que ele estava todo vestido de preto. — Pensei que você fosse...

— Seu noivo? — sugeriu Dante, num tom repleto de insinuações maliciosas.

— Dante...

— Ah, então lembra meu nome. Não me usou só por causa da minha cama. — A voz dele estava alta. Os clientes sentados às mesas mais próximas lançaram a Scarlett olhares que iam da aversão ao desejo. Um homem lambeu os lábios, enquanto um grupo de garotos fazia gestos indecentes.

A loira fungou de desprezo.

— Essa é a garota de quem você me falou? Pelo modo como a descreveu, achei que fosse muito mais bonita.

— Eu estava bêbado — disse Dante.

Um rubor quente ardeu nas bochechas de Scarlett, muito mais intenso do que seu tom costumeiro de vergonha. Julian podia ser mentiroso, mas pelo jeito tinha razão quanto à verdadeira natureza de Dante.

Scarlett quis responder alguma coisa tanto para Dante como para a garota, mas tinha um nó na garganta e um vazio no peito. Os homens mais próximos ainda a olhavam com malícia, e agora as fitas do vestido começavam a escurecer, adquirindo tons de preto.

Precisava sair dali.

Girou nos calcanhares e ziguezagueou pela taverna, seguida por murmúrios, enquanto a cor negra escorria das fitas do vestido, espalhando-se como mancha de tinta pela saia branca. Lágrimas brotaram-lhe dos olhos. Quentes, furiosas e envergonhadas.

Era isso que ganhava por fingir que não tinha um noivo de verdade. E o que tinha na cabeça para tocá-lo daquele jeito? Chamá-lo de "querido"? Tinha acreditado que Dante fosse Julian, mas em que isso melhorava a situação?

Julian idiota.

Nunca deveria ter feito esse acordo com ele. Queria ficar zangada com Dante, mas fora Julian quem criara essa confusão. Preparou o coração enquanto abria a porta do quarto, esperando, quem sabe, encontrá-lo espalhado na cama enorme e branca, a cabeça escura apoiada num travesseiro, os pés em outro. O quarto tinha o cheiro dele. Brisa fresca, sorrisos maldosos e mentiras deslavadas. Scarlett sentiu a sombra dessas coisas ao entrar. Mas não havia ninguém ali.

O fogo na lareira crepitava baixinho. Ali estava a cama, coberta por camadas de maciez intocada. O marinheiro mantivera a promessa de revezar os dias no quarto.

Ou nunca tinha saído do Castillo Maldito.

Scarlett não sonhou com Lenda. Não sonhou nada, apesar de todo o esforço que fez para dormir. Cada vez que fechava os olhos, os corredores serpenteantes debaixo do Castillo Maldito se alongavam, repletos de gritos e tochas tremulantes. Quando ela abria os olhos, sombras a espreitavam, movendo-se por lugares onde não deveriam estar. Então, fechava os olhos novamente e o ciclo tenebroso recomeçava.

Disse para si mesma que tudo isso era fruto da imaginação. As sombras e os sons. As lamúrias, os passos e os ruídos crepitantes.

Até que alguma coisa estalou, e foi, decididamente, dentro do seu quarto.

Scarlett sentou-se cautelosa. O fogo mortiço da lareira zunia ao lançar fagulhas de luz aqui e ali. Mas o barulho que ouvira era mais alto do que isso.

Aconteceu de novo. Outro estalo sobreveio, imediatamente antes de a porta secreta para o seu dormitório escancarar-se com Julian entrando aos tropeços.

— Olá, Carmim.

— O que... — Scarlett não conseguiu terminar a pergunta. Mesmo sob a luz granulada, era capaz de ver que algo não estava bem. Os passos tortos. A cabeça inclinada. Rapidamente fugiu da cama, cobrindo-se com um lençol. — O que aconteceu com você?

— Não é tão ruim quanto parece. — Julian cambaleou como se estivesse bêbado, mas tudo o que Scarlett conseguiu sentir foi o cheiro penetrante de sangue.

— Quem fez isso com você?

— Lembre-se, é só um jogo. — Julian sorriu e contorceu-se à luz do fogo e logo desmoronou no sofá.

— Julian! — Scarlett correu para o lado dele. Seu corpo inteiro estava frio, como se ele tivesse ficado ao ar livre por todo aquele tempo. Ela queria chacoalhá-lo, fazê-lo acordar, mas não sabia se essa era uma boa ideia, considerando todo aquele sangue. Tanto sangue. *Sangue muito verdadeiro*. Estava nos cabelos dele e manchou a mão de Scarlett quando ela tentou acomodá-lo em uma posição melhor. — Eu volto logo... Vou sair para buscar ajuda.

— Não... — Julian segurou o braço dela. Seus dedos estavam gelados, assim como todo o resto do corpo dele. — Não vá. É só um ferimento na cabeça, desses que costumam parecer piores do que são. Só me traga a toalha e a bacia, por favor. — Os dedos dele apertaram quando disse *por favor*. — Vai chamar muita atenção se você trouxer mais alguém aqui. Os *urubus*, como você os chamou, vão pensar que isto é parte do jogo.

— E não é?

A cabeça de Julian oscilou quando sua mão caiu do braço de Scarlett.

Ela duvidou que os urubus fossem a única razão para ele querer evitar chamar atenção, mas se apressou a pegar duas toalhas e a bacia. Num instante a água ficou vermelha e marrom. Depois de alguns minutos, o corpo de Julian havia ganhado um pouco mais de calor. Ele tinha razão sobre o ferimento na cabeça; não estava tão ruim quanto parecera à primeira vista. O corte era superficial, mas ele tombou de lado quando tentou se erguer.

— Acho melhor você ficar deitado. — Scarlett pousou a mão afável no ombro dele. — Está ferido em mais algum lugar?

— Talvez você possa dar uma olhada aqui. — Julian levantou a camisa, revelando suas fileiras de músculos dourados e perfeitos; ela teria corado se não fosse por todo o sangue espalhado em seu abdômen.

Usando a toalha que estava mais limpa, Scarlett cuidadosamente fez pressão sobre a pele dele, esboçando movimentos lentos e circulares. Ela nunca havia tocado um rapaz — nem nenhum homem — assim. Teve o cuidado de tocá-lo apenas com o pano, apesar de seus dedos terem ficado tentados a viajar para outros lugares. Para ver se a pele dele era tão macia quanto parecia. Será que o conde teria uma barriga assim tão reta e definida?

— Julian, você precisa manter os olhos abertos! — Scarlett resmungou enquanto tentava afastar os pensamentos sobre o corpo dele. Precisava se concentrar no que estava fazendo. — Acho que esse corte vai precisar de pontos — comentou. No entanto, depois de limpar todo o sangue com o pano, revelou-se ali um pedaço de pele perfeitamente lisa, ilesa e imaculada. — Espere, eu não vejo ferimento nenhum.

— Porque não tem. Mas isso estava muito bom. — Julian gemeu e arqueou as costas.

— Seu canalha! — Scarlett afastou as mãos e só resistiu ao ímpeto de desferir-lhe um tapa porque ele já estava machucado. — O que foi que aconteceu? Diga a verdade ou coloco você para fora deste quarto agora mesmo.

— Não precisa me ameaçar, Carmim. Eu me lembro do nosso trato. Não estou planejando ficar nem roubar sua inocência. Só queria lhe entregar isto. — A mão dele vasculhou o bolso. Ela notou que os dedos dele não exibiam machucados nem sangue. Se ele estivera em uma briga, não havia se defendido.

Ela estava a ponto de perguntar de novo o que havia acontecido, quando ele abriu a mão.

Vermelho cintilante.

— Não era com essas coisinhas que você estava preocupada? — Julian deixou cair os brincos de escarlate nas mãos dela, sem cerimônia, como se estivesse devolvendo uma das toalhas ensanguentadas.

— Onde você os encontrou? — arquejou Scarlett. Se bem que, na verdade, não importava onde ele os conseguira. Havia se metido em apuros para resgatá-los. Apesar de terem sido manipulados sem nenhum cuidado, não faltava nenhuma das contas, não havia nada quebrado nem lascado. Durante seus estudos, o pai de Scarlett exigira que ela aprendesse a agradecer em uma dúzia de línguas, mas nenhuma daquelas expressões parecia suficiente para expressar sua gratidão nesse momento.

— Foi assim que você se machucou? — perguntou ela.

— Se acha que eu me machuquei por causa de uma bijuteria, está me superestimando de novo. — Julian se ergueu do sofá e foi em direção à porta.

— Pare! — pediu Scarlett. — Você não pode sair nessa condição.

Ele inclinou a cabeça de lado.

— Isso é um convite para ficar?

Scarlett hesitou.

Ele estava ferido.

Mas isso ainda não tornava a situação apropriada.

Ela estava noiva, e mesmo que não...

— Acho que não. — Julian segurou a maçaneta.

— Espere... — Scarlett o fez parar de novo. — Você ainda não me contou o que aconteceu. Isso tem algo a ver com os túneis debaixo do Castillo Maldito?

Julian parou, sua mão pairando sobre a maçaneta como se estivesse suspensa por um cordão invisível.

— Do que você está falando?

— Acho que você sabe muito bem do que estou falando. — Scarlett recordava-se com clareza da segunda voz que ouvira gritar lá embaixo. — Eu segui você.

A expressão de Julian ficou aguçada, suas madeixas escuras e molhadas acobertando as sobrancelhas apertadas.

— Eu não estive em nenhum túnel. Se você seguiu alguém, não fui eu.

— Se você não esteve ali, então como isso aconteceu?

— Juro, nunca ouvi falar sobre esses túneis. — A mão de Julian abandonou a maçaneta e ele esboçou um passo na direção de Scarlett. — Conte-me exatamente o que você viu lá.

O fogo na lareira finalmente morreu, lançando no ar uma serpentina de fumaça cinzenta, a mesma cor das coisas que soam melhor quando ditas em sussurro.

Scarlett queria duvidar dele. Se Julian realmente tivesse estado ali, isso explicaria pelo menos algumas coisas. Entretanto, se ele tivesse sido aquela outra pessoa que Scarlett ouvira gritar, provavelmente não teria recebido só um ferimento na cabeça.

— Eu encontrei os túneis depois que saí da tenda do vidente.

Ela contou em detalhes tudo o que se seguira, deixando de fora a parte em que havia pensado que ele tinha o coração negro. Depois que Julian dera a ela os brincos, Scarlett deixara de pensar assim, embora continuasse observando-o cuidadosamente, atenta a qualquer sinal de mentira. Queria confiar nele, porém uma vida toda de desconfiança tornava isso impossível. Ele ainda parecia oscilante sobre os próprios pés, mas ela achava que isso se devia principalmente ao corte na cabeça.

— Acha que esse pode ser o lugar onde estão escondendo Tella? — perguntou Scarlett.

— Não é assim que Lenda costuma trabalhar. Ele nos levaria a túneis povoados de gritos para encontrarmos uma pista sobre sua irmã, mas duvido que ele a estivesse escondendo lá. — Julian cerrou os dentes por um instante, fazendo-a lembrar de seu olhar lupino naquela primeira noite na praia. — Lenda gosta de fazer os prisioneiros se sentirem como hóspedes.

Scarlett tentou entender se Julian estava apenas sendo dramático. Ela nunca tinha ouvido falar sobre Lenda manter prisioneiros. No entanto, Julian havia dito algo parecido antes, e a palavra *prisioneiros* causou a Scarlett a mesma sensação de incômodo que experimentara ao se perguntar por que Lenda teria escolhido abduzir sua irmã.

— Se Lenda não está mantendo Tella trancada em algum lugar, então o que ele está fazendo com ela?

— Agora você está começando a fazer as perguntas certas. — Os olhos de Julian encontraram os de Scarlett. Houve o cintilar de algo perigoso, pouco antes que os olhos dele começassem a se fechar e o corpo vacilasse mais uma vez.

— Julian! — Scarlett agarrou os dois braços dele, mas era pesado demais para ela suportar, e o sofá estava muito longe. Ela apertou o corpo contra o dele. Antes gelado, agora estava febril. O calor se derramava de sua pele através da camisa, aquecendo-a de forma inesperada conforme ela o segurava de encontro à porta usando o próprio corpo.

— Carmim — murmurou Julian quando suas pálpebras tremularam até se abrirem de novo. Castanho-claro, a cor do caramelo e do aroma de liquidâmbar.

— Acho que você precisa voltar a se deitar. — Scarlett começou a se afastar, mas os braços de Julian envolveram sua cintura. Tão quentes e sólidos quanto o peito dele.

Scarlett tentou se desvencilhar, mas o olhar dele a fez parar. Julian nunca olhara para ela desse jeito. Às vezes ele a fitava como se quisesse ser a sua ruína, mas agora era como se quisesse que ela o arruinasse. Provavelmente eram só a febre e o ferimento na cabeça. No entanto, por um momento, ela pôde jurar que ele quis beijá-la. Beijá-la de verdade, não por provocação, como fizera no Castillo. O coração de Scarlett acelerou-se, e cada centímetro de seu corpo sentia a proximidade de cada parte dele, enquanto as mãos quentes dele passeavam pelas costas dela. Ela sabia que deveria ter se afastado, mas as mãos de Julian pareciam saber exatamente o que estavam fazendo, e ela se viu deixando-se guiar. Ele gentilmente a trouxe para perto enquanto os lábios se entreabriam.

Scarlett arquejou.

As mãos de Julian pararam de se mover. O sutil som que ela deixara escapar o fez dar um solavanco para trás. Os olhos dele se escancararam, como se repentinamente lembrasse que ela era apenas uma garota tola com medo de participar do jogo. Soltou-a, e uma rajada de ar frio tomou o espaço onde estiveram suas mãos.

— Acho que é minha hora de ir. — Ele segurou a maçaneta. — Encontro você na taverna logo depois do pôr do sol. Podemos ir juntos verificar aqueles túneis.

Julian se esgueirou porta afora e deixou Scarlett se perguntando o que tinha acabado de acontecer. Teria sido um erro beijá-lo, mas, mesmo assim, ela estava... desapontada. A decepção veio em tons frios de um azul-miosótis, recaindo sobre ela como bruma vespertina, fazendo-a se sentir oculta o bastante para reconhecer que ainda queria experimentar mais prazeres do Caraval do que seria capaz de admitir em voz alta.

Somente depois de se deitar, Scarlett percebeu que Julian conseguira evitar lhe contar como havia se ferido. Ou como conseguira voltar ao La Serpiente muito depois que o sol havia nascido e as portas foram trancadas.

SEGUNDA NOITE DO CARAVAL

18

No começo, Scarlett não notou as rosas.

Brancas com as pontas vermelho-rubi, como os botões que pintalgavam o papel de parede do seu quarto. Devia ter sido por isso que ela não as vira antes de pegar no sono. Disse a si mesma que as flores se camuflavam no quarto. Ninguém havia entrado enquanto ela dormia.

Mas o que realmente queria dizer era: *Lenda não havia entrado no quarto enquanto ela dormia.*

Embora os primeiros bilhetes enviados por ele parecessem pequenos tesouros, alguma coisa nesse último presente lembrava um aviso. Não sabia se fora Lenda quem mandara as flores. Não havia nenhum bilhete junto do vaso de cristal onde estavam, mas ela não conseguia imaginar que tivessem vindo de outra pessoa. Quatro rosas, uma para cada noite restante do Caraval.

Era o décimo quinto dia. O jogo acabaria oficialmente ao raiar do décimo nono, e o casamento era no vigésimo. Scarlett só teria aquela noite e a seguinte para encontrar Tella, ou em último caso a alvorada do décimo oitavo dia, se quisesse sair da ilha em tempo para o casamento.

Imaginava que seu pai pudesse manter o *sequestro* da filha em segredo caso o conde chegasse mais cedo a Trisda; havia antigas superstições sobre o noivo não poder ver a noiva antes da cerimônia. Entretanto, não havia como salvar o casamento se Scarlett não aparecesse.

Mais uma vez, ela tirou do bolso o bilhete com as pistas:

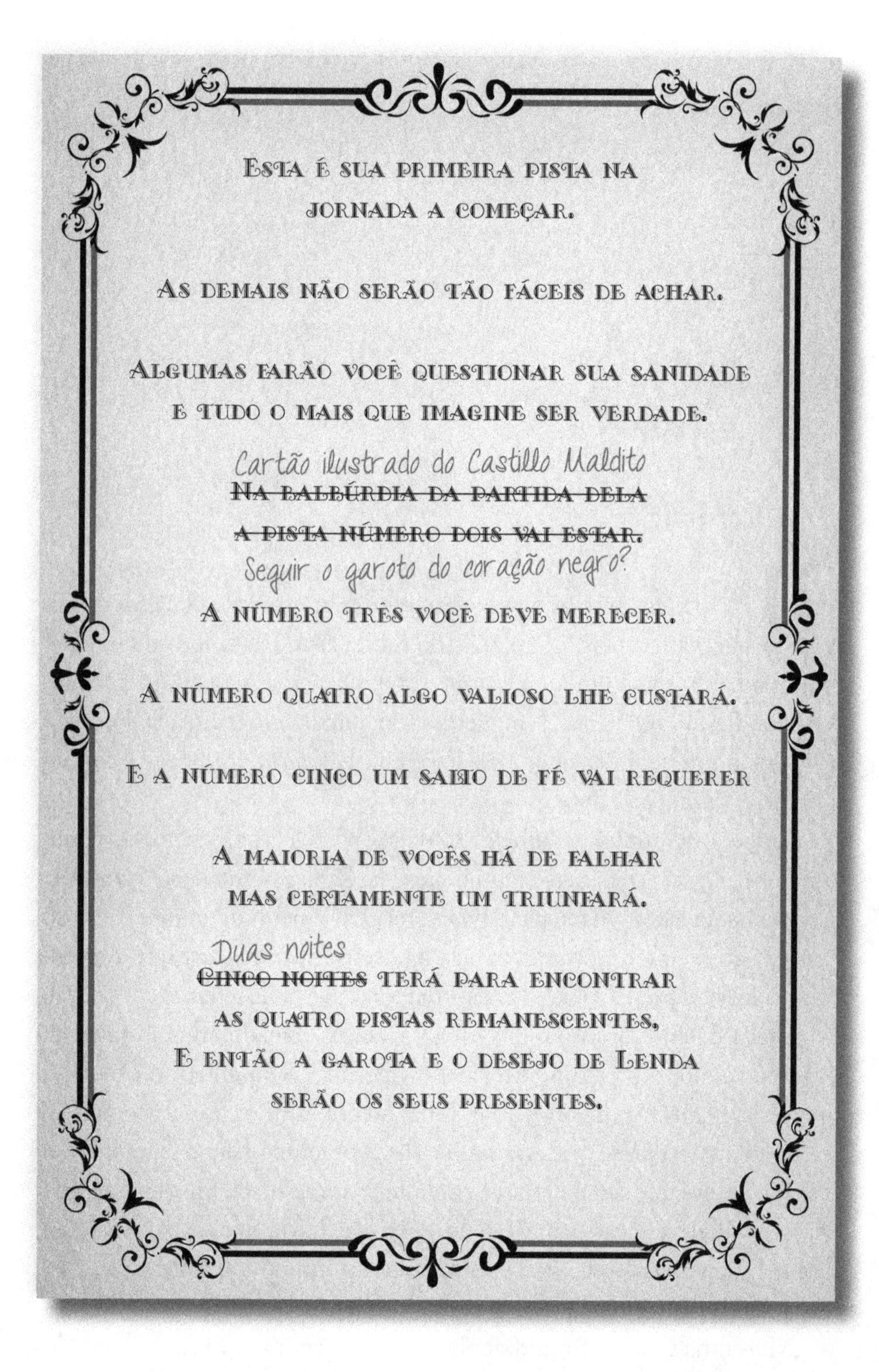

Esta é sua primeira pista na
jornada a começar.

As demais não serão tão fáceis de achar.

Algumas farão você questionar sua sanidade
e tudo o mais que imagine ser verdade.

Cartão ilustrado do Castillo Maldito
~~Na balbúrdia da partida dela~~
~~A pista número dois vai estar.~~
Seguir o garoto do coração negro?

A número três você deve merecer.

A número quatro algo valioso lhe custará.

E a número cinco um salto de fé vai requerer

A maioria de vocês há de falhar
mas certamente um triunfará.

Duas noites
~~Cinco noites~~ terá para encontrar
as quatro pistas remanescentes,
e então a garota e o desejo de Lenda
serão os seus presentes.

Scarlett não acreditava mais que Julian fosse a terceira pista, o garoto do coração negro. Mas não podia descartar a sensação de que ele deixara de lhe contar algumas coisas. Continuava tentando imaginar como tinha sido ferido e recuperado os brincos, e pensava no quase beijo. Se bem que não devia pensar no beijo agora. Não quando estava para se casar com o conde dali a cinco dias.

E porque só o que importava era encontrar Tella.

Fez-se apresentável rapidamente, mas o vestido não parecia estar com pressa. Levou um bom tempo para se transmutar num adorável modelo creme e rosa, com um corpete cor de leite coberto por delicadas bolinhas pretas e contornado por renda rosa, uma anquinha feita de laços do mesmo estilo e uma saia reta de seda rosa. De algum modo, o vestido conseguira dar-lhe luvas com botões.

Scarlett tinha a sensação inquietante de que o vestido se esforçara um pouco mais para impressionar Julian. Ou talvez ela apenas esperasse surtir esse efeito. A partida abrupta dele no dia anterior a deixara num turbilhão de sentimentos conflitantes e com ainda mais perguntas.

Scarlett preparou-se para exigir respostas do marinheiro. Quando foi encontrá-lo, porém, descobriu a taverna quase vazia. A luz suave cor de jade iluminava uma única cliente — uma garota de cabelos escuros debruçada sobre um caderno, sentada perto da lareira de vidro. Nem olhou para Scarlett, embora outros o fizessem, à medida que as horas passavam e o salão começava a se encher.

Ainda não havia o menor sinal de Julian.

Teria ele absorvido o que ela descobrira sobre os túneis e a deixado à sua espera na taverna, enquanto os vasculhava sozinho em busca de pistas?

Ou talvez a desconfiança nem sempre devesse ser a primeira reação de Scarlett.

Julian tinha seus defeitos, mas, embora a tivesse deixado sozinha em algumas ocasiões, todas as vezes fora por um curto período, e ele sempre voltava. Será que acontecera alguma coisa? Ela se perguntou se deveria procurá-lo. Mas e se fosse embora e ele chegasse?

A cada pensamento, observava as luvas abotoadas irem do branco para o preto, e podia sentir o decote em coração transformar-se em gola alta. Por sorte, não estava ficando transparente, mas a seda mudava para um crepe desconfortável e ela pôde ver as bolinhas pretas crescer, espalhando-se como manchas por todo o vestido. Refletindo suas preocupações.

Tentou relaxar, esperando que Julian aparecesse logo e o vestido voltasse ao normal. Vendo seu reflexo na mesa de vidro, parecia estar de luto, embora isso não impedisse as pessoas de falar com ela.

— Você não é a irmã daquela garota desaparecida? — perguntou um cliente, e de repente uma pequena multidão a rodeava.

— Sinto muito, não sei de nada. — Scarlett repetiu a frase até que, um por um, todos se afastaram.

— Você deveria tentar se divertir com eles, pelo menos. — A garota que estivera sentada em silêncio, concentrada num diário, surgiu à mesa de Scarlett. Bela como uma aquarela e trajada com a audácia de uma trombeta num vestido dourado, sem mangas, com babados até o pescoço e anquinha num forte tom verde-amarelado, ela se debruçou na cadeira de vidro diante de Scarlett. — Se eu fosse você, diria todo tipo de coisa a essa gente. Diga que viu sua irmã de braço dado com um homem de capa ou que encontrou um pouco de pelo numa das luvas dela e parecia ser pelo de elefante.

E os elefantes por acaso eram peludos?

Por um momento, Scarlett apenas olhou para a garota intrigante. A esta nem pareceu ocorrer que Scarlett talvez não quisesse falar da irmã desse modo, nem que estivesse esperando outra pessoa. Essa moça era um dia de sol quente no meio da Estação Fria, inconsciente ou indiferente ao fato de estar deslocada.

— Ninguém espera a verdade aqui — prosseguiu ela, sem se deixar intimidar pelo silêncio. — Ninguém quer a verdade. Muitas pessoas aqui não esperam ganhar o desejo; só vieram em busca de aventura. Você pode muito bem dar isso a elas. Sei que é capaz disso; do contrário, nem teria sido convidada. — A garota cintilava, desde a saia metálica até as linhas douradas pintadas em torno dos olhos angulosos.

Não parecia uma ladra, mas, depois da experiência da noite de ontem com a loira, Scarlett não estava muito propensa a confiar.

— Quem é você? — perguntou ela. — E o que quer?

— Pode me chamar de Aiko. E talvez eu não queira nada.

— Toda jogadora quer alguma coisa.

— Então, acho que o fato de eu não ser jogadora seja uma boa notícia... — Aiko se interrompeu quando uma nova dupla se aproximou.

Pouco mais velho que Scarlett, e obviamente recém-casado, o rapaz segurava a mão da jovem esposa com o cuidado de um homem desacostumado a segurar algo tão importante.

— 'Licença, senhorita — disse ele num sotaque estrangeiro que exigia certa concentração para distinguir. — Nós 'tava pensando, a senhorita é mesmo irmã da Donatella?

Aiko confirmou meneando a cabeça:

— Ela é, sim, e adoraria responder às suas perguntas.

O casal ficou radiante.

— Ah, 'brigado, senhorita. Ontem, quando nós *chegou* ao quarto dela, tudo tinha sumido. Nós 'tava só querendo alguma pista.

A menção do quarto saqueado de Tella fez algo entrar em ignição dentro de Scarlett, mas o casal parecia tão sincero. Não tinham jeito de mercenários que venderiam as coisas a quem desse o maior lance. Suas roupas puídas estavam em pior estado que o vestido enegrecido de Scarlett, porém as mãos dadas e as expressões repletas de esperança a lembravam do que o jogo realmente deveria ser. Ou do que ela pensara que deveria ser. Alegria. Magia. Maravilha.

— Quem dera eu pudesse contar a vocês onde está minha irmã, mas não a vejo desde...

Scarlett hesitou quando viu o desânimo no olhar deles e lembrou-se do que Aiko dissera sobre as pessoas não procurarem a verdade no Caraval: *Só vieram em busca de aventura. Você pode muito bem dar isso a elas.*

— Na verdade, minha irmã me pediu para encontrá-la... perto de uma fonte com uma sereia. — A mentira soou ridícula aos ouvidos de

Scarlett, mas o casal a sorveu como uma tigela de creme doce, e a expressão dos dois se iluminou perante a expectativa de uma pista.

— Ah, acho que eu conheço essa estátua — comentou a jovem esposa. — Essa é aquela *ca* base toda coberta de *perla*?

Scarlett não sabia exatamente o que a mulher estava tentando dizer, mas despediu-se deles com um gesto de confirmação e desejou-lhes boa sorte.

— Viu? — disse Aiko. — Veja como você os deixou felizes.

— Mas menti para eles — argumentou Scarlett.

— Você não está entendendo o objetivo do jogo. Eles não vieram até aqui para ouvir a verdade, vieram para viver uma aventura, e você acabou de dar uma a eles. Talvez não encontrem nada, mas quem sabe encontrem; às vezes, o jogo acaba recompensando as pessoas apenas pela tentativa. De todo modo, aquele casal está mais feliz que você. Andei observando e vi que está sentada aqui há uma hora com uma cara mais azeda que leite estragado.

— Você também estaria, se sua irmã tivesse desaparecido.

— Ah, coitadinha de você. Aqui está você, numa ilha mágica, e só consegue pensar no que não tem.

— Mas é a minha...

— Sua irmã, eu sei. Também sei que vai encontrá-la no fim, quando tudo isso tiver acabado, e vai desejar não ter passado tantas noites sentada nesta taverna fedorenta sentindo pena de si mesma.

Esse era exatamente o tipo de coisa que Tella teria dito. Uma parte masoquista de Scarlett sentia que devia à irmã algum tipo de tributo em forma de tristeza, mas talvez fosse o contrário. Conhecendo Tella, sabia que ela ficaria mais que decepcionada com Scarlett por não aproveitar a estada na ilha de Lenda.

— Não vou ficar aqui a noite toda — explicou Scarlett. — Estou esperando uma pessoa.

— Essa pessoa está atrasada ou você é que chegou cedo demais? — Aiko ergueu as sobrancelhas pintadas. — Detesto lhe informar, mas, quem quer que você esteja esperando, não creio que vá aparecer.

Os olhos de Scarlett se desviaram para a porta pela centésima vez naquela noite, ainda esperando ver Julian entrar. Tivera tanta certeza de que ele viria, mas, se havia um tempo respeitável pelo qual se podia esperar alguém, ela o ultrapassara.

Levantou-se da cadeira.

— Isso quer dizer que decidiu não ficar mais aqui sentada? — Aiko se ergueu com elegância do próprio assento, segurando o caderno junto do corpo, quando a porta dos fundos da taverna se abriu mais uma vez.

Um par de mocinhas risonhas entrou, seguidas pela última pessoa que Scarlett queria ver. Ele entrou como um vento malcheiroso feito de roupas pretas desalinhadas e botas sujas de lama, mais desgrenhado que da última vez que ela o vira — as calças pretas de Dante estavam amarrotadas, como se tivesse dormido com elas, e o fraque tinha sumido.

Scarlett lembrou-se do que Julian dissera sobre Dante querer o desejo de Lenda para consertar alguma coisa que tinha acontecido num Caraval anterior. Nesse momento, Dante parecia mais desesperado que nunca para obtê-lo.

Scarlett rezou para que os olhos dele não a notassem. Depois da última conversa com ele, não estava pronta para um novo confronto; esperar por Julian já havia reduzido seus nervos a frangalhos e tingido seu vestido de preto. Contudo, embora esperasse não ser vista por Dante, seu próprio olhar continuava a cair nele. Nas mangas que ele dobrara em torno dos antebraços e nas tatuagens que expunham.

Especificamente, numa tatuagem preta em forma de coração.

Siga o garoto do coração negro.

As palavras de Nigel vieram à mente de Scarlett assim que o olhar de Dante recaiu sobre ela. Era um olhar de pura aversão. Contudo, em vez de assustar Scarlett, inflamou alguma coisa dentro dela. A garota se perguntou se esse não seria o modo de o jogo testar sua convicção para jogar sem a ajuda de Julian.

Quando Dante desapareceu pela porta dos fundos da taverna, Scarlett disparou atrás dele. Não havia percebido como estava abafado dentro da taverna até evadir-se pela noite fria. Fresca como a primeira mordida numa maçã gelada, emanando o mesmo aroma adocicado, com toques de açúcar queimado emaranhados no breu da atmosfera noturna. Ao redor dela, a multidão na rua era densa como uma revoada de corvos.

Scarlett pensou ter visto Dante esgueirar-se por uma ponte coberta, mas, quando a alcançou, ela percebeu que a ponte não continha nada além de uma lamparina e levava a um beco sem saída. Tudo o que Scarlett encontrou ao atravessá-la foi uma viela feita de paredes de tijolos e um carrinho de cidra conduzido por um garoto bonito com um macaquinho no ombro.

— Teria interesse num pouco de cidra caramelada? — perguntou o garoto. — Vai ajudar você a ver as coisas com mais clareza.

— Oh, não... Estou procurando uma pessoa. Ele tem tatuagens cobrindo os braços, roupas totalmente pretas e um olhar furioso.

— Acho que ele comprou cidra na noite passada, mas não o vi hoje. Boa sorte! — disse o garoto enquanto Scarlett já fazia o caminho de volta pela ponte.

Assim que alcançou o outro lado, ela espiou um grupo de rapazes com roupas pretas desalinhadas — àquela altura do jogo, todo mundo começava a parecer um tanto esfarrapado —, mas nenhum deles tinha os braços tatuados. Scarlett continuou ziguezagueando através da multidão, até flagrar alguém com o que parecia ser uma tatuagem de coração negro indo em direção a uma escadaria verde-esmeralda algumas lojas depois da Taverna de Vidro.

Colhendo a barra da saia, Scarlett se apressou na direção do seu rapaz do coração negro.

Ela subiu correndo as escadarias e entrou em outra ponte coberta. Contudo, quando alcançou o outro lado, só o que encontrou foi um novo beco sem saída e um novo garoto bonito, novamente com um carrinho de cidra e um macaco.

— Espere... — Scarlett parou. — Você não estava ali agora mesmo? — Ela gesticulou vagamente, mas já não entendia mais que lugar era "ali".

— Não fui a nenhum outro lugar, mas aquela ponte que você acaba de atravessar costuma se movimentar com frequência — explicou o garoto. Ele exibiu covinhas nas bochechas e o macaco em seu ombro concordou balançando a cabeça.

Scarlett esticou o pescoço na direção da ponte, com suas luzes tremulando como se piscassem para ela. Dois dias atrás, teria dito que isso era impossível, mas agora esse pensamento nem lhe passava pela cabeça. Não sabia dizer em que momento isto havia acontecido, mas deixara de duvidar da magia.

— Tem certeza de que não quer um pouco? — O garoto remexeu a cidra, lançando ao ar uma correnteza fresca e vaporosa com aroma de maçã.

— Oh... — Scarlett estava prestes a dizer não, sua resposta padrão, mas se lembrou de uma coisa. — Você disse que isso vai me ajudar a ver as coisas com mais clareza?

— Não vai encontrar uma bebida assim em nenhum outro lugar. — O macaco no ombro do garoto balançou a cabeça de novo em concordância.

Um arrepio bem-vindo percorreu Scarlett. E se esta fosse a razão por que Nigel lhe dissera para seguir o garoto do coração negro? Talvez, se ela bebesse a cidra, seus olhos ficassem afiados o bastante para identificar a próxima pista.

Scarlett deu uma espiada nas instruções do jogo: A *número quatro algo valioso lhe custará*.

— O que terei que pagar? — Scarlett perguntou.

— Nada de mais: A última mentira que você contou.

Não parecia um preço absurdo. Contudo, mesmo que a cidra não fosse a próxima pista, muito provavelmente lhe aguçaria os sentidos, e isso era algo de que estava precisando.

Sentindo-se com sorte por ter aceitado o conselho de Aiko na taverna, Scarlett se inclinou e sussurrou a história sobre a fonte com a sereia. O garoto pareceu desapontado por não ouvir uma mentira mais suculenta, mas deu a ela o copo.

Açúcar caramelado e manteiga derretida com toques de creme e canela torrada. Tinha o sabor das melhores coisas da Estação Fria, misturadas a um pouco de calor.

— Está delicioso, mas não estou vendo nada diferente...

— Demora um ou dois minutos para fazer efeito. Prometo que você não vai se decepcionar.

O garoto acenou um até logo, e seu macaco a saudou conforme ele começou a puxar o carrinho na direção da ponte trapaceira.

Scarlett tomou outro gole de cidra, e agora a bebida estava doce demais, como se tentasse disfarçar um sabor mais acre. Alguma coisa não estava certa. As emoções de Scarlett rodopiavam cambiando-se em cinzas confusos e brancos opacos. Normalmente, ela só via relances de cor associados aos seus sentimentos, mas, enquanto observava o garoto se afastar, pôde ver a pele dele se transmutando em um tom cinzento, enquanto as roupas ficavam pretas.

Scarlett piscou, incomodada pela imagem, apenas para ficar ainda mais perturbada quando voltou a abrir os olhos.

Agora, *tudo* estava em tons de preto e cinza. Até a luz dos candeeiros ao longo da ponte era de um tom enevoado e melancólico em vez de dourado.

Ela tentou não entrar em pânico, mas seu coração batia mais rápido a cada passo, conforme cruzava a ponte e voltava ao restante do mundo, que já não era cheio de cores.

O Caraval havia se tornado preto e branco.

Scarlett deixou cair a cidra, o líquido dourado-amanteigado espirrando pelo chão cinzento, a única poça brilhante em meio a uma opacidade tenebrosa. O garoto com o macaco não estava em nenhum lugar que a vista alcançasse. Provavelmente estava rindo dela enquanto empurrava o carrinho à procura de uma nova vítima.

Ela ergueu o olhar e viu que estava próxima da porta dos fundos da Taverna de Vidro. Aiko havia acabado de sair. Seu vestido claro agora tinha cor de carvão.

— Você está péssima — comentou ela. — Suponho que não tenha alcançado o rapaz que estava perseguindo...

Scarlett balançou a cabeça. Atrás de Aiko, a porta da taverna se fechava. Scarlett observou o interior rápido o bastante para perceber que Julian ainda não havia chegado. Ou, se chegara, já havia saído.

— Acho que cometi um erro.

— Então, transforme-o em algo melhor. — Aiko saiu a caminhar pela rua de pedras com ar de quem continuaria a andar tranquilamente mesmo que o mundo acabasse.

Scarlett queria se sentir assim, mas o jogo parecia estar sempre conspirando contra ela, e imaginou que deveria ser mais fácil para Aiko, que estava ali apenas observando. Ninguém havia sequestrado a irmã *dela*, nem a cor do mundo *dela*. Scarlett podia até imaginar Aiko caminhando no vazio, caso o chão desmoronasse. A única coisa a que parecia apegada era o caderno que levava nas mãos. Verde-amarronzado, a cor das memórias esquecidas, dos sonhos abandonados e das fofocas amargas.

Não era uma coisa bonita, mas ainda assim...

O pensamento de Scarlett se interrompeu. O diário tinha cor! Uma cor feia. Entretanto, num mundo branco e preto, a cor chamava Scarlett. Talvez fosse assim que a cidra funcionasse? Apagando as cores de todas as coisas para que ela pudesse enxergar o que realmente importava — ou encontrar a próxima pista.

A número quatro algo valioso lhe custará.

O conselho de Nigel fora mesmo a pista número três. Depois que Scarlett seguira o rapaz do coração negro, ele a levara até o garoto da cidra, que lhe tomara a capacidade de ver as cores — custando-lhe algo valioso.

O peito dela agora vibrava de entusiasmo, em vez de pânico. Não fora enganada; havia recebido o que precisava para encontrar a quarta pista.

Scarlett se aproximou quando Aiko parou em frente a uma barraca de *waffles* lotada. O vendedor mergulhou o doce no mais escuro chocolate antes de entregá-lo a Aiko em troca de uma espiadela numa das páginas do diário.

Com cuidado, Scarlett tentou olhar também. Aiko fechou o diário com um estrépito.

— Se você quiser ver o que há dentro dele, vai ter que me dar alguma coisa em troca, assim como todo mundo.

— Que tipo de coisa? — perguntou Scarlett.

— Você sempre se concentra naquilo que está dando, e não no que estará recebendo? Algumas coisas valem a pena, não importa o custo.

Aiko acenou convidando Scarlett para uma rua ladeada por lampiões dependurados, cheirando a flores e flautas e amores há muito perdidos. A rua se estreitava; um canal abraçava uma borda enquanto a outra se curvava ao redor de um carrossel feito de rosas.

— Uma música por uma doação. — Um homem em frente a um órgão de tubos ergueu a mão grossa.

Aiko deixou cair na palma dele algo pequeno demais para que Scarlett conseguisse ver.

— Toque uma música bonita.

O organista começou a tocar uma melodia melancólica e o carrossel começou a se mover, rodando devagar a princípio. Se Tella estivesse lá, Scarlett imaginou que ela teria pulado para dentro do carrossel, arrancado as rosas vermelhas e as colocado nos cabelos.

Vermelho!

Scarlett observava enquanto o carrossel continuava a rodopiar, derramando pétalas de rosas vermelho-vivo pelo chão. Algumas foram pousar no *waffle* de Aiko, grudando-se no chocolate.

Scarlett não conseguia entender se eram os seus sentidos voltando ou se o carrossel era de certo modo importante, pois, no mesmo instante em que ela percebeu ser capaz de enxergar o vermelho vibrante das pétalas, passou por ali um cavalheiro com um tapa-olho. Assim como todos os outros, ele estava completamente pintado em tons de cinza e preto, exceto pela gravata carmim no pescoço. Aquele era o matiz mais profundo de vermelho que ela já vira. O rosto dele era igualmente hipnótico. Tinha o tipo de beleza sombria que fazia Scarlett se perguntar por que todo mundo não estava olhando para ele também.

Considerou segui-lo. Ele era todo feito de mistério e perguntas não respondidas. Havia algo nele, porém, que a fez sentir os tons perigosos de um preto sedoso. O homem se movia pela multidão como um fantasma, gracioso, mas com um gume que parecia afiado demais para o gosto dela, e a despeito disso sentia-se atraída na direção dele. O diário de Aiko a atraía com a mesma força.

A música do organista acelerou o ritmo, e o carrossel girou mais e mais rápido. Mais pétalas caíam na sobremesa de Aiko e além. Elas voaram até cobrir o caminho adiante de vermelho aveludado e transformar o canal ao lado em sangue, deixando o carrossel vazio a não ser pelos espinhos.

As poucas pessoas na rua bateram palmas.

Scarlett sentiu como se houvesse uma lição mais profunda ali, mas não conseguia distingui-la. Sua visão voltara a ficar plena de cores. O cavalheiro com o tapa-olho tinha quase desaparecido das vistas, mas Scarlett continuava a sentir um magnetismo involuntário atraindo-a para ele. Se ele estivesse usando uma cartola, ela teria pensado que se tratasse de Lenda. Ou talvez esse enigmático rapaz fosse uma isca que Lenda colocara na multidão para desviá-la da pista verdadeira. Pouco antes, enquanto olhava para a ponte mutável, Scarlett poderia ter jurado que sentira os olhos de Lenda sobre ela, espionando sua tentativa de entender as pistas.

Scarlett tinha apenas um instante para tomar uma decisão — se seguiria aquele rapaz ou tentaria olhar dentro do diário de Aiko, a única coisa que não havia sido tocada pelas pétalas vermelhas. Se a teoria de Scarlett sobre a cidra estivesse correta, tanto o rapaz quanto o diário eram importantes, mas apenas um deles a conduziria a Tella.

— Se eu fizer essa troca para olhar dentro do seu diário, o que vou ganhar? Será a quarta pista?

Aiko balançou o corpo, cantarolando pensativa.

— É possível. Muitas coisas são.

— Mas as regras disseram que há somente cinco pistas.

— Foi isso mesmo que disseram? Ou será que foi só o modo como você as interpretou? — perguntou Aiko. — Pense nas instruções como um mapa. Existe mais de uma forma de chegar ao mesmo ponto. As pistas estão escondidas por todos os lugares. As orientações que você recebeu apenas tornam mais fácil identificá-las. Mas tenha em mente que as pistas não são as únicas coisas de que você precisa para vencer. Este jogo é como se fosse uma pessoa. Se você quiser mesmo jogar bem, precisará conhecer a sua história.

— Eu conheço a história dele — afirmou Scarlett. — Minha avó me contava desde que eu era uma garotinha.

— Ah, histórias contadas pela vovó, tenho certeza que devem ser muito precisas. — Aiko deu uma mordida no *waffle*, os dentes brancos mergulhando nas pétalas vermelhas da cobertura enquanto ela tomava um novo caminho.

Scarlett olhou uma última vez para o homem com o tapa-olho, mas ele já havia desaparecido. Ela perdera a chance. Não podia perder Aiko também.

A bela garota estava agora comprando flores comestíveis e bolinhos do tamanho de moedas mergulhados em purpurina. Enquanto a seguia, Scarlett imaginou que a garota devia estar prestes a explodir de tanto que comia, mas ela continuava a comprar de cada vendedor que propusesse uma troca. Scarlett descobriu que Aiko acreditava no dizer sim sempre que possível. A conversa parou enquanto ela comprava confeitos que se acendiam como vaga-lumes, um copo de ouro bebível e tintura perpétua para o cabelo — *para aqueles fios prateados dos quais você quer se livrar para sempre* —, apesar de Aiko ainda parecer jovem demais para isso.

— Então — Scarlett começou a dizer conforme elas entravam numa rua cheia de lojas com telhados pontiagudos, mas miraculosamente livre de vendedores. Ela estava pronta para fazer negócio, mas não queria lançar-se nele cegamente, como fizera antes. — A história do Caraval está escrita no seu caderno?

— De certo modo — respondeu Aiko.

— Prove para mim.

Para seu espanto, Aiko lhe ofereceu o caderno.

Scarlett hesitou. Chegava a parecer fácil demais.

— Mas pensei que você só me deixaria vê-lo se eu lhe desse algo em troca.

— Não se preocupe, você não estará presa a nenhum acordo a menos que decida que deseja ver mais. As imagens que poderão ajudar você foram seladas com magia. — Ela disse a palavra *magia* como se fosse uma piada interna.

Scarlett pegou o caderno com cuidado. Era fino e leve, mas de algum modo cheio de folhas; cada vez que ela virava uma página, era como se surgissem mais duas atrás dela, todas ilustradas com imagens fantásticas. Rainhas e reis, piratas e presidentes, assassinos e príncipes. Grandes navios do tamanho de ilhas inteiras e pequenas tiras de madeira que se pareciam com a canoa em que ela e Julian tinham...

— Espere... Estas são imagens de mim. — Scarlett virou algumas das páginas seguintes. O desenho de Aiko mostrava Scarlett no barco com Julian. Marchando seminua para dentro da relojoaria. Discutindo por trás dos portões da casa das torres. — Esses eram momentos particulares! — Graças aos santos não havia nenhuma figura comprometedora dela no dormitório com Julian, mas havia um desenho muito vívido que mostrava Scarlett fugindo de Dante enquanto todos os olhos dentro da taverna a observavam, julgando-a. — Como foi que você os conseguiu? — Com o rosto vermelho, Scarlett voltou-se à imagem dela e de Julian no barco. Lembrou-se de ter tido a estranha sensação de estar sendo observada quando chegara à ilha. Mas isto era muito pior. — Por que tem tantas imagens minhas? Não estou vendo desenhos de outras pessoas.

— O jogo deste ano não é sobre outras pessoas. — Os olhos de Aiko, contornados por sombra dourada, encontraram os de Scarlett. — Os outros participantes não estão em busca da irmã deles.

Quando chegara à ilha, a ideia de ser uma convidada especial de Lenda a fizera se imaginar privilegiada. Pela primeira vez na vida ela se sentira especial. Escolhida. Entretanto, em vez de sentir como se estivesse jogando um jogo, agora parecia que era o jogo que a jogava.

Tons azedos de verde-amarelo fizeram seu estômago se irritar de ansiedade. Scarlett não gostava de ser objeto de brincadeiras, mas o que a deixava ainda mais incomodada era a pergunta: Por que, entre todas as pessoas no mundo, Lenda teria escolhido transformar Scarlet e sua irmã no centro do jogo? No dia em que estiveram na relojoaria, o comentário de Julian insinuara que isso teria alguma coisa a ver com a aparência dela, mas agora ela sentia que havia muito mais a saber nessa história.

— Na taverna, você começou a me perguntar quem eu era — continuou Aiko. — Não sou uma jogadora. Sou histógrafa. Eu gravo a história do Caraval por meio de imagens.

— Nunca tinha ouvido falar em histógrafo.

— Então você deveria sentir que tem sorte por me conhecer. — Aiko tomou de volta o diário.

Scarlett não imaginou que a sorte tivesse muito a ver com esse encontro. Não podia negar que o que vira nas páginas do diário era perturbadoramente acurado, mas, mesmo se essa garota fosse uma *histógrafa*, Scarlett não sabia se deveria acreditar que ela só tinha vindo para observar.

— Agora que você teve um vislumbre do meu caderno — continuou Aiko —, e embora eu ofereça ocasionais espiadas nele aos vendedores nas ruas, o que ofereço a você é uma oportunidade rara. Não sou a única artista que marcou estas páginas. Cada história verídica de cada Caraval passado está aqui. Se você examinar todas as histórias que ele contém, vai descobrir quem venceu e como o fez.

Enquanto Aiko falava, Scarlet pensou em Dante, depois em Julian. Ela se perguntou o que teria acontecido nas vezes que cada um deles havia jogado. Outras histórias também vieram à sua mente, como a da mulher que fora morta anos antes. E a avó de Scarlett, que afirmara ter encantado a todos com seu vestido roxo. Scarlett duvidava que encontraria sua avó naquele caderno, mas havia uma pessoa que, sem dúvida, encontraria ali: *Lenda*.

Se o caderno contava a história verídica e detalhada do Caraval, então certamente Lenda estaria representado nele. Rupert, o garoto da primeira noite, havia descrito o jogo como um mistério a ser resolvido. E a primeira pista dizia: *Com Lenda esta garota pela última vez foi vista*. Fazia sentido pensar que, se Scarlett encontrasse Lenda, encontraria Tella também, sem a necessidade de procurar as próximas duas pistas.

— Tudo bem — disse Scarlett. — Diga o que você quer por mais uma olhada no diário.

— Excelente. — Aiko pareceu cintilar um pouco mais que de costume. Ela guiou Scarlett por um caminho feito de botões, que as levou até uma Chapelaria e Alfaiataria com o formato de uma cartola. Então, parou em frente a uma loja de vestidos.

Três andares de altura, feita toda de vidro para melhor expor os vestidos iluminados nos mais diversos tons e tecidos. Eram da cor de uma risada às altas horas da noite, do nascer do sol e das ondas quebrando ao redor dos tornozelos. Cada vestido parecia falar de sua própria aventura rara, com preços únicos a combinar:

seu pior arrependimento,
seu maior temor,
um segredo que você nunca contou a ninguém.

Um dos vestidos custava apenas um pesadelo recente, mas era cor de ameixa, a única que Scarlett não suportaria vestir.

— É esse o seu preço? Quer que eu lhe compre um vestido?

— Não. Quero que você compre três vestidos para você mesma. Um para cada uma das próximas noites do jogo. — Aiko abriu a porta da loja, mas Scarlett não cruzou a soleira.

Uma coisa engraçada acontece quando as pessoas sentem que estão pagando menos do que deveriam por uma coisa: de repente, ela parece valer menos. Scarlett tinha visto o caderno, sabia que era valioso — só podia haver um truque ali.

— E o que você ganha com isso? O que realmente quer de mim?

— Sou uma artista. Não gosto que o seu vestido pense por conta própria.

O nariz de Aiko se franziu quando ela olhou para o traje de Scarlett, que ainda parecia estar de luto: tinha até conseguido fazer brotar uma cauda preta.

— Quando fica emocionado, ele muda, mas quem olhar as páginas do meu caderno pode não saber disso. Vão pensar que fui eu que errei, dando a você um vestido novo no meio da história. E eu também detesto a cor preta.

Scarlett também não era fã da cor preta. Lembrava-a de muitas emoções desagradáveis. Além disso, seria *ótimo* ter controle sobre suas roupas. No entanto, uma vez que ela só poderia ficar por mais duas noites, no máximo, não havia necessidade de três vestidos.

— Aceito fazer isso por dois vestidos — propôs Scarlett.

Os olhos de Aiko brilharam como duas opalas negras.

— Fechado.

Sinos de prata tocaram assim que as garotas entraram na loja. Caminharam um metro até se depararem com uma placa incrustada de joias que dizia: Ladrões Serão Transformados em Pedra.

Abaixo do bonito aviso, havia uma jovem dama feita de granito congelada no lugar, de pé, com os longos cabelos fluindo atrás do corpo como se ela estivesse tentando correr.

— Eu a conheço — murmurou Scarlett. — Ela fingiu estar grávida na noite passada.

— Não se preocupe — disse Aiko. — Ela vai voltar ao normal assim que o Caraval terminar.

Parte de Scarlett estava inclinada a sentir compaixão pela garota, mas foi ofuscada pela ideia de que Lenda tinha um senso de justiça, afinal de contas.

Para além da garota de granito, cada criação dentro da loja bruxuleava com a magia do Caraval. Mesmo as vestes mais espalhafatosas, que pareciam penas de papagaio ou pacotes de presente com laços em demasia.

Tella adoraria tudo isso, pensou Scarlett.

Mas o vestido mágico que Scarlett usava não pareceu gostar nada da loja. Cada vez que ela selecionava algum outro, seu vestido mudava, como se dissesse: *Posso ficar igual a esse também.*

Finalmente, ela se decidiu por um vestido de um rosa-claro, cor de flor de cerejeira, que lembrava estranhamente a primeira roupa que seu vestido mágico formara. Cheio de saias em camadas, mas com um corpete coberto de botões em vez de laços.

Por insistência de Aiko, Scarlett também escolheu algo mais moderno, um vestido sem corpete, com mangas que se derramavam dos ombros presas a um decote coração bordado com contas cor de champanhe e violeta pálida — as cores da paixão. A ornamentação ficava maior conforme descia em direção a uma saia ligeiramente rodada, que terminava numa cauda graciosa e muito pouco prática, mas terrivelmente romântica.

— Sem troca nem devolução — informou a vendedora, uma morena de cabelos reluzentes que não parecia ser mais velha que Scarlett. Ela fez essa declaração sem nenhuma emoção na voz, mas, quando Scarlett se aproximou, teve uma sensação um tanto espinhosa de que também havia chegado a um ponto do jogo onde não haveria retorno.

Diante dela, uma almofada para alfinetes e uma balança com pratos de bronze jaziam na beira de um balcão de mogno. O prato da balança destinado a pesar os produtos estava vazio, mas o prato dos pesos continha um objeto que se assemelhava, de modo perturbador, a um coração humano. Scarlett teve a visão alarmante de seu próprio coração sendo arrancado do peito e colocado sobre o prato vazio. A vendedora continuou:

— Pelos vestidos, o preço é o maior dos seus temores e o seu maior desejo. Ou você pode pagar com tempo.

— Tempo? — perguntou Scarlett.

— Temos uma promoção. Esta noite, cada vestido custa só dois dias da sua vida — explicou a morena, sem emoção, como se estivesse cobrando em dinheiro comum. No entanto, Scarlett sentiu que sacrificar quatro dias da sua vida não era coisa tão simples. Ela sabia que tampouco estava interessada em abrir mão dos seus segredos, mas o temor e o desejo já haviam sido usados contra ela antes.

— Vou responder às suas perguntas — disse Scarlett.

— Quando estiver pronta — instruiu a vendedora —, retire as luvas e segure a base da balança.

Alguns dos outros clientes da loja fingiram não estar olhando, enquanto Aiko observava ansiosa do canto do balcão. Scarlett imaginou que era exatamente isso que a garota queria. É claro que, se ela andava espiando Scarlett, já devia saber quais seriam suas respostas.

Scarlett retirou as luvas. A balança era surpreendentemente morna e macia ao toque dos dedos. Quase como se fosse feita de carne, uma coisa viva. Sua mão foi ficando pegajosa e a superfície, escorregadia.

— Agora diga qual é o seu maior temor — solicitou a vendedora.

Scarlett pigarreou.

— Meu maior temor é que algo ruim aconteça à minha irmã e eu não seja capaz de protegê-la.

A balança rangeu. Scarlett observou admirada quando as correntes se deslocaram, fazendo o prato que continha o coração subir lentamente, enquanto o prato vazio misteriosamente descia até que ambos os lados estivessem perfeitamente alinhados.

— É ótimo quando funciona — disse a vendedora. — Agora solte.

Scarlett seguiu a instrução, e a balança voltou à posição de desequilíbrio.

— Agora segure de novo e me conte o seu maior desejo.

As mãos de Scarlett não suaram desta vez, apesar de a balança ainda parecer viva demais para o seu gosto.

— Meu maior desejo é encontrar minha irmã, Donatella.

A balança estremeceu. As correntes vibraram de leve. Mas o prato com o coração continuou firmemente abaixado.

— Tem alguma coisa errada com a balança — alertou Scarlett.

— Tente de novo — pediu a vendedora.

— Meu maior desejo é encontrar minha irmã mais nova, Donatella Dragna. — Scarlett apertou a haste da balança, mas isso não fez nenhuma diferença. O prato vazio e o outro com o coração não se moveram.

Ela apertou com mais força, mas desta vez a balança nem sequer oscilou.

— Tudo o que quero é encontrar minha irmã.

A vendedora fez uma careta.

— Sinto muito, mas a balança nunca mente. Vou precisar de outra resposta, ou então você pode pagar com dois dias da sua vida.

Scarlett se virou para Aiko.

— Você andou me observando, sabe que tudo o que eu quero é encontrar minha irmã.

— Acredito que você queira isso — respondeu Aiko. — Mas há muitas coisas para se querer na vida. Não é ruim se houver outras coisas que você deseja um pouquinho mais.

— Não. — Os nós dos dedos de Scarlett estavam ficando brancos; o jogo estava brincando com ela. — Eu morreria pela minha irmã!

As correntes vibraram e a balança se moveu novamente, balançando até se alinhar por completo. Essa afirmação era verdadeira. Infelizmente, não servia como pagamento.

Scarlett retirou as mãos da balança antes que mais segredos lhe fossem arrancados.

— Então, vão ser dois dias da sua vida — falou a vendedora.

Scarlett sentiu como se tivesse sido enganada. Talvez fosse isso que elas quisessem o tempo inteiro. Pensou em voltar atrás. Abrir mão de dois dias de vida lhe gerava um sentimento de incômodo indescritível, a mesma sensação que experimentava quando fazia algum acordo com seu pai. Contudo, se Scarlett retrocedesse agora, isso apenas provaria que encontrar sua irmã não era o que ela mais desejava. E também perderia a chance de espiar o caderno secreto de Aiko.

— Se você vai tomar dois dias da minha vida, como funciona? — indagou Scarlett.

A vendedora retirou uma espada em miniatura da almofada de alfinetes.

— Corte o seu dedo com a ponta disto, depois esprema três gotas de sangue sobre a balança. — Ela apontou para o coração murcho.

— Se quiser, posso cortar para você — sugeriu Aiko. — Às vezes, é mais fácil deixar que outra pessoa a machuque.

No entanto, Scarlett estava farta de deixar que outras pessoas a machucassem.

— Não, eu posso fazer isso sozinha. — Ela passou a minúscula espada na ponta do dedo anular.

Pinga

pinga

pinga.

Apenas três gotas de sangue, mas Scarlett sentiu cada uma e a dor ia além do seu dedo. Era como sentir ter unhas se cravando no coração, apertando-o.

— Isso costuma doer?

— É normal sentir um pouco de tontura. Você não esperava que perder dois dias da sua vida fosse indolor, não é? — A vendedora riu como se isso fosse uma piada. — Vou deixar você levar o vestido abotoado agora — continuou ela —, mas o outro com as pedrarias só será entregue daqui a dois dias, quando o pagamento estiver completo. Depois disso...

— Espere — interrompeu-a Scarlett. — Você está dizendo que quer que eu pague minha dívida agora?

— Bem, não vai servir para nada se você pagar na semana que vem, depois que o jogo tiver acabado, não é mesmo? Mas não se preocupe, não vou cobrar o valor todo antes do nascer do sol, e isso lhe dá tempo suficiente para chegar a algum lugar seguro.

Algum lugar seguro?

— Acho que está havendo um engano. — Scarlett agarrou as beiradas do balcão. Seria sua imaginação ou o coração na balança tinha começado a bater? — Pensei que eu perderia dois dias no *fim* da minha vida.

— E como eu poderia saber quando a sua vida vai terminar? — A vendedora deu uma gargalhada, um som desagradável que pareceu fazer o chão tremer sob os pés de Scarlett. — Não se preocupe. Desde que nada aconteça ao seu corpo, você vai voltar à vida no amanhecer do décimo oitavo dia em perfeito estado.

Faltariam apenas dois dias para o casamento. Scarlett lutou contra uma nova onda de pânico. Vinha em tons de verde-cicuta, a cor do veneno e do terror. Ela havia perdido apenas três gotas de sangue, mas sentia como se tivesse uma hemorragia.

— Eu não posso morrer por dois dias... Eu preciso *sair daqui* em dois dias!

Se Scarlett morresse agora, jamais seria capaz de encontrar Tella e voltar para casa em tempo para o casamento. E se outra pessoa — alguém como Dante — encontrasse sua irmã enquanto ela estivesse morta? Ou se o jogo terminasse mais cedo e Tella encontrasse Scarlett morta? Seu campo de visão estava se estreitando, escurecendo-se nos entornos.

Aiko e a vendedora trocaram olhares dos quais Scarlett não gostou. Ainda agarrada ao balcão reluzente, ela se virou para Aiko.

— Você me enganou...

— Não, não enganei — retrucou Aiko. — Eu não sabia que você não seria capaz de responder às perguntas.

— Mas eu *respondi* às perguntas — Scarlett tentou gritar, mas os efeitos do pagamento estavam se tornando mais fortes, embotando-lhe os sentidos, fazendo o mundo parecer mais denso enquanto ela se sentia cada vez mais tênue. Impotente. — O que vai acontecer se alguém machucar o meu corpo?

Aiko agarrou o braço de Scarlett para estabilizá-la conforme ela oscilava.

— Você precisa voltar para a hospedaria.

— Não... — Scarlett tentou protestar. Não podia voltar ao La Serpiente; era o dia de Julian usar o dormitório. Mas agora sua cabeça parecia um balão querendo se soltar dos ombros.

— Você precisa tirá-la daqui — disse a vendedora para Aiko, lançando um olhar severo para Scarlett. — Se ela morrer na rua, provavelmente vai despertar quando já estiver enterrada.

O horror de Scarlett foi às alturas, ganhando tons de mercúrio. Sua audição estava quase tão indistinta quanto a visão, mas ela poderia jurar que a garota tinha soado como se desejasse que isso lhe acontecesse. Alguma coisa ácida, embolorada e queimada borbulhou pela garganta de Scarlett — o sabor da morte.

Mal tinha forças para ficar de pé, muito menos caminhar sozinha de volta à hospedaria. Quando acordasse, teria que escolher: encontrar a irmã ou partir de volta para Trisda em tempo para o casamento. Sabia que as coisas podiam chegar a esse ponto, mas ainda não estava pronta para fazer a escolha. E o que Julian faria quando voltasse ao dormitório e encontrasse o cadáver dela?

— Scarlett! — Aiko chacoalhou-a de novo. — Você precisa continuar viva até conseguir chegar a um lugar seguro. — Ela empurrou Scarlett na direção da porta e enfiou um torrão de açúcar na boca dela. — Para você ter força. Não importa o que aconteça, não pare de andar.

As pernas de Scarlett pesavam como chumbo e tremiam com filetes de suor. Ela mal conseguia ficar de pé; não conseguiria fazer o caminho de volta. Dentro de sua boca, o açúcar se desmanchara em sabor de podridão.

— Por que você não vem comigo?

— Eu tenho lugares a visitar — respondeu Aiko. — Mas não se preocupe, vou cumprir minha palavra. Quando alguém rouba dias da sua vida, seu corpo morre, mas sua mente continua a existir numa espécie de mundo dos sonhos. A menos que o corpo seja destruído.

Novamente, Scarlett tentou perguntar o que aconteceria nesse caso, mas suas palavras saíram incompreensíveis, como se ela as tivesse mastigado antes de cuspir. Poderia jurar que o branco dos olhos de Aiko se tornara preto quando ela continuou:

— Você vai ficar bem desde que consiga voltar ao seu dormitório. Vou encontrar você no mundo dos sonhos para lhe mostrar o meu caderno.

— Mas... — Scarlett balançou — ... eu geralmente esqueço os meus sonhos.

— Deste você vai se lembrar. — Aiko segurou-a e enfiou-lhe outro torrão de açúcar na boca. — Mas prometa que não vai contar a ninguém. Agora... — ela colocou o vestido cor de flor de cerejeira nas mãos de Scarlett e lhe deu um último empurrão — ... saia daqui antes que você morra.

Scarlett só se lembraria de uma coisa a respeito de sua visita à Loja de Vestidos. Não se lembraria de sentir que os membros pareciam plumas, que os ossos se desfizeram em pó, nem de suas tentativas de se deitar em barcos. Não se lembraria de ser expulsa destes mesmos barcos, nem de derrubar o vestido rosa. Mas se lembraria do jovem que apanhou a peça do chão e depois pegou o braço dela para ajudá-la a percorrer o resto do caminho de volta ao La Serpiente.

As palavras *imprestavelmente bonito* vieram à mente, embora, ao olhar para o companheiro atraente, o rosto dele já não parecesse tão belo. Linhas duras e ângulos rudes destacavam os olhos escuros sombreados pelos cabelos ainda mais escuros.

Essa pessoa não gostava dela. Scarlett não só sabia disso; podia sentir que era verdade no modo rude como ele a tocava. O jeito como segurou seu braço quando ela tentou se afastar.

— Solte-me! — ensaiou gritar. Mas a voz saiu fraca, e os transeuntes que poderiam tê-la ouvido estavam ocupados demais em voltar depressa para as próprias tocas. Faltava um quarto de hora até o sol nascer e apagar a magia da noite.

— Se eu soltar, você vai rastejar para outro barco. — Dante a arrastou pela porta dos fundos do La Serpiente. O barulho da taverna os cercou.

Canecas de cidra tilintavam contra mesas de vidro. Fungadas de alegria se mesclavam a grunhidos de satisfação e histórias resmungadas de coisas infelizes.

Somente um cavalheiro de aparência astuta, de tapa-olho e gravata carmim, notou que ela foi arrastada para um lance de escadas, onde o ar escureceu e o som silenciou. Mais tarde, Scarlett se lembraria dele observando-a, mas nesse momento sua principal preocupação era escapar de Dante.

— Por favor — implorou ela. — Tenho que voltar ao meu quarto.

— Primeiro precisamos conversar. — Dante a encurralou na escada, as pernas longas e os braços tatuados cercando-a contra a parede.

— Se isso tiver a ver com o outro dia... eu sinto muito. — Fazer com que as palavras saíssem coerentes exigiu todas as forças de Scarlett. — Não quis enganar você. Não deveria ter mentido.

— Não tem a ver com as suas mentiras — respondeu Dante. — Sei que as pessoas mentem neste jogo. Ontem... — Ele se deteve, como se fosse um grande esforço manter o tom sob controle. — Eu estava zangado porque pensei que você fosse diferente. Este jogo, ele muda as pessoas.

— Eu sei, é por isso que preciso ir para o meu quarto.

— Não posso deixar você fazer isso. — A voz de Dante se endureceu, e, num momento breve de terrível lucidez, Scarlett pôde ver que ele desmoronara ainda mais que da última vez que o vira. Tinha olheiras profundas debaixo dos olhos, como se não dormisse havia dias. — Minha irmã desapareceu; você tem que me ajudar a encontrá-la. Sei que sua irmã sumiu também, e acho que isso não é só parte deste jogo.

Não. Scarlett não podia ouvir isso agora. O desaparecimento de Tella era apenas outro truque de mágica. Dante estava tentando amedrontá-la. Julian não tinha dito que ele já fora cruel para vencer o jogo?

— Não posso falar sobre isso agora — retrucou ela. Precisava voltar para o quarto. Não importava mais se ele era de Julian aquela noite. Não podia morrer ali, na escada. Não na frente de Dante, enlouquecido como estava. De algum modo, conseguiu tirar seu vestido das mãos dele.

— Por que não nos encontramos na taverna... depois que nós dois tivermos dormido um pouco?

— Quer dizer, depois de você *morrer* por dois dias? — A mão de Dante se fechou num punho na parede. — Sei o que está acontecendo com você. Não posso perder outra noite! Minha irmã sumiu e você...

Smack!

Antes que pudesse dizer mais alguma coisa, Dante caiu para trás. Scarlett não viu nitidamente o golpe, mas bastou para derrubá-lo até metade da escada.

— Você tem que ficar longe dela! — Julian emanava calor ao afastar Scarlett da parede, cuidadosamente. — Você está bem? Ele machucou você?

— Não... só preciso ir para o quarto. — Podia sentir os minutos se esvaindo, drenando sua vida, transformando seus membros em fios débeis de teia de aranha.

— Carmim... — Julian a segurou quando começou a cair. Ele estava muito mais quente que ela. Scarlett queria se aconchegar nele como um cobertor, envolvê-lo nos braços com a mesma firmeza com que ele a abraçava. — Carmim, você tem que falar comigo. — A voz dele não era mais suave. — O que aconteceu com você?

— Eu... acho que cometi um erro. — As palavras saíram pegajosas e espessas como xarope. — Alguém, uma moça de cabelos bem brilhantes e outra com um *waffle*... Eu precisava comprar uns vestidos e elas me fizeram pagar com tempo.

Julian soltou vários palavrões pitorescos.

— Diga que elas não tiraram um dia da sua vida.

— Não... — Ela lutava para continuar de pé. — Tiraram dois dias.

O rosto bonito de Julian se contorceu, ficando devastado, ou talvez o próprio mundo estivesse ficando devastado. Tudo espiralava nas laterais quando Julian a ergueu, apoiando o vestido rosa em cima do ombro.

— Isso é tudo culpa minha — murmurou ele. Segurou-a junto de si ao carregá-la escada acima, passando por um corredor totalmente trêmulo e entrando no que Scarlett presumiu ser o quarto deles. Tudo o que via era branco. Um branco sem fim, exceto pelo rosto castanho de Julian, pairando sobre ela enquanto a deitava com cuidado na cama.

— Onde você esteve... antes? — perguntou ela.

— No lugar errado.

As bordas de tudo estavam desfocadas, como o pó pairando ao sol da manhã, mas Scarlett pôde ver a fileira escura de cílios em torno dos olhos apreensivos de Julian.

— Isso significa que...

— Shh — murmurou ele. — Poupe as palavras, Scarlett. Acho que posso dar um jeito nisso, mas preciso que fique acordada por mais um tempo. Vou tentar dar a você um dia da minha vida.

A mente de Scarlett estava tão embaralhada, tão arruinada por qualquer que fosse a magia que afetava seu corpo, que no começo achou que não o ouvira direito. Mas aquele olhar estava de volta, como se ele quisesse que ela fosse sua ruína.

— Faria mesmo isso por mim? — perguntou ela.

Em resposta, Julian apertou a parte macia do dedo nos lábios entreabertos de Scarlett.

Metálico, úmido e só um pouco doce. Coragem e medo e mais alguma coisa que ela não soube distinguir. Entendeu vagamente que estava provando o sangue dele. Era diferente de qualquer presente que já tivesse recebido. Estranho e belo, perturbador e íntimo. E ela queria mais. Mais dele.

Lambeu a ponta do dedo, mas ansiava provar os lábios dele também. Senti-los na boca, no pescoço. Experimentar o toque firme das mãos dele em seu corpo. Almejava sentir o peso do peito dele apertado contra o seu, para descobrir se o coração dele batia igualmente rápido.

O dedo de Julian ficou ali por mais um momento, fechando os lábios dela, mas o sabor do sangue perdurou. E o desejo por ele se intensificou. Ele pairava sobre ela, e ela pôde ouvir a batida ritmada do seu pulso. Já ficara sensível à presença dele antes, mas nunca tanto assim. Estava fascinada por seu rosto, pela sarda escura abaixo do olho esquerdo, o ângulo sutilmente afiado das maçãs do rosto, a linha do maxilar esculpido, o frescor de seu hálito contra a pele.

— Agora preciso de um pouco do seu sangue. — A voz de Julian era tão gentil, feita de gentileza, da mesma forma como o sangue dele fora feito de tudo o que ele sentia.

Scarlett nunca se sentira tão próxima de alguém. Sabia que daria a ele o que pedisse — qualquer coisa que pedisse —, que de bom grado o deixaria beber uma parte dela, assim como bebera dele.

— Julian — sussurrou, como se qualquer tom mais alto pudesse arruinar a delicadeza do momento —, por que está fazendo isso?

Os olhos dele, salpicados de âmbar, se cravaram nos dela, e alguma coisa neles fez a respiração de Scarlett falhar.

— Eu diria que a resposta é óbvia. — Tomou uma das mãos frias dela e segurou-a perto da faca, mas ela imaginou que esperava sua permissão. E soube que ele não estava fazendo isso por causa do jogo; era algo totalmente diverso, que existia somente entre eles.

Scarlett apertou o dedo na ponta da lâmina. Uma única gota de rubi brotou. Com cuidado, Julian levou o dedo dela à boca, e, quando os lábios macios tocaram a pele, todo o mundo se partiu em milhões de estilhaços de vidro colorido.

O coração dela, agonizante, bateu mais rápido quando a língua dele colocou o dedo delicadamente entre os dentes. Por um momento, pôde sentir as emoções dele outra vez, tão próximas como se fossem as dela. A reverência misturada ao desejo feroz de proteger, e um fio de dor tão intensa que ela quis poupá-lo do sofrimento. O dedo mergulhou mais fundo, tocando um dos dentes incisivos. Dias antes, ela teria ficado tensa ao toque dele, mas agora desejava ser forte o bastante para tomá-lo nos braços.

Sem saber exatamente quanto já estava apaixonada, imaginou que amá-lo seria como se apaixonar pela escuridão, assustadora e voraz, mas absolutamente linda quando as estrelas surgiam.

Ele lambeu o dedo dela uma última vez; um calafrio a percorreu, tão dolorosamente frio que chegava a ser quente. Em seguida, ele se deitou ao lado dela na cama, afundando-a ao aninhá-la no berço de seus braços. As costas de Scarlett se encaixaram perfeitamente no peito dele, sólido e forte. Ela se refugiou nele, tentando lutar contra a morte por mais um minuto para estar junto dele.

— Você vai ficar bem. — Julian acariciou o cabelo dela enquanto a visão escurecia.

— Obrigada — sussurrou ela.

Ele disse mais alguma coisa, mas só o que ela sentiu foi a mão tocando a face. Tão leve que ela pensou tê-la imaginado, assim como a pressão suave dos lábios na parte de trás do pescoço, pouco antes de morrer.

21

A morte era roxa. Com papel de parede roxo e temperaturas roxas. O vestido roxo de sua avó — a jovem de cabelos cor de mel trajada com o vestido e sentada na poltrona roxa se parecia muito com Donatella. As bochechas dela eram cheias de cor, o sorriso repleto de travessura e o ferimento que marcara o rosto dela dias atrás estava curado, fazendo-a parecer mais saudável do que nunca. Se o coração de Scarlett estivesse batendo, teria parado.

— Tella, é você mesma?

— Sei que você está morta agora — disse Tella —, mas devia tentar fazer perguntas melhores. Não temos muito tempo.

Antes que Scarlett pudesse responder, sua irmã abriu um livro antigo que tinha ao colo. Muito maior que o caderno que Aiko costumava carregar, esse livro era do tamanho de uma lápide e da cor dos contos de fadas sombrios — gelo negro coberto com letras douradas desgastadas. Ele devorou Scarlett com sua boca de couro e cuspiu-a sobre uma gélida calçada.

Donatella se materializou ao lado dela, apesar de parecer menos corpórea que antes, seus contornos translúcidos.

Scarlett também não se sentia muito sólida; sua mente estava confusa por causa do sonho, da morte e de tudo o que vinha com isso, mas desta vez ela conseguiu perguntar:

— Onde posso encontrar você?

— Se eu contasse, seria trapaça — cantarolou Tella. — Você precisa ver isso.

Diante delas, um sol roxo se punha atrás de um casarão, similar à casa das torres que abrigava o Caraval, mas muito menor, e pintado de ameixa-escuro com detalhes em violeta.

A garota dentro dele também vestia um tom de roxo. Novamente, parecia o vestido roxo de sua avó. Na verdade, aquele *era* o próprio vestido, e desta vez quem o usava *era* sua avó; uma versão muito mais jovem dela, quase tão bonita quanto a avó alegara ter sido, com cachos dourados que lembravam os de Tella.

Os braços dela envolviam um jovem moreno que parecia pensar que ela ficaria melhor sem aquele vestido. Ele também se parecia muito com o avô de Scarlett, antes de engordar e o nariz se encher de veias azuis. Os dedos do rapaz apalpavam as rendas do vestido roxo.

— Argh — gemeu Tella. — Não quero ver essa parte. — Ela desapareceu enquanto Scarlett procurava freneticamente outro ponto para olhar. Mas em qualquer lugar para onde se virasse ela terminava vendo a mesma janela.

— Oh — murmurou a versão mais nova do seu avô —, Annalise.

Scarlett nunca ouvira sua avó ser chamada por esse nome; sempre havia sido apenas Anna. Mas algo no nome Annalise lhe soou familiar.

Então, sinos começaram a badalar por toda parte. Sinos de luto, num mundo coberto por névoa e rosas negras.

A casa roxa havia desaparecido e Scarlett agora estava numa rua nova, rodeada por pessoas de chapéus pretos e expressões ainda mais melancólicas.

— Eu sabia que eles eram pura maldade — disse um homem. — Rosa jamais teria morrido se eles não tivessem vindo.

Pétalas de rosas negras choviam sobre a procissão fúnebre, e, sem que ninguém lhe contasse quem eram *eles*, Scarlett sabia que o homem se referia aos jogadores do Caraval. Uma mulher havia morrido na longa história do jogo. No ano em que o Caraval parou de viajar, houve rumores de que fora Lenda quem a matara.

Rosa deve ter sido essa mulher, pensou Scarlett.

— Este sonho é tão ruim quanto o anterior, não é? — Tella surgiu de novo, mas agora sua imagem era fantasmagoricamente diáfana. — Eu nunca gostei muito de preto. Quando eu morrer, você pode, por favor, dizer para todo mundo usar cores mais claras no meu funeral?

— Tella, você não vai morrer — Scarlett a repreendeu.

A imagem de Tella bruxuleava como uma vela sem confiança.

— Vou, sim, se você não vencer o jogo. Lenda gosta de...

Tella desapareceu.

— Donatella! — Scarlett chamou pela irmã. — Tella! — Mas agora ela parecia ter sumido de vez. Não havia rastros de seu vestido roxo nem dos cachos loiros. Apenas um funeral de melancolia sem fim.

Scarlett era capaz de sentir o peso cinzento do pesar de todos, conforme continuava a ouvir — esperando descobrir algo que Tella não pudera lhe contar — as palavras de lamento virando fofocas.

— Que história mais triste — sussurrou uma mulher para outra. — Quando o noivo de Rosa venceu o jogo, o prêmio dele foi encontrá-la na cama com Lenda.

— Mas ouvi dizer que foi ela quem cancelou o casamento — emendou a outra mulher.

— Ela cancelou, logo depois de o noivo flagrar os dois juntos. Rosa disse que estava apaixonada por Lenda e que preferia ficar com ele. Mas Lenda riu e disse que ela se deixara levar longe demais pelo jogo.

— Pensei que ninguém jamais tivesse visto Lenda — comentou a outra mulher.

— Ninguém o vê mais de uma vez. Dizem que ele usa um rosto diferente a cada jogo. Bonito, mas cruel. Ouvi dizer que ele estava presente quando Rosa se atirou pela janela, e ele nem tentou impedi-la.

— Monstro.

— Achei que ele a tivesse empurrado — falou uma terceira mulher.

— Não fisicamente — explicou a primeira. — Lenda gosta de envolver as pessoas em jogos perversos, e um dos seus favoritos é fazer as garotas se apaixonarem por ele. Rosa se atirou pela janela um dia depois que ele a descartou, depois que os pais dela descobriram e se recusaram a deixá-la voltar para casa. E o noivo culpa a si mesmo. Os empregados dizem que toda noite, quando dorme, ele geme o nome de Rosa.

As três mulheres se viraram quando um rapaz passou, caminhando pesarosamente bem no final da procissão. Seus cabelos escuros não eram muito compridos e as mãos não tinham tatuagens — nenhuma rosa para Rosa —, mas Scarlett o reconheceu de imediato. *Dante.*

Devia ser por isto que ele queria tanto vencer: para trazer sua amada de volta à vida.

Nesse instante, a cabeça de Dante se virou na direção de Scarlett. Mas seu olhar ferido não recaiu sobre ela. Ele percorreu a multidão como se estivesse caçando. Procurando algo na densa cortina de pétalas negras. Uma poça macia delas havia se formado em torno dos pés de Scarlett, e algumas cobriram os olhos de Dante conforme ele passou por ela. As flores o impediram de ver a única pessoa que Scarlett imaginou que ele estivesse procurando, um rapaz de cartola com aba de veludo a poucos passos de distância de onde ela estava.

Todo o ar escapou dos pulmões de Scarlett. Em todos os outros sonhos, o rosto de Lenda não aparecia com clareza, mas desta vez podia vê-lo perfeitamente. A bela face não demonstrava nenhuma emoção, os olhos castanho-claros não detinham calor, não havia sinal de sorriso curvando os lábios; ele era uma sombra do rapaz que ela passara a conhecer. *Julian.*

QUARTO DIA DO CARAVAL

O mundo tinha gosto de mentiras e cinzas quando Scarlett acordou. Os lençóis úmidos se colavam à pele suada, molhada por pesadelos e visões de rosas negras. Pelo menos Aiko não havia mentido sobre ela se lembrar dos sonhos. As memórias de seus últimos momentos viva ainda estavam desfocadas, mas os sonhos eram vívidos. Pareciam sólidos e reais como os braços pesados que a envolviam.

Julian.

A mão dele jazia sobre o peito dela. Scarlett respirou fundo. Os dedos dele estavam frios, enquanto o mármore gelado do peito se apertava às suas costas com um coração inerte no interior. O corpo dela estremeceu, mas não fez o menor ruído, temendo acordá-lo do sono mortal.

Visualizava agora o modo como ele aparecera no sonho, usando aquela cartola. Uma expressão impassível. Exatamente o tipo de olhar que ela teria imaginado em Lenda, e Julian com certeza era tão atraente quanto ela sempre imaginava que Lenda fosse.

Lembrou-se do olhar assustado da estalajadeira quando vira Julian pela primeira vez. Scarlett tinha imaginado que fora por serem hóspedes de Lenda, mas e se fosse porque Julian na verdade *era* Lenda? Ele sabia muito sobre o Caraval. Soubera o que fazer quando ela estivera à beira da morte. E poderia facilmente ter colocado as rosas no quarto dela.

Sentiu um batimento cardíaco súbito às costas.

O coração de Julian.

Ou seria o coração de Lenda?

Não.

Scarlett fechou os olhos e respirou fundo, controlando-se. Fora avisada de que o jogo lhe pregaria peças. Não podia ser verdade. Não sabia quando isso tinha acontecido, mas em algum lugar, em algum momento, neste estranho mundo feito do impossível, Julian começara a ser importante para Scarlett. Ela começara a confiar nele. Contudo, se Julian fosse mesmo Lenda, tudo o que era importante para ela fora apenas parte de um jogo para ele.

O peito sólido de Julian subiu e desceu às costas dela, enquanto recuperava lentamente o calor. Scarlett sentiu-se aquecer em todos os pontos em que os corpos se alinhavam. O espaço atrás dos joelhos. A parte baixa das costas. Sua respiração saiu em lufadas irregulares quando ele se aconchegou ainda mais nela, os dedos subindo rumo à clavícula.

Uma picada azul na ponta de um dos dedos de Julian gerou uma onda de rubor nas bochechas de Scarlett quando ela se lembrou do sangue dele em sua língua e do modo como os lábios dele saborearam o dela. A coisa mais íntima que já tinha feito. Precisava que isso fosse real. Queria que Julian fosse real.

Mas...

Isso não tinha a ver só com o que ela queria. Lembrava-se de cada vez que Julian lhe dissera que Lenda sabia como cuidar dos convidados. De acordo com o sonho, ele fazia mais que só *cuidar* deles. Tinha feito aquela mulher se apaixonar tão perdidamente que a levara ao suicídio. *Lenda gosta de envolver as pessoas em jogos perversos, e um dos seus favoritos é fazer as garotas se apaixonarem por ele.* As palavras do sonho subiram como vômito à garganta de Scarlett. Se Julian era Lenda, estivera aliciando Tella antes mesmo do início do jogo. Talvez até tivesse seduzido as duas.

Ao pensar nessa possibilidade horrível, a náusea ocupou o estômago de Scarlett. Com uma clareza perturbadora, lembrou-se dos últimos momentos antes de morrer e de como teria dado a ele mais do que apenas seu sangue, bastando que ele pedisse.

Precisava escapar dos braços de Julian antes que ele acordasse. Ainda tentava se agarrar à esperança de que ele não fosse Lenda, mas era arriscado demais presumir o contrário. Nunca se atiraria de uma janela por homem nenhum, porém sua irmã era mais impulsiva. Scarlett aprendera a mitigar os sentimentos, enquanto Tella era movida por suas emoções e desejos voláteis. Scarlett percebia como Lenda e esse jogo poderiam facilmente levar sua irmã ao mesmo final infeliz que o de Rosa, se ela não a salvasse.

Precisava sair e encontrar Dante. Se Rosa tinha sido sua noiva, imaginava que ele soubesse se Julian era de fato Lenda.

Segurando a respiração, Scarlett pegou o pulso de Julian e cuidadosamente removeu a mão dele de sua cintura.

— Carmim — murmurou ele.

Scarlett abafou um gritinho quando os dedos que estavam em sua clavícula subiram até o pescoço, deixando uma trilha arrepiante de gelo e fogo. Ele ainda dormia.

Mas logo despertaria.

Sem mais se incomodar em tomar cuidado, Scarlett saiu da cama e pousou agachada no chão. Suas roupas agora pareciam algo entre um vestido de luto e uma camisola, com renda preta e pouco tecido, mas não tinha tempo para colocar o novo vestido, e nesse momento não se importava.

Ao se levantar do chão, calculou que devia ter se passado exatamente um dia desde que morrera. Era o raiar do décimo sétimo dia, o que dava a ela somente uma noite para encontrar Tella antes de ter que partir para o casamen...

Scarlett congelou ao ver seu reflexo no espelho. A densa cabeleira preta agora tinha uma mecha estreita e cinza invadindo-a. Primeiramente, pensou que fosse um truque da iluminação, mas ali estava: seus dedos tremeram quando a tocou — bem ali, junto da têmpora, impossível de esconder com uma trança. Scarlett nunca tinha se considerado vaidosa, mas, nesse momento, teve vontade de chorar.

O jogo não deveria ser real, mas vinha tendo consequências genuínas. Se esse era o preço de um vestido, o que mais lhe custaria recuperar Tella? Seria forte o bastante para pagar?

De olhos vermelhos e aparência ainda meio morta, Scarlett não se sentia lá muito forte. A corrente de medo em torno do pescoço a sufocava ao pensar no pouco tempo que restava. No entanto, se Nigel, o vidente, estivesse certo quanto ao destino, não havia uma vontade onipotente determinando seu futuro; precisava parar de deixar que suas preocupações o controlassem. Podia sentir-se fraca, mas seu amor pela irmã não o era.

Como o sol nascera há pouco, ela não podia sair da hospedaria, mas podia aproveitar ao máximo o dia procurando Dante no La Serpiente.

Ao sair do quarto, viu a luz das velas tremeluzir no corredor torto, difusa e quente. Alguma coisa ali, porém, parecia errada. O cheiro. Os toques costumeiros de suor e fumaça agonizante se mesclavam a fragrâncias mais pesadas e agudas. Anis e lavanda e algo semelhante a ameixa podre.

Não.

Scarlett estava à beira do pânico quando viu o pai surgir dobrando a esquina.

Correu de volta ao quarto, trancou a porta e rezou para as estrelas — se havia um deus ou santos, eles a odiavam. Como é que seu pai tinha chegado ali? Se ele encontrasse Scarlett e Tella agora, não tinha dúvida de que ele mataria sua irmã como castigo.

Quis pensar que a visão do pai fosse uma alucinação cruel, contudo fazia mais sentido crer que ele desvendara a farsa do sequestro das garotas. E talvez o mestre do Caraval tivesse dado um jeito de enviar uma pista a ele. *Conte-me quem você mais teme*, tinha pedido a mulher, e Scarlett fora tola o bastante para responder.

O que tinha feito para que Lenda a odiasse tanto? Mesmo que Julian não fosse Lenda, agora a questão parecia muito pessoal, embora Scarlett não pudesse cogitar a razão. Talvez fosse por causa de todas as cartas que ela havia mandado? Ou talvez Lenda tivesse um senso de humor sádico e Scarlett fosse uma pessoa fácil de atormentar? Ou talvez...

O começo do sonho de Scarlett voltou em tons pavorosos de roxo, seguido de um nome, *Annalise*. Durante a visão, ela não fora capaz de ligar os pontos, mas agora se lembrava das histórias da avó sobre a origem de Lenda. Como ele tinha se apaixonado por uma garota que partira seu coração ao se casar com outro. Sua avó tinha sido a Anna de Lenda...?

— Carmim? — Julian se ergueu na cama. — O que está fazendo aí se escorando na porta?

— Eu... — Scarlett congelou.

Os cabelos escuros emaranhados de Julian emolduravam um rosto mascarado por uma preocupação convincente, mas só o que ela conseguia ver era o olhar desalmado com que ele observara a procissão fúnebre da garota que tinha se matado depois de se apaixonar por ele.

Lenda.

Seu coração palpitou. Disse a si mesma que não era verdade. Julian não era Lenda. Todavia, escorou-se com mais força na porta quando ele saiu da cama e foi na direção dela, os passos surpreendendo-a pela firmeza, ainda mais para alguém que acabava de voltar da morte.

Se ele era Lenda, em algum lugar daquele mundo mágico que ele construíra estava sua irmã. Scarlett queria exigir uma resposta. Mas mostrar as cartas agora não a ajudaria. Se Julian fosse mesmo Lenda, e esse jogo perverso fosse um modo de se vingar da avó delas por partir seu coração, a única vantagem que Scarlett tinha era o fato de ele não saber que ela o havia desmascarado.

— Carmim, você não parece estar muito bem. Há quanto tempo acordou? — Julian ergueu a mão e os nós frios de seus dedos roçaram a face dela. — Nem imagina o susto que me deu agora. Eu...

— Estou bem — interrompeu-o Scarlett, deslizando para o lado. Não queria que ele a tocasse.

Julian retesou a mandíbula. Toda a sua preocupação de antes se fora, substituída por... Scarlett quis pensar que fosse raiva, mas não era. Era mágoa. Pôde ver a dor aguda da rejeição em tons de azul tempestuoso, assombrando o coração dele como a triste névoa da manhã.

Scarlett sempre tinha visto as próprias emoções em cores, mas nunca vira as de outra pessoa. Não sabia o que a chocava mais: poder ver a cor dos sentimentos de Julian ou notar que tais sentimentos estavam feridos.

Tentou imaginar como ele se sentiria se não fosse Lenda. Antes de ela morrer, os dois tinham compartilhado algo extraordinariamente especial. Lembrava-se da forma gentil como ele a carregara até o quarto. De como abrira mão de um dia da própria vida por ela. Como se sentira segura nos braços fortes quando ele a aninhara na cama. Podia até ver a prova do sacrifício; em meio aos tocos de barba por fazer na mandíbula, havia uma faixa fina e prateada — combinando com a nova mecha do cabelo dela. E agora Scarlett nem sequer o tocaria.

— Desculpe — disse ela. — É que... acho que ainda estou abalada com o que aconteceu. Se estou agindo de modo estranho, peço desculpas. Não estou pensando direito. Desculpe — repetiu, no que talvez tenha sido uma quantidade exagerada de pedidos de desculpa.

Um músculo palpitou no pescoço de Julian. Ficou claro que não acreditava nela.

— Talvez você devesse se deitar de novo.

— Você sabe que não posso voltar a essa cama com você — respondeu depressa. Era o que teria dito antes, mas as palavras saíram mais rudes do que pretendia.

Toda e qualquer emoção se esvaiu do rosto de Julian. No entanto, as cores turbulentas que pairavam sobre o coração dele informavam que estava longe de nada sentir. A mágoa agora se misturava à cor de alguma coisa que Scarlett nunca tinha visto. Era indistinguível, não exatamente prateada ou cinza, mas ela poderia jurar que sentia a emoção aguda atrás desse tom — talvez fosse por terem compartilhado sangue?

Sentia os pulmões apertados, assim como a garganta. Doía-lhe cada vez que respirava, enquanto Julian se dirigia para a outra porta.

— Eu não planejava ficar na cama com você — emendou ele.

Scarlett tentou responder, mas agora suas cordas vocais estavam fechadas e os olhos ardiam. Só depois que Julian saiu do quarto ela pôde voltar a respirar, e percebeu: quando ele partiu, foi como se fechasse a porta para ela também.

Scarlett ficou com o corpo apertado junto da parede, lutando contra a vontade de correr atrás de Julian, pedir perdão por agir de modo tão estranho e maldoso. Quando ele saiu pela porta, ela poderia ter jurado que não era Lenda, mas não poderia correr o risco de confiar nele e se enganar.

Não, Scarlett se corrigiu:

Poderia correr o risco de se enganar.

Tudo o que Scarlett havia feito desde que chegara ao Caraval envolvia risco. Algumas dessas coisas não tinham terminado bem, mas outras a tinham surpreendido positivamente — *como o momento íntimo que tivera com Julian.* Ele nunca teria dado a Scarlett um presente tão precioso se antes ela não tivesse cometido um erro ao perder dois dias de sua vida.

Talvez se arriscar agora fosse exatamente o que precisava fazer. Se não por seu próprio bem, pelo de Tella. Julian tinha sido seu aliado desde que chegara, e Scarlett poderia precisar da ajuda dele mais do que nunca agora, com seu pai na ilha.

Ah, por todos os santos, seu pai! Scarlett nem mesmo contara a Julian que ele estava ali. Decididamente precisava encontrá-lo já e avisá-lo.

Ansiosa, abriu a porta. O cheiro amaldiçoado do perfume do pai ainda pairava, mas a única pessoa no corredor era o sujeito vil com o chapéu-coco que roubara seus brincos. Ele não prestou atenção à garota quando ela passou por ele e desceu as escadas. Não sabia aonde Julian tinha ido, mas esperava que não tivesse saído...

Scarlett congelou na plataforma seguinte.

Julian, tão confiante quanto se fosse mesmo o mestre do Caraval, saiu do quarto de Dante, abriu a porta entreaberta de Tella e ali entrou.

O que ele está fazendo?

Julian detestava Dante. E por que entrar no quarto arruinado de Tella? O que era...

Acima dela, a hospedaria rangeu sob o peso de múltiplos passos. Três pares de pés. Quando se aproximaram da escadaria acima, Scarlet pôde ouvir as palavras de um homem ecoarem até ela.

A primeira metade da frase ela não pôde distinguir, mas reconheceu a voz do pai e o que ele disse em seguida:

— Você a viu passar agora há pouco?

Um tremor percorreu todo o corpo de Scarlett.

— Menos de um minuto atrás. Agora, cadê minhas moedas? — Devia ser o sujeito miserável de chapéu-coco quem falava.

De repente, ela estava de volta a Trisda, encolhida nas sombras das escadas, temendo se mexer e ser pega. Mas precisava se mexer. A qualquer momento, o pai desceria os degraus. Scarlett não podia se dar ao luxo de ter medo nem dúvida sobre o que deveria fazer. Suas botas mal tocaram o chão quando correu pelo caminho que Julian fizera ao entrar no quarto de Tella. Tentou trancar a porta, mas a tranca estava quebrada.

O quarto estava vazio.

Não havia o menor sinal de Julian em parte nenhuma.

Mas ele decididamente tinha entrado ali!

Scarlett disse a si mesma que havia uma explicação razoável. Então, lembrou-se.

O jardim mortiço que encontrara no Castillo Maldito. Negligenciado e abandonado. O jardim tinha sido cuidadosamente preparado para ser um lugar onde as pessoas não ficassem muito tempo — assim como o quarto de Tella. Scarlett imaginou Julian entrando, empurrando os restos do saque, encontrando uma tábua do piso com o símbolo do Caraval e apertando-a com o dedo até que outra tábua se abrisse, levando-o a um túnel escondido.

Um túnel que ela precisava encontrar.

Do lado de fora, o som dos passos crescia, um coral áspero para acompanhar sua busca frenética. Abaixada, apoiada nas mãos e nos joelhos, ela procurou uma entrada. Lascas de madeira furaram os dedos enquanto rastejava pelo chão. De algum modo, o espaço destruído ainda tinha o cheiro de Tella. Melaço forte e sonhos loucos. Scarlett procurou com mais urgência; tinha que encontrar a irmã antes que o pai pegasse uma das duas.

Dentro da lareira, todos os tijolos estavam cobertos de fuligem, mas seus olhos se cravaram num trecho mais claro, como se alguém tivesse colocado o dedo ali. Debaixo dele, um símbolo gravado na parede sobre a lareira estava escuro, difícil de ver, mas a ponta do dedo de Scarlett formigou quando tocou o mesmo ponto. Por um segundo de pânico, nada aconteceu. Depois, lentamente, a lareira se deslocou, os tijolos separando-se para revelar um belo lance de degraus de mogno. As arandelas que o acompanhavam ardiam em brasas alaranjadas, revelando um caminho muito usado no centro dos degraus, como se alguém descesse por ali com frequência. Scarlett imaginou Julian usando essa escada toda vez que saía de cena ou desaparecia.

Isso ainda não significa que ele seja Lenda.

Mas achava mais difícil acreditar nisso agora. Se ele não fosse Lenda, por que então teria tantos segredos? Mesmo que não tivesse seduzido Tella quando estava longe de Scarlett, Julian certamente estava escondendo alguma coisa.

Um frio úmido envolveu as panturrilhas expostas de Scarlett quando começou a descer. Embora estivesse muitíssimo acordada, seu vestido continuava fino como uma camisola e mal cobria os joelhos. Dois lances de degraus lisos levavam a três caminhos divergentes. À direita, uma trilha de areia rosa pálido. No meio, uma via de pedras polidas e brilhantes que criavam poças turvas de luz. À esquerda, ladrilhos.

Tochas cobertas por chamas brancas iluminavam a entrada de todas as opções. Cada rota continha um bom número de pegadas de botas de tamanhos variados. Ela imaginou que qualquer túnel a esconderia do pai, mas só um a levaria a Julian — e talvez a Tella, se Julian fosse mesmo Lenda.

Os túneis também podem levar à loucura, pensou Scarlett. Mas preferia encarar essa possibilidade a encarar seu pai.

Fechando os olhos, apurou os ouvidos. À esquerda, o vento aprisionado se debatia contra as paredes. À direita, a água corria. Por fim, no meio, passos grandes e pesados iam em frente. Julian!

Seguiu o som velozmente, fiando-se na marcha firme dos passos dele como guia. Pareciam ficar mais altos à medida que a temperatura do caminho esfriava.

Até que os passos pararam.

Desapareceram.

Arrepios úmidos lamberam-lhe a nuca. Scarlett virou-se, temendo que houvesse alguém atrás dela, mas era só o corredor silencioso, cheio de pedras que rapidamente iam perdendo o brilho. Ela começou a correr mais rápido, mas seu pé tropeçou em alguma coisa. Caindo, estendeu a mão para se apoiar numa parede molhada, apenas para perder mais uma vez o equilíbrio ao avistar o objeto no qual havia esbarrado.

A mão de um ser humano.

A bile subiu à garganta. Ácida e acre.

Havia cinco dedos tatuados estendidos como se para alcançá-la.

De alguma forma, conseguiu conter um grito, até olhar para o corredor e ver o corpo retorcido de Dante, morto, e Julian de pé atrás dele.

Scarlett tentava se convencer de que o que estava vendo não era real. Os túneis queriam fazê-la enlouquecer. Disse a si mesma que o cheiro pútrido tinha sido fabricado. E que aquela mão não era de Dante, mas de outra pessoa. No entanto, mesmo se um corpo tivesse sido roubado e tatuagens tivessem sido feitas nele como parte do jogo, era impossível confundir o resto: a pele pálida de Dante, o ângulo da cabeça, apenas levemente ligada ao pescoço ensanguentado.

A cabeça de Julian se virou repentinamente.

— Carmim, não é o que parece...

Scarlett começou a correr, mas ele foi mais rápido. Disparando na direção dela, ele a pegou no lapso de uma batida do coração, passando um braço forte por seu peito e outro pela cintura.

— Solte-me! — Ela se contorceu.

— Scarlett, pare! Estes túneis intensificam o medo... Não deixe que ele a controle. Eu juro, Dante e eu estávamos trabalhando juntos, e se você parar de lutar comigo eu posso provar. — Julian ajustou o aperto, prendendo as mãos dela às costas. — Eu estive morto por um dia. Acha mesmo que eu o matei?

Se ele fosse Lenda, poderia ter mandado outra pessoa matá-lo.

— Por que você fingiu que não conhecia Dante se estavam trabalhando juntos?

— Porque tínhamos medo que algo assim pudesse acontecer. Sabíamos que Lenda reconheceria Dante e Valentina da última vez que participaram do jogo, mas eu apenas assisti na maior parte do tempo, então Lenda não me conhece. Achamos que seria sensato guardar segredo sobre nossa colaboração para o caso de Lenda descobrir o que Dante realmente veio fazer aqui.

Julian olhou para o fim do corredor, na direção do corpo morto de Dante, mas seu rosto permaneceu sem emoção. Esse não era o semblante de alguém que havia acabado de encontrar um amigo assassinado. Era o mesmo olhar frio que ele havia exibido no funeral. *Lenda.*

Scarlett sufocou um gemido e, apesar de seus instintos lutarem contra isso, ela forçou o corpo a ceder. A não gritar quando sentiu a pressão do peito de Julian. Não bater quando ele soltou seus punhos. A única coisa contra a qual lutou foi o seu temor crescente, até que Julian retirou o braço de sua cintura. E então ela...

Julian a suspendeu contra a parede poucos passos depois que ela tentou sair correndo.

— Se não parar com isso, vai conseguir que nós dois terminemos mortos — rosnou ele.

Então ele abriu a camisa, arrebentando os botões. Eles deslizaram pelo chão conforme Julian se arqueou para trás e se afastou, apenas o suficiente para que a luz da tocha revelasse o que Scarlett havia pensado ser uma cicatriz acima do coração dele.

Mas não era. Mais pálida do que memórias envelhecidas, uma tatuagem em tinta branca se enrolava acima das costelas. Uma *rosa.*

— A cor é diferente, mas tenho certeza que você já viu isso em Dante — disse Julian.

— Isso não prova nada. Eu vi rosas por todo o Caraval.

Lenda era obcecado por essas flores. Mais uma prova de que o sonho enviado por Aiko estava correto. Uma parte distante de Scarlett a avisou de que não seria sensato revelar sua última carta ao jogador que tinha todas as outras cartas na mão. No entanto, estava farta de jogos. A alguns metros dali jazia o corpo de um homem; esse jogo já tinha ido longe demais.

— Pode parar de mentir para mim. Eu vi você no funeral. Sei que você é Lenda!

A expressão sombria de Julian se congelou. Por um momento, ele pareceu perplexo, então suas feições relaxaram numa expressão sutil de divertimento.

— Não sei que funeral você pensa que viu, mas eu fui a um único funeral na vida: o da minha irmã Rosa, a noiva de Dante. Eu não sou Lenda. Estou aqui porque quero impedir que ele destrua a vida de outras pessoas assim como destruiu a dela.

Rosa era a *irmã* dele? A convicção de Scarlett vacilou. Mas será que havia começado a acreditar nele porque desejava isso desesperadamente ou porque Julian de fato lhe dizia a verdade? Ela tentou enxergar a cor das emoções dele, mas não havia nada acima do coração. Sua conexão com os sentimentos dele já devia ter se esvaído.

— Eu vi imagens — disse Scarlett. — Se ela era sua irmã, por que você ficou só parado ali? Vi que você usava uma cartola.

— Está pensando que sou Lenda porque olhou umas imagens e me viu com uma cartola? — Julian parecia querer rir.

— Não é só por causa da cartola! — Apesar de que devia ser principalmente por isso. Mas ainda havia coisas que ele estava escondendo dela. — Como você sabia o que fazer quando eu estava morrendo?

— Porque ouvi as pessoas falarem sobre isso quando assisti ao jogo antes. Não é nenhum segredo, mas a maioria das pessoas não está disposta a abrir mão da vida por ninguém, mesmo que seja só uma parte ínfima dela. — Pousou em Scarlett um olhar penetrante. — Eu entendo que você tenha problemas para confiar — prosseguiu bruscamente. — Depois de conhecer o seu pai, não culpo você. Mas juro que *não* sou Lenda.

— Então, como foi que você voltou ao La Serpiente outro dia, depois que se machucou? E por que não me encontrou na taverna, como combinamos?

Julian soltou um gemido frustrado.

— Não sei como isso vai provar que eu não sou Lenda, mas não encontrei você na taverna porque na noite anterior levei um golpe na cabeça, depois dormi demais e, quando cheguei à taverna, você já tinha ido embora. — Ele deu um sorrisinho, mas havia alguma coisa fora do lugar. Estava muito forçado.

Mesmo que Julian não fosse Lenda, ele não estava sendo totalmente honesto. As mãos dele estavam crispadas — retendo os segredos do mesmo modo como Scarlett tão frequentemente se agarrava ao medo —, como se o fato de abrir mão deles fosse desvendá-lo.

— Se você está mesmo aqui para deter Lenda, não acho que perderia uma noite inteira dormindo. E isso também não explica como voltou ao La Serpiente naquele dia.

— Por que está tão obcecada nisso? — Balançou a cabeça, frustrado. — Tudo bem, certo. Você quer saber a verdade?

Julian se inclinou para perto, até que seu hálito frio roçasse o pescoço dela, e o aroma fresco dele se espalhasse sobre a pele dela, e o túnel parecesse feito completamente dele.

— Eu não dormi nada. Deixei você sentada na taverna de propósito porque, depois de ter estado com você no quarto no dia anterior, achei que não fosse uma boa ideia vê-la de novo.

O olhar dele baixou até os lábios dela, e Scarlett estremeceu. Nos túneis, estava escuro demais para enxergar a cor, mas, quando Julian ergueu os olhos novamente, ela vislumbrou duas poças famintas de liquidâmbar contornadas por cílios escuros. Exatamente o modo como ele olhara para ela antes, quando suas costas estiveram contra a porta, com o corpo dela apertado ao dele.

— Comecei este jogo com uma missão simples. — Julian parou, engoliu em seco e, quando voltou a falar, sua voz saiu áspera e baixa, como se lhe fosse difícil deixar as palavras fluírem. — Eu vim aqui para encontrar Lenda e vingar a minha irmã. Minha relação com você deveria ter acabado assim que você me ajudou a entrar no jogo. Então, é verdade, não fui totalmente honesto com você, mas juro que não sou Lenda.

Scarlett teve a impressão de que ele poderia ter moído rochas com a força daquelas palavras. Julian sempre parecia estar escondendo os verdadeiros sentimentos, mas as últimas seis palavras foram uma revelação. Seu tom de voz pode não ter sido doce, mas Scarlett não ouviu nada que não soasse verdadeiro ali. Esboçando um passo para trás, Julian levou a mão ao bolso e puxou um bilhete.

— Encontrei isto no quarto de Dante. Desci até aqui para me encontrar com ele, e não para matá-lo.

J—
Valentina ainda está desaparecida. Acho que Lenda está no nosso encalço.

A faísca de uma lembrança.

Valentina era a irmã de Dante.

Scarlett tremeu ao se lembrar da última vez que vira Dante com vida. Ele estava na escadaria, desvairado de preocupação. Talvez, se Scarlett não tivesse se perdido aquele dia, pudesse tê-lo ajudado a encontrar a irmã.

— Eu deveria ter feito alguma coisa — murmurou ela.

— Não havia nada que você pudesse fazer — emendou Julian, objetivo. — Valentina deveria ter nos encontrado aqui naquela noite em que me golpearam na cabeça, mas ela nunca apareceu.

Julian explicou que os túneis corriam abaixo de tudo. Havia mapas embutidos na saída de cada um, e eram usados principalmente pelos atores do Caraval, para se deslocarem facilmente de um lugar a outro.

— E às vezes são usados para assassinar alguém — acrescentou ele, irônico. Seus olhos estavam sombrios, os maxilares mais afiados do que de costume, uma expressão feita de coisas quebradas.

Scarlett desejou saber como consertá-lo, mas ele parecia quase tão danificado quanto ela própria.

— Você ainda pretende se vingar? — perguntou ela.

— Se eu dissesse que sim, você tentaria me impedir? — Ele pousou o olhar no fim do corredor, onde jazia o corpo morto e desfigurado de Dante.

Scarlett sentiu como se sua resposta devesse ser sim. Preferia acreditar que sempre havia alternativas à violência. Entretanto, o assassinato de Dante e o desaparecimento de Valentina haviam acabado com qualquer ilusão de que o Caraval fosse um simples jogo.

Ela costumava pensar que o pai fosse perverso, mas Lenda era um monstro equiparável. Parecia que sua avó não havia mentido ao dizer que, quanto mais Lenda fazia o papel de vilão, mais se tornava um vilão na vida real.

Titubeante, Scarlett ergueu a mão, pegando a de Julian. Os dedos dele estavam tensos, gelados.

— Sinto muito por sua...

O eco de passos interrompeu a frase. Firmes, determinados e próximos. Ela não ouviu nenhuma voz, mas poderia jurar que conhecia o modo de andar.

Instintivamente, soltou a mão de Julian.

— Acho que é o meu pai!

A cabeça de Julian se virou na direção do som. Num piscar de olhos, a tristeza dele desapareceu.

— Seu pai está aqui?

— Sim — disse Scarlett.

Os dois começaram a correr.

— Por aqui. — Julian a puxou em direção a um corredor revestido de ladrilhos e iluminado por teias de aranha cintilantes.

— Não. — Scarlett o levou para a esquerda. — Usei um caminho de pedra. — Não se lembrava de as paredes serem também salpicadas de pedras radiantes, mas não prestara atenção a isso.

Atrás deles, o som das botas ficava mais alto.

Julian fechou o cenho, mas foi com ela. Seu cotovelo roçou o dela quando as paredes do túnel se estreitaram e rochas salientes espetaram os lados do corpo.

— Por que não me contou que seu pai estava aqui?

— Eu ia contar, mas...

As mãos de Julian cobriram a boca de Scarlett, sal e terra apertando seus lábios quando ele sussurrou:

— Shh...

Ele segurou uma das pedras brilhantes que pontilhavam a parede, virou-a como uma maçaneta e puxou Scarlett para a escuridão de lugar nenhum. As paredes às costas de Scarlett eram como gelo, molhadas e frias. Pôde sentir a umidade encharcar o vestido fino enquanto tentava lembrar como respirar.

Um cheiro de anis e lavanda e algo semelhante a ameixa podre começava a substituir o aroma fresco de Julian, entrando como fumaça por baixo da porta estranha pela qual ele a puxara.

— Vou manter você a salvo — sussurrou Julian. Seu corpo se aproximou mais do dela, como se para protegê-la, enquanto as botas pisavam duramente o chão logo ao lado do esconderijo, que parecia encolher. As paredes gélidas apertavam Scarlett, empurrando-a mais e mais contra Julian. Seus cotovelos acertaram o peito dele, forçando-a a enlaçar a cintura dele enquanto o corpo rijo se moldava ao dela.

O coração de Scarlett batia descompassado. Os pelos ásperos do maxilar de Julian roçaram a face dela enquanto as mãos dele pousavam em torno dos quadris. Através do tecido insignificante do vestido ela pôde sentir cada curva dos dedos dele. Se seu pai abrisse a porta e a encontrasse assim, estaria morta.

Tentou se afastar, respirando depressa. Agora, o teto parecia estar afundando também, chegando mais perto, pingando algo frio em cima de sua cabeça.

— Acho que esta sala está tentando nos matar — disse ela. Do lado de fora, ouviu os passos do pai se afastarem, até o som se reduzir a nada. Teria gostado de passar mais uns minutos escondida, mas os pulmões estavam sendo esmagados, prensados entre Julian e a parede gelada. — Abra a porta!

— Estou tentando — grunhiu Julian.

Scarlett arfou. O vestido frágil subiu acima dos joelhos enquanto Julian mexia em alguma coisa às costas dela, as mãos tateando em busca da saída.

— Não consigo achar — gemeu ele. — Acho que está do seu lado.

— Não consigo sentir nada. — *A não ser você.* Os dedos de Scarlett tocavam lugares que ela sabia que não deveriam tocar, enquanto as mãos tentavam explorar a parede. Mas, quanto mais lutava, mais a sala parecia revidar.

Como o oceano em torno da ilha.

Quanto mais Scarlett se debatera contra ele, mais amedrontada ficara, e mais as águas tentaram puni-la.

Talvez fosse isso.

Julian tinha dito que os túneis amplificavam o medo, mas talvez também se alimentassem dele.

— A sala está ligada às nossas emoções — disse ela. — Acho que precisamos relaxar.

Julian soltou um ruído sufocado.

— Neste momento isso não vai ser fácil. — Seus lábios estavam nos cabelos dela, e as mãos logo abaixo dos quadris, coladas às curvas dela.

— Ah. — O pulso de Scarlett acelerou-se de novo, e, ao mesmo tempo, pôde sentir o coração de Julian palpitando junto de seu peito. Uma semana atrás, jamais teria relaxado numa situação como essa; mesmo agora, era difícil. Apesar das mentiras de Julian, porém, ela sabia que estava a salvo com ele. Nunca a machucaria. Forçou-se a respirar calmamente e, ao fazer isso, sentiu a parede parar de se mexer.

Respirou de novo.

A sala ficou ligeiramente maior.

Lá fora, ainda não havia nenhum som do pai. Nenhum passo, nenhum suspiro. Nem seu fedor tóxico.

No momento seguinte, as paredes às costas dela ficaram mais quentes, um contraste intenso com as partes do vestido que agora estavam molhadas. Enquanto a sala se expandia, pôde sentir Julian relaxar também. A maior parte do corpo de Scarlett ainda tocava o dele, mas não como antes. O peito dele subia e descia no ritmo do dela, devagar e firme, ao passo que as paredes continuavam a recuar.

A cada vez que respiravam, a câmara se aquecia. Logo havia minúsculos pontos de luz salpicando o teto como um pó lunar e iluminando uma maçaneta brilhante acima da mão direita de Scarlett.

— Espere... — avisou Julian.

Mas Scarlett já tinha aberto a porta. No mesmo minuto, a sala desapareceu. Diante deles e também atrás, um corredor baixo se estendia, cravejado de conchas marinhas quebradas que cintilavam como as pedras de antes, o chão coberto por uma trilha de areia rosa pálido.

Julian soltou um palavrão.

— Odeio este túnel.

— Pelo menos, despistamos meu pai — comentou ela. Não havia som de passos em nenhuma direção. Só o que se ouvia eram as ondas frescas do oceano quebrando ao longe. Trisda não tinha praias cor-de--rosa, mas o vaivém ressoante da água a fazia pensar em sua terra, além de outras coisas.

— Como você sabia que eu podia garantir sua entrada no jogo? — perguntou Scarlett. — Só recebi meus ingressos depois de você ter chegado a Trisda.

Julian chutou um pouco de areia com as botas ao caminhar mais rápido.

— Não acha estranho não saber nem o nome do homem com quem vai se casar?

— Você está mudando de assunto.

— Não, isso faz parte da resposta.

— Muito bem. — Scarlett baixou a voz. Ainda não detectara mais nenhum passo, mas era melhor se prevenir. — Isso é segredo porque meu pai é controlador.

Julian brincou com a corrente do seu relógio de bolso.

— E se fosse mais que isso?

— Do que está falando?

— Acho que, na verdade, talvez seu pai estivesse tentando proteger você. Não se zangue ainda, me escute primeiro — apressou-se a acrescentar. — Não estou dizendo que seu pai seja bom. Pelo que vi, diria que é um calhorda imundo, mas entendo suas razões para guardar segredo.

— Vá em frente — disse Scarlett, tensa.

Julian explicou o que Scarlett já sabia, sobre Lenda e sua avó Annalise. Embora a versão que ele contou da história fosse diferente da contada pela avó. Nesta história, Lenda começava com mais talento e muito mais inocência. Só se importava com Annalise. Ela era a única razão pela qual ele se transformara em Lenda; não tivera nada a ver com o desejo de ser famoso. Então, antes de seu primeiro espetáculo, ele a encontrou nos braços de outro, um homem mais rico, com quem ela planejara se casar o tempo todo.

— Depois disso, Lenda ficou meio louco. Jurou destruir Annalise, ferindo a família dela assim como ela o feriu. Já que ela despedaçou seu coração, Lenda jurou fazer o mesmo com quaisquer filhas ou netas que tivessem o azar de surgir na linhagem da moça. Ele arruinaria suas chances de fazer bons casamentos e conhecer o amor, e, se elas enlouquecessem no processo, melhor ainda.

Julian tentou contar a última parte como se não fosse uma coisa tão séria, mas Scarlett ainda se recordava claramente do sonho. Lenda não só fazia as mulheres se apaixonarem por ele, fazia com que enlouquecessem, e ela não tinha a menor dúvida de que naquele exato momento estava fazendo o mesmo com Tella.

— Então, quando meus amigos e eu soubemos do seu noivado — continuou Julian —, entendemos que era apenas questão de tempo até Lenda convidar vocês para o Caraval para romper o noivado.

Novamente, falou como se fosse algo menos nocivo do que era. Mas o noivado de Scarlett era todo o seu futuro. Sem esse casamento, estaria condenada à vida em Trisda com seu pai.

O caminho de areia ia ficando mais íngreme e ela lutava para subir, voltando a pensar nas cartas tolas que tinha mandado. Nunca tinha assinado seu nome completo até a última, quando escrevera sobre o casamento — a carta que Lenda havia escolhido responder.

Scarlett percebia que a história de Julian fazia sentido, mas indagava-se como é que um simples marinheiro sabia de tudo isso. Estreitou os olhos ao mirar o jovem de cabelos escuros a seu lado e fez a pergunta que invadira seus pensamentos em mais de uma ocasião:

— Quem é você de verdade?

— Digamos que minha família é bem relacionada. — Julian exibiu um sorriso que poderia ter parecido encantador para alguns, mas Scarlett pôde ver que não havia nada nem remotamente feliz nele.

Lembrou-se da fofoca que entreouvira no sonho. A família de Julian havia rejeitado a irmã dele depois de descobrir seu relacionamento ilícito com Lenda. Pelo que Scarlett sabia de Julian, não podia imaginar que ele fosse tão impiedoso a ponto de concordar com isso, mas ele devia ter se sentido culpado mesmo assim. Era uma emoção que Scarlett conhecia bem demais.

Andaram em silêncio por um bom tempo, até que ela finalmente reuniu coragem para dizer:

— Não é sua culpa, sabe, o que aconteceu com sua irmã.

Por um frágil momento, fino e longo como uma teia de aranha esticada, ouviu apenas as ondas ao longe e o som das botas de Julian na areia. Depois:

— Então, você não se culpa quando seu pai bate na sua irmã?

As palavras dele foram um sussurro suave, mas Scarlett sentiu cada uma na pele, lembrando-a de todas as vezes que falhara com Tella.

Julian parou de andar e se voltou lentamente para encará-la. O olhar firme estava ainda mais suave que a voz. Chegava às partes danificadas dela como uma carícia. O tipo de toque que atravessa a pele machucada, passa pelos ossos fraturados e alcança a alma ferida de uma pessoa. Scarlett sentiu o sangue esquentar enquanto ele a fitava. Poderia estar usando um vestido que cobrisse cada centímetro da pele e, ainda assim, se sentiria exposta aos olhos de Julian. Era como se toda a vergonha e a culpa que sentia, todas as memórias secretas e terríveis que tentava sepultar, fossem trazidas à luz diante dele.

— A culpa é do seu pai — declarou ele. — Você não fez nada errado.

— Você não tem como saber — argumentou ela. — Sempre que meu pai machuca minha irmã é porque eu fiz alguma coisa errada. Porque falhei...

— Socorro! — Um grito rasgou a conversa como uma rajada de vento. — Por favor! — Um som esganiçado veio em seguida.

— Tella? — Scarlett começou a correr, erguendo uma nuvem de areia rosa.

— Não! — avisou Julian. — Não é a sua irmã!

Mas Scarlett o ignorou. Conhecia a voz da irmã. Parecia estar a poucos metros dali; podia sentir sua vibração. Mais e mais alto, ecoava pelas paredes de arenito até...

— Pare! — O braço de Julian apanhou Scarlett pela cintura, puxando-a de volta no instante em que o caminho de areia terminava de repente.

Alguns grãos infelizes deslizaram pela borda, caindo na espuma das águas azuis e verdes que se alvoroçavam mais de quinze metros abaixo.

Todo o ar fugiu dos pulmões de Scarlett.

A face de Julian estava corada, as mãos trêmulas enquanto tentava equilibrá-la.

— Você está...?

Mas o fim da frase foi decepado por uma risada perversa. O som ácido dos pesadelos e outras coisas sórdidas. Porejava das paredes enquanto trechos delas se retorciam na forma de pequenas bocas.

Era outro truque dos túneis que enlouquecem.

— Carmim, temos que continuar. — Julian tocou com gentileza um dos quadris dela, guiando-a de volta a um caminho mais seguro, enquanto os túneis continuavam a gargalhar, uma versão distorcida da adorável gargalhada de Tella.

Por um instante, Scarlett sentira estar tão perto de encontrar a irmã. Mas e se já fosse tarde demais para salvá-la? E se Tella tivesse se apaixonado tão loucamente por Lenda, se entregado tão completamente a ele que o fim do jogo a fizesse querer dar fim à própria vida? Tella adorava o perigo assim como o pavio da vela adora queimar. Nunca parecia temer que algumas das coisas que cobiçava pudessem consumi-la como fogo.

Quando pequena, Scarlett sentira atração pela ideia da magia de Lenda. Mas Tella sempre quisera ouvir sobre o lado mais obscuro do mestre do Caraval. Parte de Scarlett não podia negar que houvesse algo de sedutor em conquistar o coração de alguém que havia jurado nunca mais amar.

Lenda, porém, não era apenas um coração partido; era insano, dedicado a fazer com que as pessoas se entregassem não somente à paixão, mas também à loucura. Quem sabe em que tipo de coisas perversas estaria levando Tella a acreditar? Se Julian não tivesse impedido Scarlett agora há pouco, ela poderia ter corrido e se atirado daquele penhasco e mergulhado rumo à morte antes mesmo de perceber o erro. E Tella se jogava sem pensar com muito mais frequência que Scarlett.

Tella tinha apenas doze anos quando tentou fugir com um garoto pela primeira vez. Felizmente, Scarlett descobriu antes que o pai notasse a ausência da filha mais nova, mas desde então Scarlett temia que, um dia, a irmã se metesse num apuro do qual não conseguiria resgatá-la.

Por que não bastava para Lenda arruinar o noivado de Scarlett?

— Nós vamos encontrá-la — garantiu Julian. — O que aconteceu com Rosa não vai acontecer com sua irmã.

Scarlett queria acreditar nele. Depois de tudo o que acabara de acontecer, ansiava por ceder e se apoiar nele, confiar nele como fizera antes. Mas as palavras que ele dissera para tranquilizá-la trouxeram à tona uma questão na qual tinha pavor de pensar desde que ele fizera sua primeira confissão sobre o motivo de estar ali.

Ela se soltou da mão de Julian, forçando-se a criar distância.

— Quando nos trouxe para o Caraval, você sabia que Lenda pegaria Tella do jeito que pegou sua irmã?

Ele hesitou.

— Eu sabia que havia uma chance.

Ou seja, *sim*.

— Qual era o tamanho dessa chance? — arfou Scarlett.

Os olhos caramelados de Julian ficaram repletos de algo semelhante a remorso.

— Eu nunca disse que era uma boa pessoa, Carmim.

— Não acredito nisso. — Os pensamentos da garota voltaram a Nigel, o vidente. Ele dissera que o futuro de uma pessoa podia se alterar com base no que ela mais queria. — Creio que você poderia ser bom se quisesse.

— Você só crê nisso porque é muito boa. Gente decente como você sempre acredita que as outras pessoas possam ser virtuosas, mas eu não sou. — Ele se deteve. Uma dor se estampou em seu rosto. — Eu sabia o que aconteceria quando trouxe você e sua irmã para cá. Eu não sabia que Lenda sequestraria Tella, mas sabia que ele pegaria uma de vocês.

As pernas de Scarlett não tinham ossos, só uma pele fina envolta em músculos inúteis. Os pulmões doíam sob a pressão de lágrimas não derramadas. Mesmo o vestido parecia exaurido e morto. O tecido preto havia desbotado até ficar cinza, como se não tivesse mais forças para segurar a cor. Ela não se lembrava de ter rasgado as rendas, mas a bainha do bizarro traje de luto pendia em farrapos ao redor das panturrilhas. Não sabia se a magia parara de funcionar ou se era um reflexo de quão exausta e desgastada ela se sentia. Havia deixado Julian na base da escadaria de mogno, pedindo que ele não a seguisse.

Quando voltou para o seu dormitório com a lareira crepitante e a cama imensa, tudo o que quis foi se perder debaixo das cobertas. Cair num sono de oblívio até que pudesse esquecer os horrores do dia. Mas ela não era capaz de dormir.

Quando chegara à ilha, sua única preocupação fora conseguir voltar para casa em tempo para o casamento. Contudo, agora que Lenda havia matado Dante e seu pai estava ali, o jogo havia mudado. Scarlett sentia a pressão do tempo, mais pesado que todas as contas vermelhas das ampulhetas do Castillo Maldito. Precisava encontrar Tella antes que seu pai a achasse ou Lenda a consumisse como a chama que derrete uma vela. Se Scarlett falhasse, sua irmã morreria.

Em menos de duas horas o sol se poria e Scarlett precisaria estar pronta para continuar a busca.

Por isso, concedeu a si mesma somente um minuto. Um minuto para chorar por Dante, soluçar por sua irmã e sentir raiva por Julian não ser quem ela pensava que ele fosse. Para cair na cama e gemer e lamentar por todas as coisas que escaparam do seu controle. Para pegar aquele vaso de rosas estúpido de Lenda e espatifá-lo de encontro à cornija da lareira.

— Carmim... está tudo bem aí dentro? — Julian bateu na porta e precipitou-se para dentro do quarto no mesmo instante.

— O que você está fazendo aqui? — Ela lutou contra as lágrimas ao franzir as sobrancelhas para ele. Não podia suportar que a visse chorar, embora tivesse razoável certeza de que era tarde demais para evitar.

Julian procurava as palavras enquanto buscava uma ameaça que não estava ali, claramente angustiado por vê-la soluçante sem que houvesse nenhum perigo iminente.

— Pensei ter ouvido algo.

— O que você acha que ouviu? Você não pode simplesmente invadir o quarto! Saia! Eu preciso terminar de me trocar.

Em vez de sair, Julian fechou a porta silenciosamente. Os olhos dele recaíram sobre o vaso despedaçado e a poça no chão, antes de retornarem ao rosto coberto de lágrimas de Scarlett.

— Carmim, não chore por minha causa.

— Você se superestima. Minha irmã está desaparecida, meu pai nos encontrou e Dante está morto. Estas lágrimas não são por você.

Julian pelo menos teve a decência de parecer envergonhado. Contudo, permaneceu dentro do quarto. Sentou-se cautelosamente na cama, fazendo o colchão ceder sob o seu peso, enquanto mais lágrimas escorriam pelas bochechas dela. Quentes e molhadas e salgadas.

A explosão de Scarlett havia purgado parte da dor, mas agora as lágrimas não paravam, e talvez Julian estivesse certo: talvez algumas *fossem* por causa dele.

Julian se inclinou para mais perto e as enxugou com a ponta dos dedos.

— Não. — Scarlett recuou.

— Eu mereço isso. — Ele deixou cair a mão e se distanciou até que estivessem em lados opostos da cama. — Eu não deveria ter mentido, nem trazido você aqui contra a sua vontade.

— Você não deveria ter nos trazido aqui de jeito nenhum — rosnou Scarlett.

— Sua irmã teria encontrado um modo de vir, com ou sem mim.

— E isso por acaso é uma desculpa? Porque, se for, não é das melhores.

Julian respondeu com cuidado:

— Não estou me desculpando por fazer o que sua irmã queria. Acredito que as pessoas devam ser livres para tomar as próprias decisões. Mas *sinto muito* por todas as vezes que menti para você.

Ele parou e, quando olhou para ela, seus olhos castanhos estavam suaves como ela jamais os vira, e abertos, como se quisessem que ela visse algo que ele geralmente mantinha escondido.

— Eu sei que não mereço outra chance. No entanto, mais cedo você disse que acreditava que eu poderia ser bom. Não sou bom, Carmim, ou pelo menos não tenho sido. Sou mentiroso e amargo, e às vezes faço escolhas terríveis. Venho de uma família orgulhosa em que as pessoas estão sempre fazendo jogos umas com as outras, e, depois de Rosa... — ele hesitou, a voz adquirindo o tom rouco, estrangulado e falho que vinha sempre que mencionava a irmã — ... depois que ela morreu, perdi a fé em tudo. Não que isso seja uma desculpa. Mas, se você me der outra chance, eu prometo, vou compensar você.

Diante deles, o fogo crepitava e o calor encolhia a poça de água no chão. Em breve sobrariam apenas as rosas e os estilhaços de vidro. Scarlett pensou na tatuagem de rosa de Julian. Gostaria que ele fosse apenas um marinheiro que aportara ao acaso em sua ilha, e detestava o fato de ele ter mentido para ela por tanto tempo. No entanto, Scarlett podia entender a devoção a uma irmã. Sabia como era amar alguém tão perdidamente, não importasse o custo.

Julian se encostou na coluna da cama, todo trágico e adorável, os cabelos escuros pendendo sobre os olhos cansados, a boca contorcida para baixo, rasgos arruinando a camisa que um dia fora imaculada.

Scarlett também havia cometido erros por causa desse jogo. Mas Julian nunca os usara contra ela, e ela também não queria puni-lo.

— Perdoo você — disse ela. — Só me prometa que não vai mais mentir.

Com um suspiro profundo, Julian fechou os olhos, a testa franzindo-se num olhar entre a dor e a gratidão. Ele falou roucamente:

— Eu prometo.

— Olá? — Uma batida na porta alarmou a ambos.

Julian deu um salto antes que Scarlett pudesse se mover. *Esconda-se*, sinalizou ele.

Não. Ela estava farta de se esconder hoje. Ignorando o olhar irritado dele, Scarlett pegou o atiçador da lareira e o seguiu enquanto Julian se esgueirava para a porta.

— Tenho uma entrega — disse a voz feminina.

— Para quem? — perguntou Julian.

— É para a irmã de Donatella Dragna.

Scarlett segurou o atiçador com mais força, o coração engrenando uma batida extra. *Diga a ela para deixar na porta*, sinalizou Scarlett. Mas tudo em que pensava era a mão decepada de Dante. Com um tremor, pensou em Lenda cortando a mão de Tella e mandando entregá-la em seu quarto.

Depois que os passos da mensageira se esvaíram, ela deixou Julian abrir a porta.

O pacote do lado de fora era completamente preto, a cor do fracasso e dos funerais. Ele se estendia em frente à entrada do quarto e era quase tão largo quanto Scarlett. Perto dele havia um vaso com duas rosas vermelhas. Mais flores!

Scarlett chutou o vaso, esparramando as flores pela soleira da porta antes de puxar o pacote para dentro. Não conseguia dizer se era leve ou pesado.

— Quer que eu abra isso? — perguntou Julian.

Scarlett balançou a cabeça, negando. Também não queria abrir o pacote preto, mas cada segundo perdido era um segundo em que poderiam estar à procura de Tella. Com cuidado, ela levantou a tampa.

— O que é isso? — As sobrancelhas de Julian formaram um V.

— É o outro vestido que comprei na loja. — Scarlett soltou uma risada de alívio ao tirar o vestido de dentro da caixa. A garota havia dito que ele seria entregue dentro de dois dias.

Mas havia alguma coisa errada com o traje. Parecia diferente do que Scarlett se lembrava. A cor era muito mais clara, quase puro branco... A cor de um vestido de noiva.

26

O vestido parecia zombar dela. Sem mangas e com um decote profundo em forma de coração que nada tinha de meigo, esse traje era mais escandaloso que a peça escolhida por Scarlett na loja.

Os botões cor de creme brilhavam como marfim à luz quente do quarto. No fundo da caixa, Scarlett encontrou um bilhete, um pedaço de papel pequeno preso a um alfinete quebrado.

— Deve ter caído do vestido.

De um lado havia a gravura de uma cartola, do outro, uma breve mensagem:

Imagino que isto vá ficar lindo em você.
Saudações calorosas
—D

— Quem é "D"? — perguntou Julian.

— Acho que alguém quer que eu acredite que isto veio de Donatella. — Mas Scarlett sabia que o novo presente não fora mandado pela irmã. A zombaria com o vestido de noiva só poderia ter vindo de uma pessoa, e a cartola no bilhete só poderia significar uma coisa. *Lenda.*

Aranhas invisíveis rastejaram por sua pele, um sentimento muito diferente do das cores intensas que a primeira carta tinha evocado.

— Acho que esta é a quinta pista.

Julian franziu o rosto.

— Por que acha isso?

— O que mais seria? — respondeu Scarlett. Sacou a mensagem que continha todas as outras pistas.

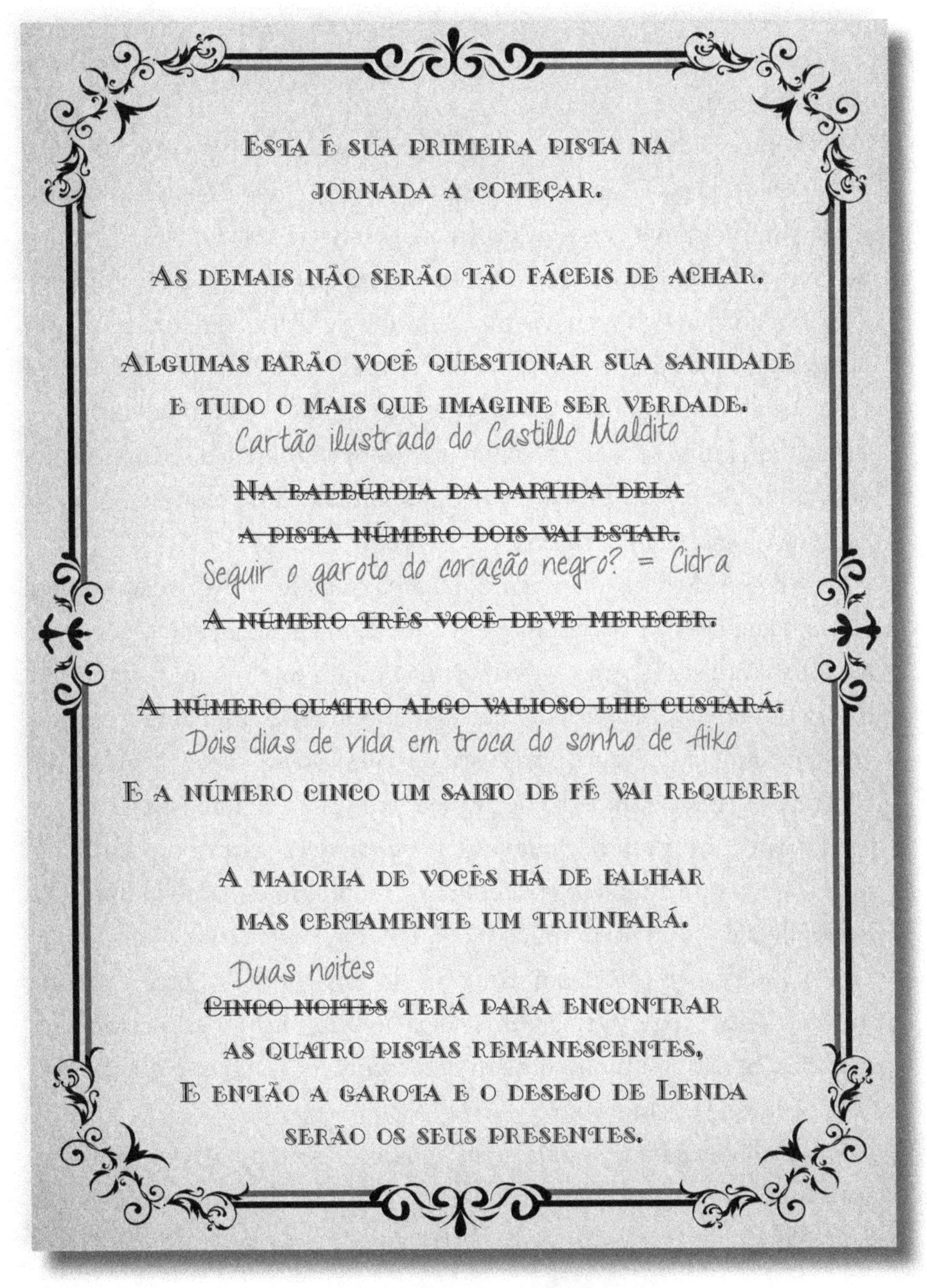

Esta é sua primeira pista na
jornada a começar.

As demais não serão tão fáceis de achar.

Algumas farão você questionar sua sanidade
e tudo o mais que imagine ser verdade.

Cartão ilustrado do Castillo Maldito

~~Na balbúrdia da partida dela~~
~~a pista número dois vai estar.~~

Seguir o garoto do coração negro? = Cidra

~~A número três você deve merecer.~~

~~A número quatro algo valioso lhe custará.~~

Dois dias de vida em troca do sonho de Aiko

E a número cinco um salto de fé vai requerer

A maioria de vocês há de falhar
mas certamente um triunfará.

Duas noites

~~Cinco noites~~ terá para encontrar
as quatro pistas remanescentes,
e então a garota e o desejo de Lenda
serão os seus presentes.

— Veja, já descobri as primeiras quatro pistas — disse ela. — Só resta a número cinco.

— Mas como é que isso pode ser a pista? — perguntou Julian, ainda olhando para o vestido como se estivesse coberto por coisa muito mais ofensiva que botões.

Foi aí que Scarlett juntou as peças. Tanto os botões quanto a cartola eram símbolos.

— Lenda é conhecido pelas cartolas que usa, e eu andei encontrando botões por toda parte no jogo — explicou ela. — Não sabia se os botões significavam alguma coisa ou não, mas, depois de ver este vestido totalmente coberto de botões, tenho quase certeza que sim. Quando comprei o vestido, ao lado da loja havia um caminho de botões que levava a uma Chapelaria e Alfaiataria em forma de cartola.

— Ainda não entendo como é que isso significa alguma coisa. — A carranca de Julian se manteve enquanto ele lia o bilhete de Scarlett com todas as pistas. — "E a número cinco um salto de fé vai requerer." Como é que esse lugar se encaixa nisso?

— Não sei. Acho que é onde entra a parte da fé. Talvez seja um tipo de desafio de Lenda e precisemos ir à Chapelaria para encarar o que quer que esteja à nossa espera. — Scarlett não estava totalmente convencida disso, mas começara a aprender que não importava quanto tentasse raciocinar logicamente, sempre havia variáveis que não era capaz de enxergar. Às vezes, a cautela a impedia de avançar em vez de mantê-la a salvo.

Mas era como se Julian estivesse começando a sentir o oposto. Seu olhar sugeria que queria jogá-la em cima do ombro e mantê-la trancada e escondida do resto do mundo.

— O sol vai se pôr daqui a menos de uma hora — disse ela com firmeza. — Se você tiver alguma ideia melhor até lá, estou aberta a sugestões. Senão, no momento em que escurecer, acho que devemos ir à loja ver o que encontramos.

Julian olhou para o vestido mais uma vez, abrindo a boca como se quisesse dizer alguma coisa, mas depois a fechou e meneou a cabeça, concordando.

— Vou verificar os corredores para ver se seu pai está em algum lugar antes de sairmos.

Tão logo ele se foi, Scarlett colocou o vestido e pegou os botões que tinha recolhido. Pareciam uma oferenda insignificante, mas talvez houvesse neles algo de mágico que ela ainda estava por ver.

QUARTA NOITE DO CARAVAL

Ao sair da hospedaria, Scarlett não sentiu nenhum sinal do fedor nauseabundo do pai. Pouco antes de colocarem os pés do lado de fora, Julian tinha jurado que vira o pai dela deixar o local. No entanto, Scarlett continuava a lançar olhares atrás de si, imaginando se ele não a estaria seguindo, esperando o momento certo para atacar.

As maravilhas do Caraval continuavam a dançar ao redor dela. Garotas usavam a calçada como palco para um duelo de sombrinhas, enquanto grupos de jogadores dedicados seguiam caçando pistas. Apesar disso, Scarlett sentia que a noite havia caído de mau jeito. A atmosfera estava mais úmida que de costume, e a iluminação também não parecia natural. A lua era apenas um filete, mas projetava um brilho prateado sobre as lojas coloridas e transformava a água em metal líquido.

— O plano ainda não está bom. — Julian abaixou a voz quando entraram pela curva que conduzia ao Carrossel de Rosas.

— Uma música por uma doação? — pediu o organista.

— Hoje, não — respondeu Scarlett.

O homem começou a tocar mesmo assim. Desta vez, o carrossel não girou. Suas rosas vermelhas ficaram no mesmo lugar, mas a música era alta o bastante para abafar as palavras de Julian enquanto ele prosseguia:

— Acho que essa Chapelaria de que você me falou é óbvia demais para ser a última pista.

— Talvez seja tão óbvia que todas as outras pessoas não consigam ver. — Os pés de Scarlett se moviam mais rápido conforme se aproximavam da loja de três andares onde ela comprara os vestidos.

Nuvens pesadas de tempestade avançaram sobre a lua, e, ao contrário da última vez que Scarlett estivera ali, todas as vitrines da loja estavam apagadas. A Chapelaria e Alfaiataria próxima à Loja de Vestidos estava tão escura que mal se via. Ainda assim, seu formato era inconfundível.

Um amplo fosso de jardineiras com flores negras circundava o edifício de dois andares como uma aba. O lugar tinha exatamente o formato de uma cartola, com um caminho de botões conduzindo até a porta de veludo preto.

— Isto não é muito do estilo de Lenda — Julian insistiu. — Ele é famoso por suas cartolas ridículas, mas não seria tão óbvio e espalhafatoso.

— Está escuro demais para enxergar a loja. Eu não diria que isso é óbvio.

— Alguma coisa aqui está errada — sussurrou Julian. — Acho que eu deveria entrar sozinho primeiro para verificar.

— Talvez nenhum de vocês dois deva entrar.

Aiko apareceu subitamente ao lado de Scarlett. Desta vez, usava saia e blusa prateadas, com olhos e lábios pintados para combinar. Parecia uma lágrima que a lua havia chorado.

— Estou tão feliz por você ter decidido usar esse vestido. — Ela deslizou para mais perto de Scarlett, balançando a cabeça em aprovação. — Acho que está ainda melhor do que na outra noite.

Julian dividiu um olhar entre as duas garotas feito por partes iguais de confusão e desconfiança.

— Vocês duas se conhecem?

— Saímos para fazer compras juntas — respondeu Aiko.

A expressão de Julian se transformou em pedra.

— Foi você quem a convenceu a comprar os vestidos?

— E você deve ser aquele que a deixou esperando na taverna? — Avaliando-o, Aiko levantou duas sobrancelhas contornadas de pérolas, embora certamente já soubesse quem ele era pelos desenhos no caderno.

— Se você não queria que ela saísse para fazer compras, não deveria tê-la abandonado.

— Não me importo se ela sai para fazer compras — declarou Julian.

— Então você não gostou do vestido dela?

— Com licença — interrompeu Scarlett —, mas estamos com um pouquinho de pressa.

Num gesto exagerado, Aiko mediu a Chapelaria e Alfaiataria de alto a baixo, com ar de desagrado.

— Recomendo a vocês que fiquem longe da Chapelaria esta noite. Não vão encontrar boas promoções aí dentro.

Um trovão rimbombou ao alto.

Aiko levantou a cabeça enquanto gotas de líquido reluzente caíam do céu.

— Preciso ir. Nunca gostei da chuva, ela dissolve toda a mágica. Só queria deixar um aviso: acho que vocês *dois* estão prestes a cometer um erro.

A chuva prateada continuava a cair enquanto Aiko se afastava. Gotas pendiam dos cabelos escuros de Julian quando ele balançou a cabeça, o rosto em conflito.

— Você precisa tomar cuidado com essa aí. Embora eu ache que ela está certa sobre a Chapelaria.

Scarlett não tinha tanta certeza. O sonho de Aiko havia lhe dado algumas respostas, ainda que nem todas fossem acuradas. Ela não fazia ideia de que lado a garota estava.

A chuva caiu mais forte conforme Scarlett se aproximou das portas da Chapelaria e Alfaiataria. Julian estava certo: não parecia algo digno de Lenda. Não havia nada mágico ou romântico ali. E, ainda assim, parecia uma coisa *importante*. Scarlett teve um pressentimento verde-esmeralda de que faria uma descoberta ali dentro.

— Vou entrar — anunciou ela. — A número cinco um salto de fé vai requerer. Mesmo que isso não me leve até Lenda, deve me deixar mais perto de Tella.

Um sino tilintou quando Scarlett empurrou a porta da exótica loja. Gorros cor de pêssego, chapéus-coco verde-limão, bonés de lã amarela, cartolas de veludo e diademas reluzentes recobriam cada centímetro do teto em forma de cúpula, enquanto pedestais exibindo extravagâncias brotavam ao redor da loja como flores silvestres bizarras. Havia bacias de calçadeiras de vidro, carretéis de linha invisível, gaiolas cheias de fitas confeccionadas com plumas, cestos repletos de agulhas que costuravam sozinhas e abotoaduras supostamente feitas de ouro dos duendes.

Julian entrou em seguida, esparramando a chuva de sua pessoa sobre tudo o mais que estivesse ao redor, incluindo o cavalheiro de traje audacioso que estava a poucos metros da porta.

Mesmo entre tantas cores e coisas refinadas, esse cavalheiro se destacava. Vestido com um fraque vermelho-escuro e gravata da mesma cor, ele parecia um objeto decorativo. O tipo de jovem que alguém convidaria a uma festa apenas porque tinha a habilidade de parecer bonito e intrigante ao mesmo tempo. Por baixo do casaco, usava um colete do mesmo tom vermelho que contrastava com a camisa escura e as calças justas, que se enfiavam impecavelmente nas botas altas e prateadas. No entanto, o que mais chamou a atenção de Scarlett foi a cartola revestida de seda.

— Lenda — arfou ela, o coração desmoronando.

— Perdão, o que você disse? — Os cabelos negros deslizaram do canto da testa do cavalheiro e resvalaram sobre o colarinho preto quando ele tirou a cartola e a colocou num suporte de chapéus idênticos. — Estou lisonjeado, mas acho que está me confundindo com outra pessoa. — Ele abriu um sorriso divertido enquanto girava na direção de Scarlett.

Ao lado dela, Julian ficou tenso, e Scarlett também congelou. Ela vira esse rapaz antes. O rosto dele não era do tipo que se esquece facilmente. Longas costeletas confluíam para uma barba bem aparada, esculpida como uma obra de arte, delineando lábios feitos para sussurros sombrios e dentes brancos perfeitos para morder coisas.

Scarlett estremeceu, mas não desviou o olhar. Seus olhos continuaram a absorver a figura dele, viajando para o alto até alcançar o tapa-olho preto.

Era o mesmo rapaz que ela vira na noite em que sua visão ficara reduzida a preto e branco. Ele não a havia notado naquela ocasião, mas a observava agora. Intensamente. Seu olho direito era verde como uma esmeralda recém-lapidada.

Julian se aproximou, a umidade de seu casaco gerando arrepios gelados no braço dela. Ele não disse uma palavra, mas o olhar que enviou na direção do outro rapaz foi tão ameaçador que Scarlett jurou ter sentido o chão se mover. As cores dentro da loja pareceram ficar violentamente nítidas.

— Não acho que ele possa nos ajudar — murmurou Julian.

— Ajudar com quê? — O cavalheiro tinha um leve sotaque que Scarlett não soube identificar. E, apesar dos olhares mortíferos que Julian continuava a lançar na direção dele, o tom de voz era convidativo. Ele olhava para Scarlett quase como se estivesse à sua espera.

Ele podia não ser Lenda, mas Scarlett sentia que era *alguém*. Ela ergueu os botões que havia coletado durante o jogo. Não sabia bem o que dizer sobre eles, mas esperava que mostrá-los ao jovem o fizesse abrir alguma porta secreta, assim como aquelas que ela encontrara no Castillo Maldito e no quarto de Tella.

— Estávamos pensando se você não poderia nos ajudar com isto — disse Scarlett.

O cavalheiro segurou a palma da sua mão. Ele vestia luvas pretas e, apesar disso, Scarlett conseguiu perceber que, por baixo do tecido aveludado, as mãos eram macias. Era o tipo de aristocrata que deixava os outros fazerem o trabalho pesado em seu lugar.

Ele levantou a mão de Scarlett para observar os botões mais de perto, embora seu olho verde afiado continuasse sobre ela. Vibrante e elegante e venenoso.

Julian pigarreou:

— Talvez você queira olhar direito para os botões, colega.

— Eu olhei. Mas não estou muito interessado em bugigangas. — O cavalheiro dobrou os dedos de Scarlett sobre a palma e, antes que ela pudesse retirá-la, beijou-lhe a mão, demorando-se muito mais que o necessário.

— Acho que devemos ir — falou Julian. Os nós dos dedos dele estavam brancos, os punhos apertados ao lado do corpo, como se estivesse se segurando para não fazer nada violento.

Scarlett considerou ir embora com Julian antes que alguma coisa lamentável acontecesse. Mas não esperaria que um salto de fé fosse algo fácil. Ela se lembrou que a gravata desse rapaz estivera colorida depois que ela bebera a cidra, o que só podia ser indicativo da importância dele.

O cavalheiro a observava como se a esperar que ela fizesse uma pergunta. Os lábios dele se curvaram num novo sorriso que exibiu aqueles perigosos dentes brancos.

Julian passou um braço protetor ao redor de Scarlett.

— Eu apreciaria se você parasse de olhar assim para a minha noiva.

— Que engraçado — emendou o cavalheiro. — Por todo esse tempo, eu pensei que ela fosse a minha noiva.

Os instintos de Scarlett a mandavam fugir, mas o corpo se recusava a fazê-lo. Cores fortes rodopiaram dentro dela.

Ouviu o homem se apresentar — *Conde Nicolas d'Arcy* — enquanto sentia o braço de Julian cingir seu ombro.

— Acho que você se enganou — retrucou Julian, confiante. — Deve ter confundido minha noiva com outra pessoa. Isso vem acontecendo com ela a semana toda. Não é, querida? — Ele apertou seu ombro de um modo que lembrava demais um aviso.

Scarlett, porém, continuava chocava demais para se mexer. Os botões nunca tinham sido pistas. A caixa preta contendo o vestido coberto de botões não fora mandada nem por Lenda nem por sua irmã. *Era D de D'Arcy*.

Assim como Lenda, parecia que seu noivo também gostava de jogos. Se bem que, quanto mais Julian mantinha o braço em torno de Scarlett, menos o Conde Nicolas d'Arcy demonstrava gostar da situação.

Scarlett mal podia acreditar que esse fosse o mesmo homem que lhe escrevera tantas cartas amáveis. Não parecia ser maldoso, nem chegava perto de ser feio, mas não lembrava em nada as cartas que tinha mandado. O conde com quem ela se correspondera havia passado a impressão de que mal podia esperar até se encontrarem e não haver mais necessidade de segredo. Agora, Scarlett se indagava se ele não teria só escrito as coisas que achava que ela queria ler, pois o jovem ali estava longe de ser transparente. Parecia o tipo que gostava de guardar segredos.

— Espero que não esteja decepcionada. — O conde ajeitou a gravata quando uma porta dos fundos se abriu atrás dele e o alfaiate voltou, acompanhado de outro homem. Lavanda. Anis. Ameixa podre.

— Querida, acho que precisamos ir embora agora. — Julian abriu a porta da frente ao mesmo tempo que o pai de Scarlett surgiu.

Todos os tons de púrpura desfilaram diante dos olhos dela.

Mas Julian não hesitou. No instante em que o conde estendeu a mão para Scarlett, Julian empurrou um pedestal de olhos de vidro e usou a distração para puxá-la através do arco da porta sob uma cortina de chuva prateada. Scarlett pegou a mão dele enquanto as palavras furiosas do pai os perseguiam.

— Faça o que for necessário para detê-la! — gritou ele.

— Scarlett, não precisa fugir! — A voz do conde não era tão rude, mas ele era rápido, especialmente para um cavalheiro finamente vestido.

Scarlett puxou Julian em direção a uma ponte coberta que ela esperava ser a mesma ponte enganadora de duas noites atrás. Não era. Seu pai e o conde continuaram a caçá-los, percorrendo ruas tortuosas e lojas iluminadas, passando por pessoas que aplaudiam como se fosse tudo parte do espetáculo.

— Por aqui... espere. — Julian tirou Scarlett da rua principal, escorregadia, levando-a em direção aos canais, rasgando uma multidão de pessoas que tentavam se abrigar da chuva. — Suba.

— Mas há relâmpagos! — exclamou ela. — Não podemos subir num barco.

— Tem alguma ideia melhor? — Julian pegou dois remos ao pular para dentro do barco em forma de lua crescente.

— Scarlett! — gritou seu pai em meio à chuva. — Não faça isso... — Suas palavras foram interrompidas pelo clarão do relâmpago e o estrondo do trovão. Na noite raiada de prata, Scarlett testemunhou algo que nunca tinha visto antes.

Seu pai parecia amedrontado. Gotas de chuva lhe escorriam pela face como lágrimas. Ela teve certeza de que era só um truque da luz, mas, por um momento, imaginou que o pai realmente gostasse dela, que talvez, no fundo, ele a amasse. A expressão do conde, ao lado dele, estava oculta na escuridão. Enquanto corriam, porém, Scarlett poderia ter jurado que ele parecera entusiasmado com o desafio que ela oferecia.

Scarlett desviou o olhar e abraçou os joelhos molhados junto do peito, enquanto os remos de Julian singravam a água. Mesmo que seu pai ainda fosse capaz de uma gentileza, e ainda que o conde tivesse parecido o tipo de homem que ela imaginara, ela ainda não poderia ter se convencido a voltar com nenhum dos dois.

Já tinha feito sua escolha, e a fizera antes de sair correndo da Chapelaria com Julian. Não sabia em que instante exato isso havia acontecido, mas um casamento arranjado com um homem que só conhecia por carta não era mais algo que ela quisesse. Finalmente entendia as palavras de Tella: a vida era mais do que ficar em segurança.

Observou Julian impulsionar os remos pesados de novo, enquanto mais relâmpagos cruzavam o céu. Antes de conhecê-lo, tinha acreditado que poderia viver contente desde que se casasse com alguém que tomasse conta dela, mas Julian havia despertado o desejo de algo mais.

Lembrou-se de pensar que se apaixonar por ele seria como se apaixonar pela escuridão, mas agora imaginava que ele era mais como uma noite estrelada: as constelações estavam sempre ali, constantes, guias magníficos no negrume onipresente.

— Carmim, você ouviu o que eu disse?

Scarlett baixou o olhar, do céu ao garoto ensopado diante dela.

— Quê?

— Precisamos sair do barco! — gritou ele em meio à chuva quando bateram de leve numa doca escura.

— Onde estamos?

— No Castillo Maldito.

— Não... — Os fios de pânico violeta voltaram. Nigel já tinha dito que Tella não estava no Castillo. — Precisamos continuar procurando minha irmã. Eu estava errada quanto aos botões, mas tem que haver...

— Não podemos ficar na água — interrompeu-a Julian. — Os relâmpagos vão nos matar. — Enquanto falava, novos estouros de branco prateado rasgavam o céu.

— Mas se meu pai a encontrar primeiro...

— Você ao menos sabe onde procurá-la agora?

Como Scarlett não respondeu, Julian pegou sua mão e a rebocou para a doca instável e mal iluminada. A única luz vinha das enormes ampulhetas do Castillo e das contas vermelhas que se agitavam dentro delas. Aiko devia ter dito a verdade sobre a chuva dissolver toda a magia, pois o Castillo já não brilhava. Antes dourado, tornara-se opaco. No pátio, o vento açoitava as tendas abandonadas, seus estalos dissonantes substituindo a música vigorosa dos pássaros da noite anterior.

— Precisamos achar um lugar onde possamos nos secar — afirmou Julian.

— Prefiro não perder o barco de vista. — Scarlett se encolheu debaixo de um arco próximo, de onde podia ver as docas e qualquer pessoa que chegasse. — Depois que a chuva parar, temos que começar a procurar de novo.

Julian não respondeu de imediato.

— Acho que o jogo, ou pelo menos a sua participação nele, acaba aqui. Eu nunca deveria ter trazido você para cá. Posso levá-la para um lugar seguro, fora da ilha...

— Não! — retrucou Scarlett. — Não saio daqui sem minha irmã. Depois do que acabei de fazer, meu pai vai estar ainda mais furioso quando encontrar Tella, e vai descontar tudo nela.

— E quanto a você? Vai continuar se sacrificando? Vai se casar com Nicolas d'Arcy?

Ela gostaria de poder simplesmente ignorar a pergunta. Se ficasse no jogo e seu pai a pegasse, não a mataria. Ele a faria se casar com o conde, o que era, de certo modo, quase a morte. Contudo, se não se casasse com ele, de que outra maneira protegeria a irmã?

— Não sei o que vou fazer.

Julian soltou uma espécie de gemido.

— Então você ainda pensa em seguir em frente com o noivado?

— Eu *não sei* se sim ou se não! Mas que outra escolha tenho?

Os véus de chuva prateada caíram ainda com mais força.

Scarlett esperou que Julian dissesse alguma coisa. Que a tranquilizasse de algum modo. Que dissesse que *ele* podia ser sua outra opção. Todavia, ao mesmo tempo que pensava nisso, percebia como a ideia era ridícula. Achara mesmo que ele proporia levá-la para outra vida ou casar-se com ela?

Quando novos relâmpagos feriram a noite, Scarlett teve sua resposta. Julian ficou ao lado dela, mas sua expressão era insondável. Ela lembrou o modo como ele tirara um fiapo do ombro na primeira noite. O jovem podia não querer que ela fosse a noiva do conde, mas isso não queria dizer que pretendesse ficar com ela.

— Sou tão idiota. — A voz dela traçou uma linha entre falha e grito. — Isso tudo não significa nada para você. Viu meu noivo, ficou com ciúme, agiu sem pensar e agora se arrepende.

— É isso que você acha? — As palavras de Julian saíram profundas e roucas. — Acredita que eu contrariei seu pai e coloquei você em perigo desse jeito porque tenho *ciúme*? — Ele riu, como se o ciúme fosse a hipótese mais absurda.

— Você é mesmo um mentiroso — rosnou Scarlett.

Julian apertou os lábios numa linha áspera.

— Isso eu já lhe disse.

— Não. Você mente para si mesmo. Você me puxa para si sempre que parece ter medo de me perder, mas, quando eu chego perto demais, você me afugenta.

— Só afugentei você uma vez. — A voz de Julian se endureceu ao dar um passo, aproximando-se. — Eu tive ciúme, é verdade, mas essa não foi a única razão pela qual quis tirar você dali.

— Então diga quais foram suas outras razões — desafiou Scarlett.

Ele avançou até que não restasse quase nenhum espaço entre eles. Ela pôde sentir a umidade das roupas dele, que se colavam às dela. Ele envolveu sua cintura com um dos braços, devagar, como se dando a ela a chance de se afastar. Mas ela já tomara a decisão. Seu coração bateu mais rápido quando o outro braço de Julian a envolveu, apertando-a nas costas, puxando-a para junto do peito firme até que os lábios de ambos sentissem o mesmo ar frio.

— Isso é perto o bastante para você? — A boca de Julian pairou sobre a dela. Só um suspiro antecedia o beijo. — Tem certeza de que é isso que quer?

Scarlett meneou a cabeça, confirmando e temendo que dizer a coisa errada pudesse afastá-lo. Com Julian, não tinha nada a ver com proteção — ela só queria estar com ele. O garoto que a impedira de se afogar de muitas formas.

A mão dele deslizou para a parte baixa das costas dela, gentil e firme, trazendo-a mais uma vez para si, enquanto a outra mão escorregava para dentro dos cabelos, em torno do pescoço, afagando a pele macia ali, antes de forjar um novo caminho.

— Não quero que se arrependa de nenhuma das suas escolhas. — O tom de Julian parecia quase dolorido, como se quisesse que ela se afastasse, mas tudo no modo como continuava a tocá-la a fazia sentir o oposto. Os dedos dele agora estavam junto da boca dela, traçando a linha do lábio inferior. Tinham gosto de madeira e chuva, úmidos depois de correrem por seus cabelos molhados. — Ainda há coisas que você não sabe sobre mim, Carmim.

— Então conte quais são — disse ela. Ele já contara sobre a irmã e Lenda, mas obviamente havia mais sombras em sua vida.

Os dedos de Julian ainda estavam na boca de Scarlett. Ela os beijou devagar, um por um. Só uma leve pressão dos lábios, mas pôde ver como isso o afetou pelo modo como a outra mão apertou suas costas. Precisou se concentrar para impedir que a voz ficasse arquejante ao olhar para o rosto dele, meio eclipsado pela escuridão, e declarar:

— Não tenho medo dos seus segredos.

— Eu gostaria de poder dizer que está certa em não ter medo. — Julian acariciou o lábio dela uma última vez, depois lhe cobriu a boca com a sua. Mais salgada que os dedos e mais intensa que as mãos, a que agora descia por sua coluna e a que apertava ainda mais sua cintura. Ele a segurou como se ela pudesse se esvair em seu abraço, e ela se agarrou a ele, deliciada ao tocar os músculos rijos nas costas.

Julian murmurou palavras junto dos lábios dela, baixas demais para ouvir, mas ela imaginou ter captado uma boa impressão do que ele queria dizer quando a fez abrir os lábios, deixando Scarlett saborear o frescor de sua língua e a ponta dos dentes ao roçar a boca dela. Cada toque criava cores que ela nunca tinha visto. Cores macias como veludo e agudas como faíscas que viravam estrelas.

Naquela noite a lua permaneceu no céu por mais tempo do que de costume, assistindo com olhos prateados enquanto Julian tomava a mão de Scarlett e a envolvia cuidadosamente nas suas. Ele a beijou mais uma vez, gentil e deliberadamente, assegurando a ela, sem palavras, que não tinha a intenção de deixá-la partir.

Se este fosse outro tipo de história, terminariam assim: envolvidos nos braços um do outro até o sol despertar, lançando arco-íris pelo céu devastado pela tempestade.

Mas a maior parte da magia do Caraval era movida pelo tempo; absorvia as horas do dia e as transformava em maravilhas à noite. E aquela noite estava acabando. Quase todas as contas vermelhas e cintilantes nas ampulhetas do Castillo Maldito já tinham escorrido para baixo. Como gotas de pétalas de rosa cadentes.

Scarlett olhou para Julian.

— O que há de errado? — perguntou ele.

— Acho que sei qual é a última pista. São as rosas. — Scarlett lembrou-se do vaso de flores que encontrara perto do pacote com o vestido. Tolamente, pensara que as duas encomendas tivessem sido enviadas juntamente. Não sabia o que isso significava, mas as rosas estavam por todo o jogo. Fazia sentido crer que fizessem parte da quinta pista; tinham que simbolizar *alguma coisa* além de uma simples homenagem a Rosa.

— Temos que voltar ao La Serpiente e verificar as rosas — incitou ela. — Talvez tenha algo nas pétalas ou haja um bilhete no vaso.

— E se o seu pai nos vir quando voltarmos para lá?

— Vamos pelos túneis. — Scarlett arrastou Julian através do pátio. Estava frio do lado de fora, mas a atmosfera parecia ainda mais congelante quando alcançaram o jardim abandonado. Plantas esqueléticas os cercavam, enquanto, no centro, a fonte erma derramava uma canção melancólica de sereia.

— Não sei se é uma boa ideia — comentou Julian.

— Desde quando você é o receoso da dupla? — provocou Scarlett, apesar de também sentir tons ocre de incômodo, e sabia que não eram por causa do encantamento do jardim.

Ela havia cometido um erro enorme indo à Chapelaria e não estava disposta a falhar de novo. Mas Aiko tivera razão ao dizer que algumas coisas valem a pena, não importa o custo. Scarlett agora sentia que estava tentando resgatar a si mesma, além de Tella. Ela não havia pensado muito sobre o prêmio deste ano — um desejo a ser atendido —, mas começava a pensar nisso agora. Se Scarlett vencesse o jogo, talvez pudesse salvar a ambas.

Scarlett soltou a mão de Julian e apertou o símbolo do Caraval entalhado dentro da fonte. Como da vez anterior, a água se esvaiu e o recipiente se transformou numa escadaria em espiral.

— Vamos. — Ela acenou para que ele seguisse em frente. — O sol vai nascer em um minuto. — Já podia vislumbrá-lo, irrompendo através da escuridão, anunciando o alvorecer que ela pretendia evitar.

E, pela primeira vez, apesar de tudo o que havia acontecido, estava feliz por ter permanecido, porque agora estava determinada a vencer o jogo e a deixar a ilha com mais do que somente sua irmã.

Scarlett buscou a mão de Julian de novo conforme começavam a descer a escadaria.

— Por que parece que você está sempre tentando fugir toda vez que eu apareço? — O Governador Dragna surgiu na extremidade oposta do jardim malcuidado, seguido pelo conde, cujos cabelos encharcados gotejavam água em seu olho. Ele já não parecia entusiasmado com o desafio.

Scarlett puxou Julian pelos degraus úmidos até a entrada do túnel, segurando a mão dele enquanto seu pai e o conde começavam a correr. Ela não ousou olhar para trás, mas podia ouvir os passos da perseguição, o estrondo das botas, o chão estremecendo, as batidas de seu próprio coração enquanto descia os degraus em espiral.

— Julian, você precisa ir na minha frente. Encontre a alavanca que fecha o túnel antes que... — A frase morreu quando Scarlett percebeu que seu pai e o conde haviam alcançado a escadaria. As sombras dos dois se alongavam com a luz dourada, estendendo as garras para ela. Era tarde demais para trancá-los fora dos túneis.

Contudo, Scarlett e Julian estavam quase no final da escada. Scarlett pôde ver que o túnel se dividia em três direções: um túnel com luz dourada, outro completamente escuro e outro iluminado em prata-azulado.

Arrancando o braço do contato protetor de Julian, ela o empurrou para dentro do túnel mais escuro.

— Precisamos nos separar e você precisa se esconder.

— Não... — Ele segurou a mão dela.

Scarlett recuou.

— Você não entende... Depois desta noite, meu pai vai matar você.

— Então, não vamos deixar que ele nos pegue. — Julian entrelaçou seus dedos aos dela e, juntos, correram para dentro do túnel dourado à esquerda.

Scarlett sempre gostara da cor dourada. Dava-lhe a sensação de esperança e magia. E, por um curto e luminoso instante, ela ousou pensar assim. Teve esperança de que poderia escapar do pai e criar seu próprio destino. E quase o fez.

Mas não conseguiu ser mais rápida que seu noivo.

Scarlett sentiu a mão enluvada segurá-la no braço. No momento seguinte, a cabeça dela virou; cada centímetro do couro cabeludo ardeu quando o pai a agarrou pelos cabelos.

Ela gritou e os dois homens a arrancaram de Julian.

— Soltem-na! — gritou Julian.

— Não dê nem mais um passo ou isto vai ficar pior. — O Governador Dragna prendeu a mão ao redor da garganta de Scarlett enquanto continuava a segurá-la pelos cabelos.

Scarlett sufocou um gemido, uma lágrima dolorosa escorrendo por seu rosto. Com o pescoço assim inclinado, não conseguia ver o pai, mas podia imaginar a expressão doentia no rosto dele. A situação só tendia a piorar.

— Julian — implorou Scarlett —, por favor, saia daqui.

— Não vou deixar você...

— Nem mais um passo — repetiu o Governador Dragna. — Lembra-se da última vez que jogamos este jogo? Faça algo que me desagrade e minha querida filha pagará por isso.

Julian congelou.

— Muito melhor assim. Mas, apenas para você não esquecer... — O Governador Dragna soltou Scarlett e desferiu um soco no estômago dela.

Scarlett caiu de joelhos e o ar fugiu de seus pulmões. A visão escureceu quando ela foi ao chão. Podia apenas sentir a dor, o eco dos punhos do pai e a terra manchando suas mãos enquanto lutava para se erguer.

Ao redor dela, vozes saltavam pelas paredes. Algumas raivosas, outras assustadas, e, quando ela se levantou, o mundo havia mudado.

— Isso é mesmo necessário?

— Toque nela de novo e eu vou...

— Acho que você não entendeu o objetivo da minha demonstração.

Uma por uma, ela ligava as palavras aos homens conforme compreendia a nova cena.

A expressão bem alinhada do conde havia mudado para algo sombrio e inseguro enquanto ele ajudava Scarlett a ficar de pé. No lado oposto, longe demais do alcance, o pai apertava uma faca na garganta de Julian.

— Ele simplesmente não quer ficar longe de você — disse o Governador Dragna.

— Pai, pare com isso — murmurou Scarlett. — Sinto muito por ter fugido. Agora você tem a mim. Deixe-o ir.

— Se eu o deixar partir, como vou saber que você vai se comportar?

— Concordo com sua filha — falou o conde, o braço envolvendo-a de modo quase protetor. — Acho que isto está indo um pouco longe demais.

— Não vou matá-lo. — O Governador Dragna revirou os olhos, como se eles não estivessem sendo razoáveis no que diziam. — Só estou dando à minha filha um incentivo para não fugir novamente.

Um sentimento viscoso, cor de lama, preencheu Scarlett enquanto seu pai ajustava a faca. Ela achava que nada poderia ser tão doloroso quanto vê-lo bater em Tella, mas a lâmina, próxima ao rosto de Julian, criou um novo universo de terror.

— Por favor, pai. — Ela tremia e sacudia a cada palavra. — Eu prometo, nunca mais vou lhe desobedecer de novo.

— Eu já ouvi essa sua promessa vazia antes, mas depois disto tenho certeza de que finalmente vai cumpri-la. — O Governador Dragna lambeu os cantos dos lábios ao virar o punho.

— Não...

O conde tapou a boca de Scarlett com a mão enluvada, abafando o grito dela enquanto o pai cortava com a adaga o rosto bonito de Julian. O corte rasgou desde a mandíbula, passando pelo maxilar, até abaixo do olho.

Julian sufocou um grito de dor enquanto Scarlett lutava para alcançá-lo. Mas ela não tinha forças para fazer nada além de chutar e temia que seu pai fizesse mais mal a Julian do que já havia feito. Ela provavelmente já exibira mais emoções do que deveria.

Esperou que Julian lutasse. Que agarrasse a faca. Que corresse. Ela se lembrou das fileiras de músculos definidos e bronzeados que ele tinha. Esperava que, mesmo ferido e ensanguentado, ele fosse capaz de vencer o governador. No entanto, para um garoto que a princípio parecera tão egoísta, ele agora estava determinado a cumprir sua palavra ridícula e ficar ao lado dela. Permaneceu estoico como uma estátua ferida enquanto Scarlett desmoronava por dentro.

— Agora acho que terminamos — declarou o pai dela.

— Sabe — Julian se virou para o conde, falando por trás de um sorriso sangrento —, é patético quando você tem que torturar um homem só para conseguir que uma mulher fique com você.

— Talvez eu estivesse errado sobre já termos terminado. — O Governador Dragna levantou a faca mais uma vez.

Scarlett tentou se libertar do conde, mas os braços dele se mantiveram firmes ao redor do peito dela, cravados em sua pele como se fossem amarras.

— Você não está ajudando em nada — chiou o conde. Então mais alto, para o pai dela, ele anunciou num tom entediado: — Não acho que seja necessário. Ele só está nos provocando. — O conde deu um sorrisinho como se não se importasse nem um pouco com as palavras de Julian. Ainda assim, Scarlett pôde sentir o coração dele acelerar e o calor da respiração rápida junto ao pescoço dela, ao mesmo tempo que ele acrescentava: — E pelo amor dos santos, dê a ele um lenço; está espalhando sangue por todo lado.

O governador jogou para Julian um minúsculo pedaço de pano, que mal bastava para limpar o sangue. Scarlett pôde ver as gotas caírem no chão enquanto o grupo começou a seguir em frente.

Durante todo o caminho de volta ao La Serpiente, Scarlett tentou pensar em maneiras de escapar. Apesar do ferimento, Julian ainda estava forte. Scarlett imaginou que ele pudesse facilmente correr ou, pelo menos, tentar lutar. Contudo, ele marchava silenciosamente ao lado do governador, enquanto o conde segurava a mão flácida de Scarlett.

— Vai ficar tudo bem — sussurrou o conde.

Scarlett se perguntou em que mundo de ilusões ele vivia para pensar assim. Quase desejou que encontrassem um cadáver novamente, dando-lhe a chance de fugir. Ela se odiou pela ideia, o que não a impediu de continuar pensando nela.

Quando emergiram do túnel dentro do quarto de Tella, o conde se esforçou para espanar a poeira do casaco, enquanto Scarlett ponderava se deveria sair correndo. Estava claro que o pai não tinha intenções de deixar Julian ir embora. Ele olhava para o marinheiro do modo como uma criança espreita a boneca da irmãzinha pouco antes de lhe arrancar todo o cabelo ou cortar a cabeça.

— Vou soltá-lo amanhã, ao final da noite, se você se comportar. — O Governador Dragna passou o braço pelo ombro de Julian, enquanto o rosto dele continuava a pingar sangue.

— Mas, pai, ele precisa de cuidados médicos!

— Carmim, não se preocupe comigo — disse Julian.

Obviamente, ele não sabia quanto as coisas ainda poderiam piorar.

Scarlett tentou uma última vez. Não conseguia ver saída para si mesma, mas talvez ainda não fosse tarde demais para Julian. Se escapasse, ele ainda seria capaz de salvar Tella.

— Por favor, pai, farei o que você quiser, mas deixe-o ir embora.

O Governador Dragna escancarou um sorriso. Era exatamente o que ele queria ouvir.

— Já disse que vou soltá-lo, mas acho que ele ainda não está disposto a ir. — Apertou o ombro de Julian. — Você quer nos deixar, garoto?

Scarlett tentou encontrar os olhos de Julian, tentou implorar com o olhar para que ele partisse; entretanto, ele estava sendo mais teimoso do que nunca. Ela gostaria que ele voltasse a ser aquele rapaz descuidado que conhecera em Trisda. Essa abnegação não levaria a nada, a não ser que ele quisesse morrer.

Ao que parecia, restava a ela encontrar um jeito de acabar com isso.

— Não tenho nenhum outro lugar para ir — disse Julian. — Vamos todos subir as escadas agora ou vocês planejam nos deixar dormir aqui?

— Ah, não vamos dormir juntos... pelo menos, não todos nós. — O Governador Dragna piscou e um tremor percorreu Scarlett. Ele a olhava com a típica expressão que se acende no rosto de alguém antes de conceder um presente... Só que os presentes do Governador Dragna nunca eram agradáveis. — O Conde d'Arcy e eu estamos dividindo uma suíte, mas é muito apertada para quatro pessoas. Então, o marinheiro vai ficar aqui comigo, e Scarlett... — o governador Dragna desenhou as palavras com sílabas lentas, inconfundíveis — ... você vai dormir em seu próprio quarto com o Conde d'Arcy. Afinal, vocês vão se casar muito em breve — continuou ele. — E seu noivo pagou uma bela quantia por você. Não vejo por que eu deveria fazê-lo esperar mais para aproveitar aquilo que comprou.

O horror de Scarlett foi às alturas enquanto a boca do pai se recurvava num novo sorriso. Isso estava tão longe do modo como ela imaginara as coisas. Já era horrível o bastante que tivesse sido comprada como uma ovelha, que um preço fora colocado sobre ela, dizendo-lhe que esse era o seu valor.

— Pai, por favor, nós ainda não somos casados, isso não é apropriado...

— Não, não é — o Governador Dragna a atalhou. — Mas nós nunca fomos uma família apropriada, e você não vai reclamar, a menos que queira ver seu amigo sangrar mais um pouco. — O governador acariciou o lado ileso do rosto de Julian.

Julian não recuou, mas já não tinha a expressão serena que exibira nos túneis. Tudo nele havia se intensificado. Ele chamou a atenção de Scarlett, um fogo silencioso queimando em seu olhar. Estava tentando dizer algo para a garota, embora ela não conseguisse entender o quê. Tudo o que Scarlett podia sentir era a proximidade do Conde d'Arcy; imaginou as mãos dele ansiosas por reivindicar o corpo dela, enquanto as mãos de seu pai ansiavam por infligir uma nova dor a Julian.

— Considere um presente de casamento eu não cortá-lo ainda mais — ironizou o Governador Dragna. — E, se disser mais uma palavra além de *sim*, minha generosidade acaba.

— Não — respondeu Scarlett. — Você não vai tocar nele de novo, porque eu não vou fazer nada a menos que você o solte agora mesmo.

Scarlett se voltou para o conde. Ele não parecia estar gostando nada da situação. Rugas amarrotavam a testa perfeita dele. No entanto, não fez nada para conter o governador, e apenas a visão dele, parado ali com sua gravata vermelha e suas botas prateadas, deixou-a profundamente enojada.

Tella tinha razão. *Você acha que seu casamento vai salvar você, mas e se o conde for tão ruim quanto o pai, ou pior?*

Scarlett não sabia se o Conde d'Arcy realmente era pior que o seu pai, mas nesse momento ele parecia igualmente repulsivo. Já não segurava a mão dela com delicadeza, como fizera na alfaiataria; o toque era firme, confiante. O conde tinha mais força do que demonstrava. Tinha o poder de impedir aquilo, se assim o desejasse.

— Se você deixar isso acontecer — Scarlett parou para olhar nos olhos do conde, procurando nele um vestígio daquele rapaz com quem trocara tantas cartas —, se você usar as ameaças dele para me controlar, eu jamais vou obedecer ou respeitar você. Mas, se você deixar que ele vá embora, se me mostrar um pouco da humanidade que li em suas cartas, serei a esposa perfeita pela qual pagou. — Ela se lembrou das palavras de Julian no túnel e acrescentou: — Você realmente quer uma esposa que só dormirá com você porque outro homem será torturado caso ela não o faça?

O rosto do conde se enrubesceu. O coração de Scarlett se acelerava a cada tom mais escuro do semblante dele. Frustração. Vergonha. Orgulho ferido.

— Deixe-o partir — determinou o conde. — Ou o nosso trato estará acabado.

— Mas...

— Não vou discutir. — A voz elegante do conde ganhou um tom áspero. — Quero que seja assim.

O Governador Dragna não parecia contente em ter que se separar de um brinquedo com o qual mal tivera a chance de brincar. Para a surpresa de Scarlett, ele libertou Julian sem contra-argumentar, empurrando-o na direção da porta.

— Você ouviu. Vá embora.

— Carmim, não faça isso por mim. — Julian lançou um olhar suplicante na direção de Scarlett. — Você não pode se entregar a ele. Eu não me importo com o que aconteça comigo.

— Mas eu me importo — retrucou Scarlett, e, apesar do seu desejo de olhar para o rosto bonito de Julian uma última vez, de mostrar que o considerava o que havia de mais distante de um canalha ou um mentiroso, não ousou olhar nos olhos dele. — Agora, por favor, vá embora antes que você torne isto ainda mais difícil.

30

Os corredores tortos do La Serpiente pareciam mais curtos do que Scarlett se lembrava. Ela e o Conde d'Arcy já estavam no quarto andar, diante do dormitório dela.

Havia tantos modos de seu plano dar errado. O conde estava com sua chave de vidro, mas olhou para Scarlett antes de colocá-la na fechadura.

— Scarlett, quero que saiba, não era assim que eu planejava as coisas entre nós. O que aconteceu naqueles túneis, aquele não era eu. — Seus olhos encontraram os dela, muito mais gentis agora do que quando estavam na Chapelaria. Por um momento, ela quase pôde ver alguma coisa por baixo da aparência excessivamente refinada do conde, como se fosse só outro tipo de fantasia que ele usasse como fachada, quando, na realidade, também estava preso como ela. — Esse casamento é muito importante para mim. Pensar em perder você me deixou fora de mim. Na hora em que estávamos nos túneis, não pensei com clareza. Mas tudo será diferente depois que estivermos casados. Vou fazer você feliz, prometo.

Com a mão livre, o conde tirou suavemente a mecha de cabelo prateado do rosto dela e, por um momento de pavor, Scarlett pensou que ele se inclinaria para beijá-la. Precisou de toda a força que adquirira na última semana para não fugir nem se retrair.

— Acredito em você — disse ela. Embora nada pudesse estar mais longe da verdade. Sabia que o que acontecia nos túneis podia levar as pessoas à loucura, manipular seu medo para forçá-las a fazer certas coisas, ou permitir certas coisas, que normalmente não fariam. No entanto, mesmo que desse momento em diante ele a mantivesse a salvo e nunca erguesse um dedo contra ela, não havia um universo no qual o Conde Nicolas d'Arcy faria Scarlett feliz. Não quando a única pessoa com quem queria estar era Julian.

O medo apertou-lhe as entranhas quando o conde abriu a porta do quarto.

Novamente, ela pensou em todos os modos como o plano podia dar errado.

Poderia ter entendido mal o olhar de Julian.

Julian poderia ter feito o mesmo com o dela.

Seu pai poderia voltar e ficar ouvindo do lado de fora da porta — ela já ouvira dizer que esse tipo de coisa deplorável acontecia.

Sentiu suor na palma das mãos ao seguir o conde para dentro do quarto aquecido. A cama imensa, que parecera tão convidativa da primeira vez que ela a vira, agora parecia uma ameaça silenciosa. As quatro colunas de madeira a fizeram pensar numa gaiola. Imaginou o conde fechando as cortinas e prendendo-a lá dentro. Olhou para o guarda-roupa, esperando que Julian aparecesse da porta oculta do outro lado ou até mesmo do armário. Era grande o bastante para conter uma pessoa. Mas as portas estavam fechadas e assim continuaram.

Eram só Scarlett, o conde e a cama.

Agora que estavam sozinhos, os movimentos do conde eram diferentes. A sofisticação exacerbada desaparecera por completo, substituída por uma precisão clínica, como se essa fosse só uma questão de negócios que ele precisasse encerrar.

Tirou as luvas, deixando-as cair no chão. Então, começou a desabotoar o colete, e os botões saindo das casas produziram sons que deixaram Scarlett nauseada. Ela não podia fazer isso.

Ao ver seu pai machucar Julian, ela finalmente tinha entendido o que o jovem tentara lhe dizer antes, nos túneis. Tinha crescido pensando que os abusos do pai eram culpa dela — a consequência de qualquer erro que ela cometesse. Agora, porém, podia ver com clareza: seu pai era o responsável. Ninguém merecia os *castigos* dele.

Essa situação também era errada. Quando ela beijara Julian, isso, sim, fora certo. Duas pessoas escolhendo entregar partezinhas vulneráveis de si mesmas uma à outra. Era isso que Scarlett queria. Era o que merecia. Ninguém mais tinha o direito de decidir por ela. Sim, seu pai sempre a tratara como uma posse, mas ela não era um objeto a ser comprado e vendido.

Antes, Scarlett sempre sentira que não tinha escolha. Agora, começava a perceber que tinha. Só precisava ser corajosa o bastante para fazer as escolhas difíceis.

Outro botão saiu da casa. O conde passara a desabotoar a camisa e olhava para Scarlett como se estivesse se preparando para tirar o vestido molhado dela e completar a transação comercial.

— Está frio aqui, não acha? — Scarlett pegou o atiçador de fogo da lareira e mexeu as toras, observando o fogo pular sobre o metal até tingi-lo de tons brilhantes de laranja-avermelhado, a cor da bravura.

— Acho que já atiçou o bastante. — O conde pousou a mão firme no ombro dela.

Scarlett virou-se e apontou o atiçador em brasa para o rosto dele.

— Não me toque.

— Querida. — Ele pareceu apenas moderadamente surpreso, nem de longe assustado como ela teria esperado. — Podemos ir devagar, se você quiser, mas é melhor largar isso antes que se machuque.

— Eu consigo não me machucar. — Scarlett aproximou o atiçador ainda mais, parando pouco abaixo do olho verde-vivo dele. — Mas você talvez não tenha tanta sorte. Não se mexa nem diga uma palavra se não quiser uma cicatriz igual à de Julian.

O conde prendeu a respiração, mas sua voz foi enervante quando disse:

— Acho que você não percebe o que está fazendo, querida.

— Pare de me chamar assim! Não sou sua e tenho plena consciência dos meus atos. Agora, vá para a cama. — Scarlett gesticulou com o atiçador, mas a ponta vermelha já ia perdendo a cor. Tinha pensado em amarrá-lo à cama, mas isso não funcionaria de jeito nenhum. No minuto em que baixasse a arma, ele avançaria sobre ela. E, apesar das ameaças que fizera, Scarlett não sabia se seria capaz de cumpri-las.

— Sei que está com medo — declarou o conde calmamente. — Mas, se parar com isso agora, esquecerei que isso aconteceu e nenhum mal será feito.

Fazer mal.

O elixir de proteção.

O frasco que ela havia comprado na tenda do Castillo lhe fugira da mente. Mas ainda estava no bolso do vestido encantado. Só precisava chegar ao guarda-roupa.

— Recue até encostar nas colunas da cama. — Scarlett se afastou enquanto ele fazia o que ela mandava. Então, correu para o guarda-roupa. O conde pulou no momento em que ela se virou, mas Scarlett já estava abrindo as portas de madeira.

Com um baque alto, Julian caiu dali. Sua pele estava cinza e ensanguentada. Scarlett sentiu o coração rachar.

— O que está fazendo aqui? — O conde ficou paralisado tempo suficiente para ela enfiar a mão dentro do guarda-roupa e pegar o elixir. Não podia fazer nada por Julian a não ser que cuidasse de d'Arcy primeiro.

Scarlett arrancou a tampa do frasco e espirrou todo o conteúdo no conde. O espirro cheirava a margarida e urina.

O conde engasgou e cuspiu.

— O que é isso? — Caiu de joelhos ao tentar agarrar Scarlett, mas parecia uma criancinha tentando pegar um pássaro. O elixir tinha efeito rápido, reduzindo os reflexos dele a um rastejar desajeitado. — Está cometendo um erro. — Continuou a definhar no chão enquanto Scarlett corria até Julian. — Isso é exatamente o que Lenda quer — balbuciou o conde, os lábios ficando amortecidos como o resto do corpo. — Seu pai me contou a história... da sua avó e Lenda. *Ele* eu nem imagino quem seja. — O conde lançou um olhar a Julian. — Mas você está jogando exatamente como Lenda quer. Ele trouxe você a esta ilha para destruir nosso casamento, para arruinar sua vida.

— Bem, então parece que ele falhou — emendou Scarlett. — Do meu ponto de vista, parece que Lenda me fez um favor.

Os olhos de Julian se abriram, trêmulos, enquanto ela o ajudava a se levantar do chão, e seu ex-noivo terminava de desabar.

— Não tenha tanta certeza disso — ainda murmurou o conde. — Lenda não faz favor a ninguém.

— Consegue andar? — perguntou Scarlett.

— Não estou fazendo isso agora? — O tom de Julian era brincalhão. Mas não havia nada de cômico na ferida que ia da mandíbula ao olho. Os braços dela o envolviam, mantendo-o firme. — Carmim, não se preocupe comigo, precisamos encontrar sua irmã.

— Primeiro, você precisa de uns pontos. — Os olhos dela voltaram ao rasgo irregular na face dele. Deixaria uma cicatriz, e, embora isso não o tornasse menos belo, causava mal-estar a ela lembrar como ele parecera frágil ao despencar do guarda-roupa.

— Você está exagerando — disse Julian. — Não é tão ruim. Seu pai mal fez um arranhão. Duvido que ele se divirta quando a vítima fica inconsciente.

— Mas você estava desmaiado no armário.

— Eu me recuperei. Eu saro rápido. — Ele se separou dela, como se para provar o que dizia, quando chegaram ao andar térreo. A luz se esgueirava pelas brechas em torno das portas, e as velas cresciam dentro dos candeeiros, preparando-se para outra noite traiçoeira. No chão, um pequeno grupo de jogadores dedicados dormia encolhido, todos juntos. Esperando o cair da noite e o destrancar das portas.

— Ainda acho que precisamos encontrar um modo de enfaixar seu rosto — sussurrou Scarlett.

— Só precisa de um pouco de álcool.

Julian passou cambaleando pelos jogadores adormecidos e entrou na taverna, embora Scarlett pudesse jurar que ele ainda não estivesse recuperado. Suas botas rasparam o piso de vidro num passo irregular quando ele foi até atrás do balcão e derramou meia garrafa de uma bebida transparente no rosto.

— Viu? — Julian se encolheu, balançando a cabeça e espirrando gotas do líquido no chão —, não é tão ruim quanto parece.

Uma linha ainda ia de um ponto próximo ao canto do olho até a beira da mandíbula. Não era tão profunda quanto Scarlett havia imaginado, mas não podia negar o mal-estar que sentia.

Em meio a tudo o que tinha acontecido, ela perdera a noção do tempo, mas imaginava que o sol se poria dentro de umas duas horas, iniciando a última noite do jogo.

Para vencer, Scarlett precisava encontrar a irmã antes de qualquer outra pessoa. E, depois do que tinha feito ao conde — não só o deixara desacordado, mas o amarrara na cama antes de sair —, podia imaginar com clareza total como seu pai ficaria furioso quando acordasse, e os castigos perversos que infligiria a Tella se a encontrasse antes de Scarlett. O pai não só a mataria; ele a torturaria antes.

— Quando estava no quarto, esqueci de olhar para as rosas — lamentou Scarlett.

Julian tomou um gole da garrafa antes de deixá-la de lado.

— Foi você quem disse que elas estão em toda parte no Caraval.

Isso significava que seria impossível descobrir quantas rosas eram pistas de verdade. Provavelmente havia também centenas de rosas que ela nunca vira. A primeira pista que tinha recebido dizia: *E a número cinco um salto de fé vai requerer*. Mas Scarlett não tinha ideia de como isso se relacionava às flores. Tantas rosas, tão pouco tempo.

— Carmim, não desmorone agora.

Scarlett ergueu o olhar e Julian estava na frente dela, trazendo-a para si antes que pudesse dizer "não vou desmoronar". Contudo, achava que, se Julian a soltasse, era o que faria. Cairia no chão. Depois cairia através dele. Cair e cair...

Ele a beijou, abrindo os lábios dela com os dele até que tudo o que ela era capaz de sentir e pensar tivesse a ver com ele. Tinha o gosto da meia-noite e do vento, e tons de castanho forte e azul-claro. Cores que a faziam se sentir protegida e segura.

— Vai ficar tudo bem — murmurou ele, beijando-lhe a testa.

Agora ela estava desmoronando por razões completamente diferentes. Deixando-se afundar numa sensação de segurança que nunca tivera antes. Enquanto os lábios de Julian continuavam em sua têmpora, os braços dele a envolveram como se ele a quisesse proteger — não possuir, nem controlar. Ele não a deixaria cair. Não a jogaria do camarote como Lenda tinha feito no sonho.

— Julian. — Scarlett olhou para ele quando as palavras da pista, *salto de fé*, ricochetearam de súbito em seus pensamentos.

— O que foi?

— Preciso lhe perguntar uma coisa sobre sua irmã.

Julian se retesou.

— Eu não perguntaria se não fosse importante, mas acho que pode nos ajudar a encontrar Tella.

— Vá em frente — disse ele, e, apesar do ar contrariado, sua voz foi gentil. — Pergunte o que quiser.

— Ouvi falar da morte da sua irmã, mas os relatos se contradizem. Pode me contar como ela realmente morreu?

Julian respirou fundo. O assunto obviamente o deixava pouco à vontade, mas respondeu:

— Depois que Lenda a rejeitou, Rosa se atirou de um terraço.

Um terraço. Não uma janela, como Scarlett ouvira no sonho. Não admirava Julian não ter parecido muito entusiasmado ao ver todos aqueles camarotes no começo do jogo, tão parecidos com terraços. Eram cinquenta lembretes cruéis do que ele havia perdido. Lenda era realmente monstruoso e, se Scarlett estivesse correta, tinha armado o jogo atual como uma repetição pervertida da história com Scarlett ou sua irmã. *De fato, um salto de fé.*

Estremecendo, Scarlett temeu que isso fosse necessário — que teria de pular de um terraço para salvar a irmã.

Guardou essa suspeita para si ao contar para Julian seu sonho envolvendo Lenda e o camarote.

— Acho que precisamos vasculhar os camarotes para encontrar a última pista.

Julian passou a mão pelos cabelos.

— Há dezenas de camarotes, todos com entradas diferentes. Não sei como esse pode ser um plano melhor.

— Então é melhor começarmos já. — Esperando que ele discutisse, Scarlett continuou: — Sei que sair durante o dia é contra as regras, mas não acho que Lenda respeite de fato alguma regra. A estalajadeira disse que, se não entrássemos antes do raiar do dia depois da primeira noite, não poderíamos jogar, mas ela não mencionou as *outras* noites.

Scarlett baixou a voz, só para o caso de alguma das pessoas no salão estar acordada.

— Todas as portas estão trancadas para que as pessoas pensem que não podem sair, mas podemos sair pelos túneis. Se formos agora, podemos ter vantagem sobre o conde e meu pai, e talvez possamos ganhar este jogo.

— Agora, finalmente, você está pensando como jogadora. — Julian sorriu, mas foi um sorriso raso como uma pincelada. Scarlett se indagou se agora o seu destemido Julian também tinha medo do pai dela, ou se temia a mesma coisa que ela: que, para salvar a irmã, um deles precisasse dar um salto mortal.

A mão de Julian era a única coisa que parecia realmente sólida quando os dois emergiram dos túneis e entraram num reino que tinha uma aparência completamente diferente quando iluminado pelo sol vespertino.

O céu do Caraval era um borrão cremoso de manteiga e baunilha em torvelinhos. Fez Scarlett pensar que o ar em torno dela deveria ter gosto de leite adoçado e sonhos açucarados, mas só o que sentia eram pó e névoa.

— Onde quer olhar primeiro? — perguntou Julian.

Os camarotes cercavam todo o perímetro do jogo. Scarlett esticou o pescoço, procurando um vislumbre de movimento ou qualquer coisa deslocada num dos mais próximos, mas o véu de neblina obscurecia a vista. No chão, lojas que à noite pareciam coloridas agora se mostravam quase desfocadas. As fontes elaboradas, pontilhando várias esquinas da rua, não jorravam água. O mundo era inércia, quietude e névoa leitosa. Nenhum barco colorido singrava os canais e nenhuma outra pessoa caminhava pelas ruas de pedra.

Scarlett sentia como se tivesse entrado numa memória desbotada. Como se a cidade mágica tivesse sido abandonada muito tempo atrás, e ela estivesse voltando para descobrir que nada correspondia às suas lembranças.

— Nem parece o mesmo lugar. — Ela passou a andar mais perto de Julian. Tinha receado que, no momento em que pisassem no exterior, alguém tentasse removê-los do jogo, mas a realidade estranha e opaca era quase tão assustadora quanto isso. — Não consigo ver nenhum dos camarotes.

— Não vamos nos concentrar neles, então. Talvez o salto de fé signifique outra coisa — sugeriu Julian. — Você disse antes que achava que a pista tinha a ver com rosas. Alguma outra coisa aqui faz você se lembrar do seu sonho com Lenda?

A primeira coisa que Scarlett pensou foi: *Lenda abandonou este lugar.* Não via nenhuma cartola, nenhuma pétala de rosa, nenhuma cor mais vívida que o amarelo pálido. Contudo, embora seus olhos a decepcionassem, os ouvidos captaram uma melodia delicada.

Sutil. Tão baixa que quase parecia uma recordação, mas, conforme Scarlett avançava com Julian, a música suave cresceu, tornando-se algo mais sólido e vigoroso. Vinha da rua com o carrossel coberto de rosas, o único lugar que não fora afetado pela névoa. Ela também se lembrava de que o carrossel era uma das poucas coisas que haviam mantido as cores quando o mundo dela se tornara preto e branco.

Mais vermelho que sangue recém-derramado, o carrossel parecia ainda mais vivo do que quando Scarlett o vira pela última vez. Estava tão vibrante que ela quase não notou o homem sentado ao órgão ao lado dele. Era muito mais velho que a maioria dos funcionários que ela vira ali; o rosto era gasto, enrugado e um tanto triste, refletindo sua música. Ele parou de tocar quando Scarlett e Julian se aproximaram, mas os ecos da canção ainda pairavam no ar como um perfume persistente.

— Mais uma música por uma doação. — O homem estendeu a mão e olhou para Scarlett com expectativa.

Ela deveria ter se sentido intrigada, quando o vira pela primeira vez, pelo fato de que ele pedia moedas num lugar onde as pessoas raramente as usavam.

Scarlett voltou-se para Julian, sem querer repetir o erro que cometera na Chapelaria e Alfaiataria.

— Para você, isso tem o toque de Lenda?

— Se ter o toque de Lenda significa perturbador e sinistro, então, sim. — Julian lançou um olhar de soslaio ao carrossel inundado de rosas e ao organista de rosto corado. — Acha que isso vai nos levar até o camarote onde está sua irmã?

— Não tenho certeza, mas certamente vai nos levar a algum lugar.

Aiko tivera razão ao avisar Scarlett e Julian de que cometiam um erro ao entrar na Chapelaria. Fazia sentido acreditar que ela também havia tentado ajudar quando trouxera Scarlett até aquele carrossel peculiar. Podia ter sido coincidência; mas, mesmo que fosse, ela duvidava que também fosse coincidência o fato de, não havendo mais ninguém às vistas, os dois voltassem a esse lugar e encontrassem o organista tocando para eles.

— Muito bem, então. Aqui está. — Julian tirou algumas moedas do bolso.

Recordando as palavras de Aiko, Scarlett acrescentou:

— Pode tocar uma coisa bonita para nós?

A música que se seguiu não era bonita; saía arfando do órgão como as últimas palavras de um homem à beira da morte. Contudo, fazia o carrossel girar. No começo era lento, mas hipnótico em seus movimentos graciosos. Scarlett poderia ter ficado ali olhando para sempre, porém, no sonho, pouco antes de ser atirada do camarote, Lenda a tinha avisado de que não deveria só assistir.

— Venha. — Soltou a mão de Julian e pulou na roda giratória.

Por sua expressão, Julian parecia querer detê-la, mas depois a imitou.

O carrossel começou a girar mais rápido e logo os dois estavam em lados opostos, os dedos sangrando enquanto vasculhavam os arbustos cobertos de espinhos, em busca de um símbolo que abrisse passagem para uma escada.

— Carmim, não estou vendo nada! — gritou Julian por sobre a música. A melodia ficava mais alta e mais desafinada à medida que o carrossel acelerava, derramando mais e mais pétalas que voavam para o céu como um ciclone cor de rubi.

— Está aqui! — gritou Scarlett em resposta. Podia sentir a cada picada nos dedos. Não existiriam tantos espinhos se não houvesse nada escondido debaixo deles. Os espinhos protegiam as rosas. Mais uma vez, Scarlett sentiu como se houvesse uma lição a aprender com esse carrossel, mas, antes que pudesse desvendá-la, viu um sol com uma estrela no interior e uma lágrima dentro da estrela. Estava escondido debaixo de uma roseira do tamanho de um pônei, podada para ter o formato de um garanhão de cartola.

Scarlett agarrou os caules das flores para evitar uma queda quando se agachou para apertar com o dedo o símbolo do Caraval. Um toque e todo o emblema se encheu de sangue.

O carrossel girou ainda mais rápido. Girou e girou. E, enquanto rodopiava numa dança destrutiva, o centro desapareceu, transformando-se num círculo de escuridão. Um buraco feito de céu negro privado de estrelas. Diferentemente das outras passagens, nesta não havia degraus. Scarlett não conseguia ver o fundo.

— Acho que precisamos pular. — Talvez tivesse se enganado sobre o camarote e aquele fosse o salto de fé.

— Espere... — Julian contornou o buraco, agarrando uma das mãos ensanguentadas de Scarlett antes que ela pudesse se atirar ali.

— O que está fazendo? — gritou ela.

— Quero que você leve isso. — Ele tirou um relógio de bolso com uma corrente longa e circular e o colocou na palma da mão dela. — Dentro da tampa eu gravei as coordenadas de um barco que está atracado perto da ilha.

Um novo pânico tomou conta de Scarlett enquanto o rosto de Julian ficava mais sério. Isso parecia demais uma despedida.

— Por que está me dando isso agora?

— Caso nos separemos ou alguma coisa inesperada aconteça. O barco já está tripulado; levará você aonde quiser ir e... Julian se deteve, e, por um momento, as palavras pareceram estar presas em sua garganta. Seu rosto refletiu dor quando o carrossel começou a sacudir e desacelerar, e o buraco no centro começou a encolher. — Carmim, você tem que pular agora! — Soltou a mão dela.

— Julian, o que está escondendo?

Os lábios dele se fecharam numa linha áspera, fazendo-o parecer triste e arrependido ao mesmo tempo.

— Não há tempo para as coisas que eu gostaria de poder dizer.

Scarlett queria fazer mais perguntas. Queria saber por que Julian, que momentos antes segurava sua mão como se pretendesse nunca mais soltá-la, de repente a olhava como se temesse jamais voltar a vê-la. Mas o buraco negro já estava se fechando.

— Por favor, não me faça usar isso sem você! — Pegou a corrente do relógio e a colocou em torno do pescoço.

Então, saltou.

Enquanto caía, pensou ter ouvido Julian gritar alguma coisa sobre não confiar em Lenda. Suas palavras, porém, foram devoradas pela água em movimento, rugindo ao recebê-la num rio de frieza.

Scarlett arquejou em busca de ar, agitando os braços loucamente para não afundar. Ficou contente por ter pousado na água em lugar de uma laje de pedra ou um leito de lâminas, mas a torrente era forte demais para resistir. A água a engoliu, arrastando-a para baixo por um caminho que pareceu durar uma eternidade.

Todo o seu corpo estava impregnado de frieza, mas ela se esforçou para não entrar em pânico. Era capaz disso. A água não estava tentando puni-la. Relaxou até a torrente se acalmar. Então, com braçadas firmes e movimentos ritmados, voltou à superfície, chutando com força até chegar a um amplo lance de degraus.

Seus olhos se ajustaram devagar enquanto luzinhas verdes, tão infinitesimais quanto grãos de poeira, ganhavam vida. Enxameavam pelo ar como vaga-lumes, lançando uma iluminação cor de jade sobre duas estátuas de pedra-sabão cinza-azulada que guardavam a entrada dos degraus.

Duas vezes mais altas que Scarlett, e trajando vestes longas que desapareciam na água, as estátuas tinham as mãos unidas numa prece silenciosa. Todavia, embora os olhos estivessem fechados, os rostos estavam longe de parecer plácidos. As bocas estavam escancaradas, gritando em muda agonia enquanto Scarlett subia na escada de pedra-sabão preta.

— Eu estava começando a perder a fé em você. — O estalo de uma bengala contra o chão fez-se ouvir enquanto, um por um, os degraus polidos brilhavam. Mas não foram os degraus nem os lugares obscuros aonde levavam, e sim o jovem com a cartola de veludo que captou toda a atenção de Scarlett.

Ela piscou e, subitamente, ele apareceu diante dela, estendendo a mão para ajudá-la a se levantar.

— Estou muito feliz por você ter finalmente conseguido, Scarlett.

33

Scarlett tentou não ficar impressionada.

Ela sabia que Lenda era uma víbora. Uma serpente de cartola e fraque ainda era uma serpente. Não importava que essa serpente fosse quase igual à imagem que ela sempre tivera dele. Podia não ser *tão* bonito quanto ela imaginara, mas, ainda assim, era de extrema elegância, ornado de ardis e ilusões, marcado por uma cintilação nos olhos escuros que a fazia sentir-se como se ela fosse encantadora, coberta por uma magia que apenas ele era capaz de enxergar.

Ele parecia mais jovem do que imaginara, apenas alguns anos mais velho do que ela, sem uma ruga nem cicatriz no rosto. Os boatos de que ele não envelhecia deviam ser verdadeiros. Vestia uma meia-capa azul royal, que rapidamente retirou e colocou ao redor dos ombros trêmulos de Scarlett.

— Ia sugerir que você tirasse essas roupas molhadas, mas ouvi falar que é do tipo recatado.

— Nem vou dizer o que já ouvi falar sobre você — cuspiu Scarlett.

— Ah, não! — Lenda levou a mão ao peito num gesto dissimuladamente ofendido. — As pessoas andam dizendo coisas maldosas sobre mim?

Ele riu — uma gargalhada intensa e picante, que ecoou pelas paredes da caverna como se houvesse uma dúzia de Lendas ocultos por trás das rochas. O ruído prosseguiu, mesmo depois que ele parara de rir. Apenas quando estalou os dedos os ecos terríveis cessaram. No entanto, o sorriso maníaco persistiu, convulso e incansável, como se ele estivesse pensando numa piada que ainda não havia contado.

Ele é louco.

Scarlett se afastou e seu olhar rapidamente passou pela água, de onde Julian deveria ter emergido atrás dela. Mas agora a água nem se movia.

— Se está esperando seu amigo, acho que ele não vai se unir a nós. Pelo menos, não por enquanto. — Os cantos dos lábios de Lenda curvaram-se de modo cruel, deixando-a encharcada numa sensação gélida azul-violácea, mais profunda do que a umidade infiltrada em suas roupas.

— O que você fez a Julian e a minha irmã?

— É uma pena mesmo — comentou Lenda. — Você é tão dramática, teria dado uma atriz fantástica.

— Não respondeu à minha pergunta.

— Porque você está fazendo as perguntas erradas! — gritou Lenda.

Num instante ele estava diante dela outra vez, mais alto do que ela havia percebido e ainda mais louco do que parecera momentos antes. Seus olhos eram totalmente negros, como se as pupilas tivessem devorado os brancos.

Scarlett lembrou a si mesma que os túneis debaixo do cenário do jogo faziam coisas estranhas com a mente das pessoas. Ela se manteve firme, sem hesitar, e repetiu:

— Onde estão minha irmã e Julian?

— Já lhe disse que essa não é a pergunta certa. — Lenda balançou a cabeça, como se ela o tivesse desapontado. — Mas, agora que você os mencionou de novo, estou curioso. Se pudesse ver apenas um deles novamente, Julian ou a sua irmã, qual você escolheria?

— Estou farta desse jogo — declarou Scarlett. — Eu dei o salto de fé, não preciso responder a mais nenhuma pergunta.

— Ah, mas as regras dizem que você precisa encontrar *a garota* antes de vencer oficialmente. — Luzes verdes dançaram ao redor da cabeça de Lenda, acrescentando um brilho esmeraldino à sua pele clara. Ele era mágico, com certeza, mas do jeito errado. — Você faz alguma ideia de por que o jogo acontece apenas durante a noite?

— Se eu responder, você vai me contar onde encontrar minha irmã?

— Se conseguir responder corretamente.

— E se eu errar?

— Vou matar você, é claro. — Lenda riu, mas desta vez foi um som vazio, como um sino sem o badalo. — Estou brincando. Não precisa me olhar como se eu fosse invadir sua casa à noite e estrangular todos os seus gatinhos. Se você responder errado, vou reuni-la ao seu acompanhante, e juntos poderão continuar procurando sua irmã.

Scarlett duvidava muito que Lenda mantivesse a palavra, mas ele estava bloqueando o caminho para a escadaria adiante, e atrás dela havia um rio que ela não imaginava levar a nenhum lugar bom.

Tentou lembrar o que Julian lhe contara sobre o Caraval na sua primeira noite ali. *Eles dizem que não devemos nos deixar levar longe demais, mas é esse o objetivo do jogo.*

— Imagino que o jogo não seria o mesmo sob a luz — respondeu Scarlett. — As pessoas acham que ninguém vê as coisas horríveis que elas fazem na escuridão. Os atos sujos que cometem, ou as mentiras que contam como parte do jogo. O Caraval acontece à noite porque você gosta de assistir e ver o que as pessoas fazem quando pensam que não haverá consequências.

— Nada mal — disse Lenda. — Contudo, acho que a esta altura você já percebeu que o que acontece aqui não é somente um jogo. — A voz dele decaiu para um sussurro. — Depois que as pessoas deixam esta ilha, as coisas que fizeram aqui não desacontecem, não importa quanto elas desejem desfazê-las.

— Talvez você deva avisá-las disso ao entrarem no jogo — emendou Scarlett.

Lenda riu de novo, e desta vez seu riso soou quase real.

— É uma lástima terrível que isto vá terminar tão mal. Eu poderia ter gostado de você. — Ele acariciou o queixo dela com uma falange fria.

Scarlett escorregou um pouco ao esboçar um passo nervoso para trás, lançando outro olhar em vão para as águas paradas atrás de si.

— Respondi à sua pergunta. Agora, onde está meu amigo?

— Isso me espanta — respondeu Lenda. — Tudo o que eu lhe disse foi verdade, e agora você nem me permite tocá-la. No entanto, acha que está apaixonada por alguém que não fez outra coisa senão mentir para você durante o jogo inteiro. Seu *amigo* disse que não deveria confiar em mim, mas você também não pode confiar nele.

— Vindo de você, encaro como um endosso.

Lenda suspirou, dramático, inclinando a cabeça para trás.

— Ah, ser tão esperançosa e estúpida. Vamos ver quanto isso vai durar.

Nesse instante, passos pesados ecoaram nos degraus de arenito atrás dele. No momento seguinte, Julian apareceu, perfeitamente seco e, a não ser pelo corte que o pai de Scarlett lhe infligira, completamente ileso.

— Estávamos falando sobre você — disse Lenda. — Você gostaria de contar a ela, ou prefere que eu mesmo conte? — Os olhos de Lenda brilharam, e desta vez não havia indício de loucura neles. Era a imagem perfeita de um cavalheiro de cartola e fraque, totalmente são e terrivelmente vitorioso.

A água escorreu dos cabelos de Scarlett para a nuca, deixando uma sensação quente onde tocava a pele. Ela não podia acreditar que Lenda mantivesse a palavra e, mais do que isso, não gostava do que ele acabara de dizer nem do modo possessivo como olhava para Julian.

— Ao que me parece, o papel de seu noivo era apenas decorativo, mas ele estava certo sobre uma coisa — continuou Lenda. — Não faço favor a ninguém. Não faria sentido ter todo esse trabalho para terminar com seu noivado, apenas para deixar você ir embora da ilha com outra pessoa. Foi por isso que Julian trabalhou para mim durante todo o jogo.

Não. Scarlett ouvia as palavras de Lenda, mas se recusava a processá-las. Não queria acreditar nelas. Ela observava Julian, esperando por um sinal que lhe mostrasse que isso era parte de um truque ainda maior.

Enquanto isso, o mestre do Caraval observava Julian como mais uma de suas valiosas posses, e, para o horror de Scarlett, Julian sorriu também, os dentes alinhados brilhando à luz das tochas. Era o mesmo sorriso maléfico que ela notara na Praia del Ojos, o sorriso de alguém que acabara de pregar uma peça muito cruel.

— A princípio, planejei que você se interessasse por Dante — contou Lenda. — Pensei que ele fizesse mais o seu tipo, mas talvez seja bom que eu me engane às vezes.

— Dante e a irmã dele eram parte do jogo também? — perguntou Scarlett atropeladamente.

— Não vá me dizer que não foi um engodo brilhante. E tente não parecer tão chocada. Mandei pessoas para avisá-la disso. Duas vezes, na verdade, elas lhe avisaram que não deveria acreditar em nada.

— Mas... — Boquiaberta, Scarlett se voltou para Julian. — E a sua irmã, Rosa? Era tudo mentira?

Por um instante, Julian quase pareceu hesitar ao ouvir o nome de Rosa, mas, quando se pronunciou, não havia emoção em sua voz. Até o sotaque havia mudado.

— Houve uma pessoa chamada Rosa, e ela morreu da forma como lhe contei, mas não era minha irmã. Foi só uma garota infeliz que se deixou levar longe demais pelo jogo.

As mãos de Scarlett estremeceram, mas, ainda assim, ela se recusava a acreditar. Não poderia ter sido tudo falso, apenas um jogo para Julian. Tinha havido momentos que ela sabia serem verdadeiros. Ela continuou a observá-lo, esperando por um sinal, um lampejo de emoção, um olhar que lhe dissesse que essa cena com Lenda é que era um jogo.

— Acho que sou melhor do que eu pensava. — O sorriso de Julian se tornou perverso, do tipo feito para despedaçar corações.

No entanto, Scarlett já estava despedaçada. Por anos seu pai a devastara. Inúmeras vezes, e ela permitira isso. Deixara que ele a fizesse se sentir impotente e inútil. Mas Scarlett não era nenhuma dessas coisas. Estava cansada de deixar que seu medo a enfraquecesse, que a roesse por dentro, minando todas as suas forças até que ela não conseguisse fazer nada além de ficar paralisada, soluçante.

— Mesmo assim, acho que você me fez um favor — declarou ela, virando-se de novo para Lenda. — Você mesmo disse. Meu ex-noivo é mais um objeto de decoração do que um homem, e estou bem melhor sem ele. Agora, entregue a minha irmã e nos deixe ir embora para casa.

— Casa? E você ainda tem para onde ir depois de amanhã, agora que jogou fora todo o seu futuro? Ou... — Lenda lançou outro olhar na direção de Julian —... está dizendo isso porque ainda vive a ilusão de que ele se importa com você?

Scarlett quis dizer que não era uma ilusão. O Julian que ela conhecia se deixara torturar por ela. Como isso poderia não ser real? Ela se recusava a crer, mesmo que Julian agora olhasse para ela como se fosse a garota mais tola do mundo. E provavelmente estava certo.

Até esse instante ela não havia percebido uma coisa que fora verdadeira. Desde que Julian a trouxera para a ilha, havia aquele *olhar*, aquela centelha; estivesse frustrado, furioso ou risonho, sempre houvera ali uma coisa que dizia que uma faceta dela conseguia tocar algo dentro dele.

Agora, não havia nada ali. Nem mesmo piedade. Por um momento perigoso, Scarlett duvidou de tudo que acreditara ser verdade.

Então, lembrou-se. *Caso alguma coisa inesperada aconteça.*

O relógio de bolso. A mão de Scarlett procurou o objeto frio ao redor do pescoço, o coração batendo um pouco mais rápido enquanto ela o apertava e recordava as palavras de Julian no carrossel.

— O que você tem aí? — perguntou Lenda.

— Nada — disse Scarlett. Mas a palavra veio rápida demais, e as mãos de Lenda foram mais rápidas ainda, afastando o tecido aveludado da capa azul royal que ela ainda vestia, e os dedos gelados puxaram o relógio.

— Não lembro de ter visto isto em você antes. — Lenda virou a cabeça na direção de Julian. — Um presente recente?

Julian não negou nada enquanto Lenda abria o colar improvisado. *Tique. Tique. Tique.* O segundo ponteiro do relógio girava rumo ao número doze, e uma voz começou a se derramar do medalhão. Era pouco mais do que um sussurro, mas Scarlett reconheceu claramente o timbre de Julian.

— Sinto muito, Carmim. Gostaria de poder dizer por quê, mas as palavras... — Ele se calou por mais alguns cliques enquanto o segundo ponteiro continuava seu curso sobre os números. Então, como se isso o ferisse, a voz de Julian soltou: — Não foi apenas um jogo para mim. Espero que você possa me perdoar.

O canto do olho de Lenda se contraiu enquanto ele fechava o relógio e se dirigia a Julian:

— Não me lembro de isto ser parte dos planos. Pode explicar?

— Acho que é bem autoexplicativo — respondeu Julian. Ele se virou para Scarlett com o olhar que ela estivera procurando, os olhos castanhos cheios de promessas silenciosas. Ele quisera contar a verdade a ela, mas parecia ser fisicamente incapaz de fazê-lo. Havia algum feitiço ou encantamento que não o deixava dizer as palavras. Mas ainda era o seu Julian. Scarlett podia sentir os cacos do seu coração despedaçado ousarem a se reunir novamente. E teria sido um momento bonito, se Lenda não tivesse escolhido esse mesmo instante para puxar uma faca e enterrá-la no peito de Julian.

— Não! — gritou Scarlett.

Julian cambaleou e o mundo inteiro pareceu entortar e oscilar com ele. As belas luzes cor de jade da caverna se tornaram marrons. Scarlett correu para o lado dele enquanto o sangue borbulhava em seus belos lábios.

— Julian!

Ela caiu de joelhos quando ele desmoronou no chão da caverna. Lenda não havia acertado o coração, mas devia ter perfurado um pulmão. Havia sangue. Tanto, tanto sangue. Devia ser por isso que ele a olhara tão friamente, sem nenhum esforço para revelar a verdade através do olhar. Ele sabia que Lenda o puniria pela traição.

— Julian, por favor... — Scarlett colocou as mãos sobre a ferida dele, encharcando as palmas de vermelho pela segunda vez naquele dia.

— Está tudo bem. — Julian tossiu, mais sangue manchando sua boca. — Provavelmente eu merecia isso.

— Não diga isso! — Scarlett arrancou a capa dos ombros e a apertou contra o peito de Julian, tentando estancar o sangramento. — Não acredito nisso, e não acredito que é assim que as coisas devam terminar.

— Então não deixe que terminem aqui. Eu já disse... Não vale a pena chorar por mim. — Julian ergueu a mão para enxugar uma lágrima no rosto dela, mas a mão caiu antes de alcançá-la.

— Não! Não desista — implorou Scarlett. — Por favor, não me deixe.

Havia tantas outras coisas que ela queria dizer, mas temia que, se dissesse adeus, isso facilitaria a ele que se deixasse partir.

— Você não pode me abandonar. Você disse que ia me ajudar a vencer o jogo!

— Eu menti... — As pálpebras de Julian tremularam. — Eu...

— Julian! — gritou Scarlett, segurando com mais força o peito dele enquanto mais sangue encharcava a capa e as mãos dela. — Não importa se você mentiu. Se você não morrer, eu vou perdoá-lo por tudo.

Os olhos de Julian se fecharam, como se ele não tivesse ouvido as palavras dela.

— Julian, por favor, continue lutando. Você tem lutado comigo durante o jogo inteiro, não pare agora.

Lentamente, as pálpebras dele se abriram. Por um instante, pareceu estar voltando para ela.

— Eu menti sobre o golpe que levei na cabeça — murmurou ele. — Queria recuperar seus brincos. Mas o homem era mais forte do que parecia... Deu trabalho. Mas valeu a pena ver o seu rosto... — A sombra de um sorriso moveu os lábios dele. — Eu devia ter ficado longe de você... Mas queria mesmo que você vencesse... Queria que...

A cabeça de Julian caiu para trás.

— Não! — Sob as mãos dela, Scarlett viu o peito dele descer uma última vez. — Julian. Julian. Julian! — Ela apertou a mão sobre o coração dele, mas nada se movia.

Scarlett não saberia quantas vezes repetiu o nome dele. Ela o dizia como uma prece. Um pedido. Um sussurro. Um adeus.

Scarlett nunca tinha desejado tempo para parar, para passar a uma marcha tão lenta que um batimento cardíaco levasse um ano, um suspiro durasse uma vida inteira e um toque durasse uma eternidade. Normalmente, queria o oposto: que o tempo acelerasse, passasse à frente dela, para que pudesse escapar de qualquer dor em andamento e chegasse a um momento novo, imaculado.

Mas Scarlett sabia que, quando esse instante terminasse, o próximo não pareceria novo, nem repleto de promessas para o futuro. Seria incompleto, falho, vazio, porque Julian não estaria nele.

As lágrimas de Scarlett caíram ainda mais quando sentiu que Julian morria. Os músculos perdiam a tensão. O corpo esfriava. A pele adquiria uma palidez cinzenta e irrevogável.

Sabia que Lenda estava assistindo a tudo. Extraindo um prazer doentio da sua dor. Parte dela, porém, não suportava soltar Julian, como se ele pudesse, por milagre, respirar de novo, ou seu coração fosse bater mais uma vez. Já tinha ouvido dizer que as emoções e as vontades eram um combustível para a magia que tornava os desejos possíveis. Contudo, ou Scarlett não sentia o bastante, ou as histórias que ouvira sobre os desejos não passavam de mentiras.

Ou talvez estivesse pensando nas histórias erradas.

A esperança é uma coisa poderosa. Alguns dizem que é uma espécie completamente diferente de magia. Esquiva, difícil de agarrar. Mas basta um pouco.

E Scarlett não tinha muito, apenas a memória de um poema mal escrito.

COM LENDA ESTA GAROTA PELA ÚLTIMA VEZ FOI VISTA.
SE VOCÊ ENCONTRAR A MOÇA, A LENDA HÁ DE CHEGAR.
É CLARO QUE O INFERNO TERÁ QUE ATRAVESSAR.
MAS, SE CONSEGUIR, SAIRÁ ENRIQUECIDO.
O VENCEDOR DESTE ANO TERÁ UM DESEJO ATENDIDO.

Por um momento, Scarlett se esquecera do desejo, mas, se conseguisse encontrar Tella primeiro e desejar a vida de Julian, talvez pudessem ter um final feliz. Querer que as coisas voltassem a ser felizes parecia um desejo quase irreal, porém era tudo o que lhe restava.

Quando ergueu o olhar, pronta para exigir novamente a localização da irmã, percebeu que Lenda havia desaparecido. Deixara apenas o relógio de bolso de Julian e a cartola de veludo, pousados sobre uma carta preta.

Pétalas de rosa negra flutuaram até o chão quando Scarlett pegou o bilhete. Tinha bordas negras de ônix, uma sombra da primeira carta que Lenda enviara.

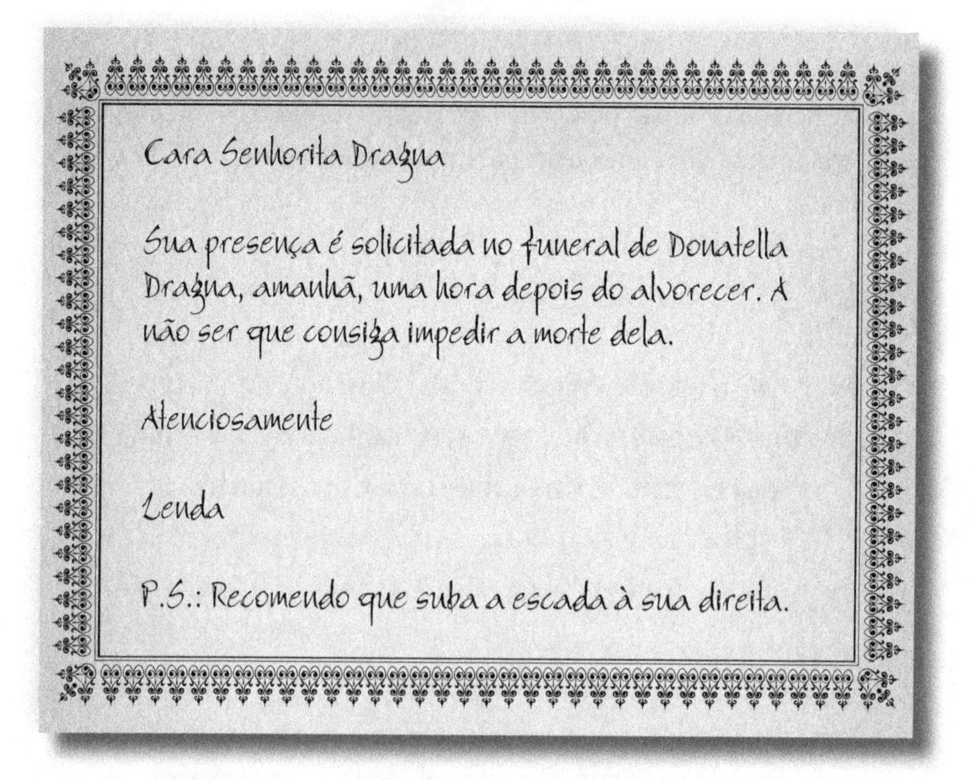
Cara Senhorita Dragna

Sua presença é solicitada no funeral de Donatella Dragna, amanhã, uma hora depois do alvorecer. A não ser que consiga impedir a morte dela.

Atenciosamente

Lenda

P.S.: Recomendo que suba a escada à sua direita.

Scarlett fechou o punho em torno da carta. Isso era mais que loucura. Era uma coisa pervertida que ela não entendia. Nem sabia se queria entender.

Novamente, foi tomada pela sensação de que o assunto era pessoal, de que tinha a ver com mais que o passado sórdido de Lenda com sua avó Anna.

Atrás dela, a água voltou a se agitar. Não sabia se isso significava que houvesse mais pessoas chegando. Detestava deixar o corpo de Julian ali — ele merecia muito mais que ser abandonado numa caverna —, mas, se pretendia salvá-lo, precisava acabar com isso, encontrar Tella e obter aquele desejo.

Scarlett olhou para o alto mais uma vez, vendo as luzes de vaga-lumes cor de jade dançarem no ar, movendo-se como uma cortina de fumaça fulgurante para iluminar uma bifurcação na escadaria diante dela.

Lenda tinha recomendado que ela fosse pela direita. Imaginava que ele soubesse que ela não confiaria nele, então havia grande chance de ele ter dito a verdade só por causa disso. No entanto, era astuto o bastante para saber que ela também pensaria nisso.

Começou a subir os degraus da esquerda, só para mudar de ideia no último minuto, ao recordar o que Lenda dissera sobre contar a verdade. Seu pai raramente contava toda a verdade, mas também era raro mentir por completo. Guardava as mentiras para quando fossem mais relevantes. Scarlett imaginou que Lenda agisse do mesmo modo.

Fez um esforço para subir correndo, espiral após espiral após espiral, lembrando-se de todas as escadas que percorrera com Julian. A cada lance de degraus, lutava contra as lágrimas e a fadiga. Sempre que conseguia não chorar por Julian, imaginava encontrar Tella da mesma maneira como o deixara: corpo imóvel, coração inerte, olhos cegos.

O mundo parecia muito mais tênue no momento em que Scarlett chegou ao topo da escada. O suor encharcava o vestido, as pernas ardiam e tremiam. Se tivesse escolhido a escada errada, acreditava que não teria forças para descer correndo e subir de novo.

Diante dela havia uma escada de mão estreita que levava a um alçapão quadrado e pequeno. Ao subir, Scarlett pisou em falso várias vezes. Não tinha a menor ideia do que encontraria depois daquela porta. Sentia calor. Havia estalos sonoros também. Definitivamente, era fogo.

Ela vacilou apoiada à escada, rezando para que fosse só o fogo de uma lareira, não toda uma sala em chamas. Respirou fundo e empurrou o alçapão.

QUINTA E ÚLTIMA NOITE DO CARAVAL

35

Estrelas por toda parte.

Constelações que Scarlett nunca vira formavam uma abóbada na noite negra e vasta. O mundo era um camarote sem balaustrada, o piso era como uma cobertura de ônix luminoso, com imensos sofás em tons de poeira estelar e fogueiras alimentando chamas azuis.

Acima do restante do mundo deveria estar gelado, mas o ar era morno enquanto Scarlett rastejava pela abertura, os botões do vestido tilintavam suavemente de encontro ao chão polido. Tudo nesse lugar fedia a Lenda, até as fogueiras, como se a lenha fosse recoberta de veludo ou alguma coisa levemente doce. O ar parecia suave e venenoso. Perto da parede oposta do quarto, uma enorme cama preta, com travesseiros tão pretos quanto pesadelos, caçoava dela. Scarlett não sabia para que Lenda usava esse dormitório, mas sua irmã não estava em lugar nenhum...

— Scar? — Uma pequena figura se sentou na cama. Cachos cor de mel saltaram ao redor do rosto, que seria angelical, não fosse pelo sorriso demoníaco.

— Ah, meu amor! — Tella deu um gritinho, saltou da cama e capturou Scarlett num abraço antes que ela chegasse à metade do quarto. Quando ela a abraçou com os braços ávidos, Scarlett acreditou que os finais felizes fossem possíveis. Sua irmã estava viva. Ela sentia suavidade e luz do sol e sementes de sonhos a brotar.

Agora Scarlett só precisava trazer Julian de volta.

Scarlett se afastou um pouco, apenas para ter certeza de que era realmente Tella. Ela costumava abraçá-la com frequência, mas raramente com tanto entusiasmo.

— Você está bem? — Olhou a irmã à procura de sinais de cortes ou ferimentos. Não podia deixar o entusiasmo fazê-la esquecer por que estava ali. — Você tem sido bem tratada?

— Ah, Scar! Sempre aflita. Estou tão feliz que você finalmente esteja aqui. Eu estava começando a me preocupar. — Tella engoliu um arquejo, ou talvez estivesse tremendo, uma vez que vestia somente uma camisola fina, azul-pálida. — Estava começando a temer que você não fosse mais vir... Não que não seja adorável aqui em cima.

Tella levantou os braços na direção das estrelas, que pareciam próximas o bastante para apanhar e enfiar nos bolsos. Perto demais, na opinião de Scarlett. Assim como a borda elevada do terraço, tão baixa que quase não servia como barreira. Uma prisão disfarçada de suíte máster com uma vista palaciana.

— Tella, eu sinto muito.

— Tudo bem — disse Tella. — Eu só estava ficando terrivelmente entediada.

— Entediada... — Scarlett se engasgou com a palavra. Não imaginava que o Caraval pudesse ter mudado sua irmã tanto quanto mudara a ela mesma. Mas *entediada*?

— Não entenda mal. Houve regalias, e eu fui bem tratada... Pela divina dentadura! — Tella escancarou os olhos quando eles recaíram nas mãos e no vestido ensanguentados de Scarlett. — O que aconteceu? Você está toda suja de sangue!

— Não é meu. — A garganta de Scarlett se apertou quando ela olhou para as próprias mãos. Uma única gota havia dado a ela um dia inteiro da vida de Julian. Sentia dor só de pensar em quantos dias não estavam espalhados sobre o corpo dela... *Dias que ele deveria ter vivido.*

Tella fez uma careta.

— De quem é esse sangue?

— Prefiro não explicar aqui. — Scarlett parou, sem ter certeza do que dizer. Precisavam sair dali, ir para longe de Lenda, mas ela também precisava encontrá-lo mais uma vez para ter seu desejo atendido e salvar Julian. — Tella, nós precisamos ir embora. — Scarlett levaria sua irmã a um lugar seguro e depois voltaria em busca do desejo. — Vista-se rápido, não leve nada que vá nos atrapalhar. Tella, por que não está se mexendo? Não temos muito tempo!

Mas Tella não se moveu. Permaneceu ali, parada com sua camisola azul, um anjo amarrotado olhando para Scarlett com olhos arregalados de preocupação.

— Avisaram que isso poderia acontecer. — Tella suavizou a voz, usando aquele tom horrível reservado às crianças ou velhos desajuizados. — Não sei para onde você acha que precisa correr, mas está tudo bem. O jogo acabou. Este quarto, ele é o fim, Scar. Você pode se sentar e descansar um pouco. — Tentou conduzi-la até um daqueles sofás com almofadas ridículas.

— Não! — Scarlett se soltou. — Quem lhe deu esse aviso estava mentindo. Nunca foi só um jogo. Não sei o que contaram a você, mas está em perigo... Nós duas estamos em perigo. O pai está aqui.

As sobrancelhas de Tella se levantaram, mas ela logo relaxou a expressão, como se não estivesse nem um pouco alarmada.

— Você tem certeza que não foi só algum tipo de ilusão?

— Tenho. Precisamos sair daqui. Tenho um *amigo*... — Scarlett não conseguia dizer o nome de Julian, mal conseguia dizer a palavra *amigo*, mas se forçou a continuar forte por Tella. — Meu amigo, ele tem um barco e vai nos levar para onde quisermos ir. Como você sempre quis.

Scarlett estendeu a mão para Tella, mas desta vez foi sua irmã quem deu um passo para trás, apertando os lábios.

— Scar, por favor, ouça o que você está dizendo. Seus olhos pregaram peças em você. Não se lembra do aviso que nos deram quando chegamos: *não se deixe levar longe demais pelo jogo*?

— E se eu lhe contasse que o jogo deste ano é diferente? — disse Scarlett e, o mais rápido possível, tentou explicar a história de Lenda com a avó delas. — Ele nos trouxe aqui para se vingar. Sei que você foi bem tratada, mas o que quer que ele tenha lhe contado é mentira. Nós precisamos ir embora.

Conforme Scarlett falava, a expressão de Tella mudava. Ela começou a morder o lábio inferior, ainda que Scarlett não conseguisse dizer se isso era temor pela vida das duas ou pela sanidade de Scarlett.

— Você acredita mesmo nisso? — Tella perguntou.

Scarlett assentiu e esperou desesperadamente que seu vínculo fraterno ajudasse Tella a superar as dúvidas.

— Sei que parece loucura, mas eu vi as provas.

— Tudo bem, então. Dê-me um momento. — Tella disparou, desaparecendo atrás de uma enorme cortina perto da cama, enquanto Scarlett se esforçava para empurrar um dos sofás até que ele cobrisse o alçapão, bloqueando as escadas que ela usara para chegar ali.

Quando terminou, Tella reapareceu, envolta num roupão de seda anil, segurando um pano numa das mãos e uma bacia de água na outra.

— O que está fazendo? — perguntou Scarlett. — Por que não colocou roupas mais apropriadas para sair?

— Sente-se. — Tella gesticulou na direção de um dos muitos estofados. — Nós não estamos em perigo, Scar. Qualquer coisa que a esteja deixando com medo, eu sei que você pensa que é real, mas este é o objetivo do Caraval. Tudo tem que parecer real, embora nada seja. Agora, sente-se, que eu vou lavar um pouco do sangue. Vai se sentir melhor quando estiver limpa.

Scarlett não se sentou.

Tella estava usando o tom de voz novamente, aquele usado para lidar com crianças descontroladas e adultos delirantes. Não que Scarlett pudesse culpá-la. Se ela não tivesse encontrado o pai frente a frente, se não tivesse visto Julian morrer, se não tivesse sentido o coração dele parar, o sangue quente dele em suas mãos, nem visto a vida se esvair dele, teria sido capaz de duvidar que era real.

Se ao menos pudesse duvidar.

— E se eu puder provar? — Scarlett puxou o convite para o funeral. — Pouco antes de eu chegar aqui em cima, Lenda me deu isto. — Ela colocou a carta na mão de Tella. — Olhe você mesma. Ele planeja assassinar você!

— Por causa da Vovó Anna? — Tella franziu a testa ao ler. Então, pareceu se esforçar para reprimir uma risada. — Ah, Scar. Acho que você interpretou mal esta carta.

Tella sufocou outra risadinha quando devolveu a carta a ela. A primeira coisa que Scarlett notou foram as bordas. Não eram mais negras; agora, estavam douradas. E a escrita também havia mudado.

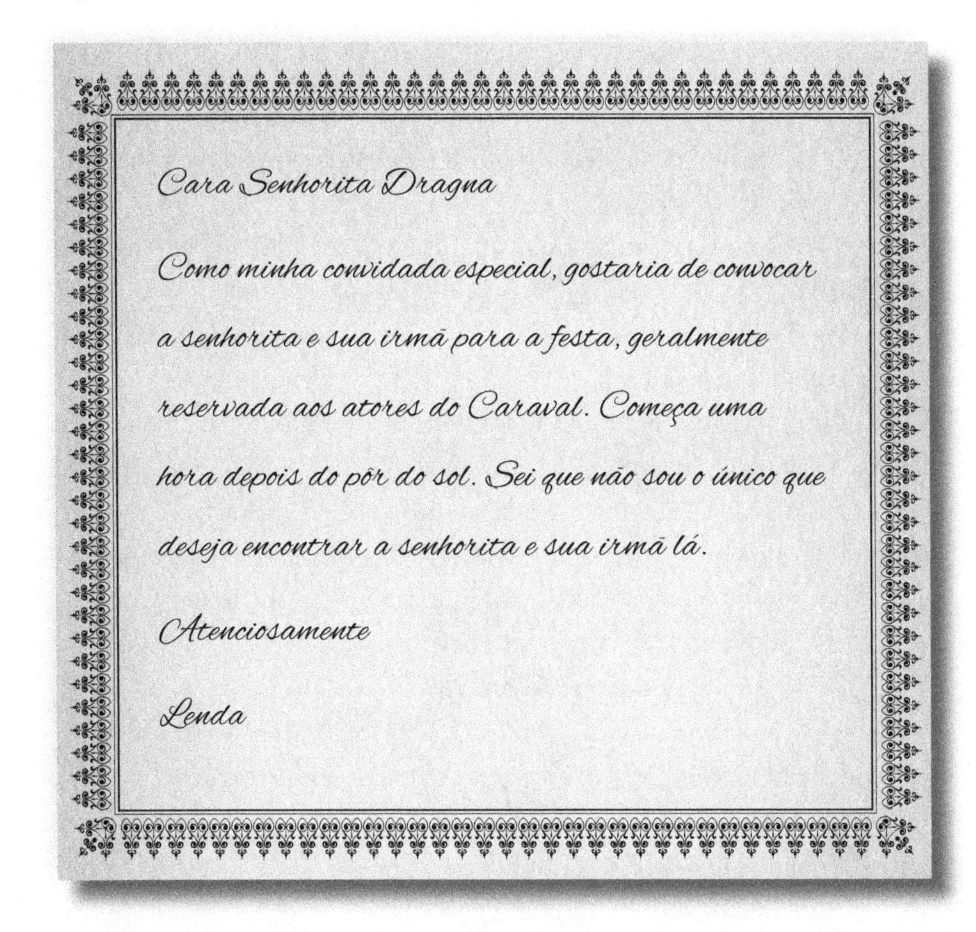

Cara Senhorita Dragna

Como minha convidada especial, gostaria de convocar a senhorita e sua irmã para a festa, geralmente reservada aos atores do Caraval. Começa uma hora depois do pôr do sol. Sei que não sou o único que deseja encontrar a senhorita e sua irmã lá.

Atenciosamente

Lenda

— Não há nada de ameaçador nisso — riu Tella. — A não ser que esteja nervosa com a ideia de que Lenda se encantou por você...

— Não! Não era isso que essa carta dizia antes. Era um convite para um funeral, o *seu* funeral. — Scarlett olhou para Tella com olhos suplicantes. — Não estou louca — insistiu. — Essa mensagem era diferente quando eu a li nos túneis.

— Os túneis abaixo do jogo? — interrompeu Tella. — Não é lá que as pessoas enlouquecem?

— Era uma parte diferente. Tella, eu juro, não estou insana. A mensagem dizia que você morreria amanhã a não ser que eu pudesse impedir. Por favor, mesmo que não acredite em mim, preciso que tente.

Tella deve ter notado o desespero dela.

— Deixe-me ver esse papel de novo.

Scarlett o entregou. Desta vez, sua irmã examinou o convite com uma atenção especial, segurando-o perto de um dos poços de fogo. Mas não importava o que fizesse, a escrita não se alterava.

— Tella, eu juro, era para um funeral, não uma festa.

— Acredito em você — respondeu Tella.

— Acredita?

— Bom, estou imaginando que, como os ingressos que você recebeu em Trisda, ela mude sob certas luzes. Mas, Scar... — Aquela voz dolorosamente cuidadosa de novo. — Não poderia ser só mais uma parte do jogo, um artifício para trazer você até aqui em cima, porque você estava demorando muito a vir, e agora que você está aqui: *ta-dá*! A mensagem mudou de ameaça para recompensa. Diga-me, o que faz mais sentido?

Do modo como Tella falava, a ideia parecia muito sensata. E, oh, como Scarlett queria que ela estivesse certa. Sabia como os túneis — e Lenda — podiam ser traiçoeiros. Mas Lenda não era a única ameaça.

— Tella, mesmo que não acredite em mim quanto a isso, eu juro, o pai está aqui. Ele está procurando por você, por nós duas, neste momento. E confie em mim quando digo que a presença dele não é uma miragem mágica do Caraval. Ele está aqui com o Conde Nicolas d'Arcy, meu noivo. Para escapar, tive que derrubar d'Arcy com um elixir de proteção e depois amarrá-lo a uma cama... Tenho certeza de que você pode imaginar como o pai estará furioso se nos encontrar agora.

— Você amarrou seu noivo numa cama? — escarneceu Tella.

— Isso não é piada! Não ouviu o que eu disse sobre o que vai acontecer se o pai nos encontrar?

— Scar, eu não sabia que você era capaz disso! Imagino o que mais o jogo transformou em você. — O sorriso de Tella se abriu ainda mais, fazendo-a parecer surpresa e admirada, o que poderia ter deixado Scarlett satisfeita se não tivesse esperado que, em vez disso, a irmã ficasse amedrontada e tomada pelo pânico.

— Você não está entendendo. Tive que fazer isso porque o pai ia me forçar a... — A vergonha deu-lhe um nó na garganta quando tentou pronunciar as palavras. Pensar no que seu pai havia tentado impor a ela fazia com que se sentisse menos que gente. Sentia-se mais como uma coisa.

A expressão de Tella se suavizou. Ela envolveu Scarlett com os braços, abraçando-a como só uma irmã poderia. Feroz como um gatinho que acabava de descobrir as garras, disposta a rasgar o mundo todo em pedaços para resolver a situação. E, por um momento, Scarlett pensou que tudo se acertaria.

— Acredita em mim agora? — perguntou.

— Acredito que você tenha passado por umas loucuras esta semana, mas agora isso acabou. Nada daquilo foi real. — Tella tirou gentilmente uma mecha de cabelo do rosto de Scarlett. — Não precisa se preocupar, irmã. E, um dia, o pai vai pagar por todos os pecados que cometeu. Toda noite rezo para que um anjo apareça e corte as mãos dele para que nunca mais possa machucar ninguém.

— Acho que não é isso que os anjos fazem — murmurou Scarlett.

— Talvez não os anjos que vivem no céu, mas há tipos diferentes de anjos. — Tella se afastou, os lábios rosados abrindo-se num sorriso feito de esperanças, sonhos e outras coisas traiçoeiras.

— Não me diga que planeja cortar pessoalmente as mãos do pai.

— Depois desta noite, acho que as mãos dele não causarão mais nenhum problema; pelo menos, não para nós. — Os olhos de Tella cintilaram com o mesmo brilho perigoso do sorriso. — Não passei esse tempo todo aqui sozinha. Eu *conheci* uma pessoa. Ele sabe tudo sobre nosso pai e prometeu cuidar de nós. Nós duas. — Tella estava radiante, mais que a luz das velas e o brilho do vidro triturado, o tipo de alegria que só poderia significar uma coisa terrível.

Quando Tella dissera a palavra *entediada* pela primeira vez, Scarlett ousara esperar que Lenda não a tivesse afetado. Todavia, pela agudez na voz da garota e pela aparência que tinha agora, Scarlett temia que isso já tivesse acontecido — todo o juízo abandonara seus olhos. A expressão de Tella se tornara sonhadora de um modo que garantia: ou estava apaixonada ou insana.

— Você não pode confiar nele — exortou Scarlett atropeladamente. — Não ouviu nada do que eu disse? Lenda nos odeia. Ele é um assassino!

— Quem é que está falando de Lenda?

— Não era dele que você estava falando?

Tella adotou uma expressão engraçada.

— Eu nem sequer o conheço.

— Mas você esteve aqui, nesta torre. A torre dele.

— Eu sei — respondeu Tella. — E você não tem ideia de como foi enfadonho ficar olhando todos lá embaixo, enquanto eu estava presa aqui. — Bufando, ela lançou o olhar para o terraço sem parapeito.

Estavam a bons três metros e meio da borda, mas Scarlett não se sentia segura. Ainda seria fácil demais pular dali. Tella podia não ter sido seduzida por Lenda, mas, sabendo que o mestre do Caraval havia colocado tanto Dante quanto Julian no caminho de Scarlett, não conseguia imaginar que o novo pretendente de Tella diferisse deles — o garoto perfeito para levá-la à loucura.

— Qual é o nome dele? — perguntou Scarlett.

— Daniel DeEngl — anunciou Tella. — É um lorde bastardo do Império. Isso não é absurdamente delicioso? Você vai ficar encantada, Scar, eles têm castelos lá, com fossos e torres e todo tipo de coisa dramática.

— Mas, se você esteve aqui por todo esse tempo, como é que se conheceram?

— Não fiquei aqui o tempo *inteiro*. — As faces de Tella ganharam um rubor discreto, rosa suave, e Scarlett se lembrou da voz masculina que ouvira sair do quarto de Tella no fim da primeira noite. — Eu estava com Daniel quando me raptaram para o jogo. Na verdade, ele tentou me defender, mas foi levado também. — Sorriu como se essa fosse a coisa mais romântica que já lhe acontecera.

— Tella, isso é errado — respondeu Scarlett. — Não pode estar apaixonada por alguém que acabou de conhecer.

Tella se encolheu, o tom das bochechas chegando a um vermelho furioso.

— Sei que você passou por muita coisa. Então, nem vou argumentar que você ia *se casar* com alguém que nem conhecia.

— Era diferente.

— Eu sei, pois, ao contrário de você, conheço meu noivo.

— Você disse *noivo*?

Tella confirmou meneando a cabeça, orgulhosa.

— Não está falando sério. Quando foi que ele pediu você em casamento?

— Por que não está feliz por mim? — A expressão de Tella desabou, como uma boneca que Scarlett tivesse deixado cair.

Scarlett refreou as cinco primeiras respostas que lhe ocorreram.

— Scar, sei que rezei para que umas coisas terríveis acontecessem, o tipo de coisas que os anjos não fazem, mas também rezei por algo exatamente assim. Talvez eu consiga fazer um garoto entrar comigo na adega, mas, antes de conhecer Daniel, ninguém jamais havia *gostado de mim*.

— Tenho certeza de que esse tal Daniel é uma pessoa maravilhosa — disse Scarlett com cuidado. — E quero ficar feliz por você, quero mesmo. Mas não parece coincidência demais? Fico pensando que talvez Lenda esteja só fazendo um jogo diferente com você; e se Daniel for parte dele?

— Não é — garantiu Tella. — Sei que você não tem muita experiência com os homens, mas eu tenho. Então, acredite em mim quando digo que meu relacionamento com Daniel é verdadeiro. — Tella deu um passo decidido para trás, os pés pálidos sobre o piso de ônix negro, e tirou um sino de prata de um dos sofás acolchoados.

— O que está fazendo? — perguntou Scarlett.

— Vou chamar Daniel para que você o conheça e veja por si mesma.

A porta se abriu e entrou Jovan, parecendo um arco-íris no mesmo traje colorido que tinha usado da primeira noite, no monociclo.

— Ah, olá! — Ela se animou quando viu Scarlett. — Você finalmente encontrou sua irmã.

— Não pode confiar nela — sussurrou Scarlett para Tella. — Ela trabalha para Lenda.

— É claro que ela trabalha para Lenda. Perdoe minha irmã, Jo, ela ainda está envolvida no jogo. Acha que Lenda pretende matar a nós duas.

— Tem certeza de que ela está enganada? — Jovan piscou como se estivesse brincando, mas, quando seus olhos encontraram os de Scarlett, a expressão brincalhona desapareceu.

— Viu isso? — indagou Scarlett. — Ela sabe!

Tella a ignorou.

— Pode chamar Lorde DeEngl para mim, por favor?

Antes que Scarlett pudesse protestar, Jovan assentiu e sumiu da mesma forma como chegara, passando por uma porta oculta na parede dos fundos.

— Tella, por favor — implorou Scarlett. — Precisamos sair daqui. Você não tem ideia de como isso é perigoso. Mesmo que tenha razão sobre Daniel, ainda não é seguro. Lenda não vai deixar vocês ficarem juntos.

Scarlett parou e estendeu as mãos, mostrando à irmã, mais uma vez, todo o sangue precioso.

— Está vendo... isto? — Sua voz falhou. — Isto é de verdade. Antes de chegar aqui em cima, eu vi Lenda matar uma pessoa...

— Ou pensou ter visto — interrompeu Tella. — O que quer que acredite ter visto, tenho certeza de que não foi real. Você continua se esquecendo: tudo o que acontece aqui é parte do jogo. E não vou fugir de Daniel só porque você está envolvida demais.

A boca de Tella formou uma curva suave e descendente.

— Sei que ninguém me ama mais do que você, Scar, eu estaria perdida sem você. Por favor, não me abandone agora. E não me peça para abandonar Daniel. — Os lábios de Tella decaíram ainda mais. — Não me faça escolher entre os dois amores da minha vida.

Dois amores. O coração de Scarlett latejou perante a escolha de palavras da irmã. De repente, estava na escada outra vez, vendo a cabeça de Julian pender antes da respiração cessar. Precisava encontrar um modo de trazê-lo de volta, mas também precisava tirar sua irmã dessa torre, em segurança, e levá-la para longe do terraço.

— Agora — disse Tella efusivamente, como se tudo estivesse resolvido, embora Scarlett não tivesse dito uma palavra —, ajude-me a ficar linda para Lorde Daniel! — Tella correu até a cortina. — Talvez você também queira se limpar — gritou ela. — Tenho uns vestidos que ficariam deslumbrantes em você.

A noite escureceu ainda mais enquanto Scarlett permanecia enraizada no lugar.

Sabia que parecia semimorta e estava tentada a continuar assim. Gostava da ideia de assustar o noivo de Tella. Gostava ainda mais da ideia de ir embora — entretanto, sua irmã não era do tipo que correria atrás de Scarlett se esta partisse. E se Tella estivesse certa? Talvez fosse arrogante presumir que todo o jogo girasse em torno das duas. Se sua irmã estivesse correta e Scarlett arruinasse o romance, Tella nunca a perdoaria.

Contudo, se Scarlett não estivesse louca e Julian de fato tivesse morrido, então precisava obter o desejo e salvá-lo.

Atrás da cortina de Tella, havia um guarda-roupa e diversos baús abertos, transbordando uma variedade de trajes. Scarlett viu a irmã se decidir entre diversos vestidos.

Tinha a esperança de que, após conhecer esse tal Daniel, pudesse encontrar um jeito de convencer Tella a ir embora com ela. Enquanto isso, ficaria ao lado da irmã e descobriria um modo de cobrar o desejo de Lenda.

— O azul-celeste — sugeriu Scarlett. — O azul sempre lhe cai muito bem.

— Sabia que você ficaria — disse Tella. — Tome, este é para você. Vai ficar tão dramático com seus cabelos pretos e essa nova mecha. Desculpe, não tenho sapatos do tamanho certo para você, vai ter que esperar suas botas secarem. — Entregou a Scarlett um vestido cor de oxicoco com uma saia bufante de baile, mais longa atrás que na frente, e coberto de miçangas vermelhas em forma de lágrima.

O vestido combinava com o sangue nas mãos de Scarlett. Quando finalmente as lavou, jurou mais uma vez que encontraria um modo de trazer Julian de volta. Aquela noite, nenhum outro ferimento mancharia suas mãos.

— Prometa-me uma coisa — pediu ela. — Não importa o que aconteça, você não vai pular de nenhum terraço.

— Só se me prometer que não vai dizer coisas esquisitas como essa quando Daniel chegar.

— Estou falando sério, Tella.

— Eu também. Por favor, não estrague...

Uma batida na porta.

— Deve ser Daniel. — Tella calçou um par de sapatilhas prateadas antes de dar um rodopio em seu vestido azul-celeste. A cor dos sonhos ternos e finais felizes.

— Você está linda — falou Scarlett. Mas, embora ousasse esperar que a irmã tivera razão esse tempo todo, não conseguia ignorar a poça amarela e amarga de medo que se formava em seu estômago enquanto Tella saía de trás da cortina e ia até a porta oculta na parede dos fundos.

O mundo oscilou quando Tella a abriu; tudo se distorceu enquanto Scarlett via o homem do outro lado enlaçar a cintura da irmã e puxá-la para um beijo.

Dois círculos rosados tingiam as bochechas de Tella quando ela se afastou.

— Daniel, temos companhia. — Ela puxou o homem que chamava de Daniel na direção de um dos sofás acolchoados perto de onde estava Scarlett, de pé, imóvel. — Quero que conheça minha irmã, Scarlett.

Tella sorriu de novo, tão radiante que não notou o modo como Scarlett sem querer deu um passo para trás, nem como o rapaz ao lado dela passou a língua pelos lábios quando Tella não estava olhando.

— Donatella, afaste-se desse homem — ordenou Scarlett. — O nome dele não é Daniel.

Ele não usava mais cartola e havia trocado o fraque escuro por uma sobrecasaca branca impecável. No entanto, seus olhos ainda faiscavam com o mesmo brilho insano, como se por trás deles houvesse algo desvairado que ele nem se preocupava em esconder.

— Scar — chiou Tella. *Está sendo esquisita de novo*, ela desenhou com os lábios.

— Não, eu o conheço — insistiu Scarlett. — Esse é Lenda.

— Scarlett, por favor, pare de agir como louca — disse Tella. — Daniel tem estado comigo a noite inteira, *todas as noites* do jogo. Não é possível que ele seja Lenda.

— Isso é verdade. — Lenda passou um braço pelos ombros de Tella, e a figura pequenina dela pareceu infantil sob o aperto pesado e possessivo dele.

— Tire suas mãos dela! — Scarlett se lançou contra Lenda.

— Scar! Pare! — Tella segurou Scarlett pelos cabelos, puxando-a para longe antes que ela conseguisse fazer mais do que um arranhão. — Daniel, sinto muito — falou Tella. — Não sei o que deu nela. Scarlett, pare com esta loucura!

— Ele mentiu para você! — O couro cabeludo de Scarlett ardia enquanto ela lutava para se libertar de Tella. — Ele é um assassino!

Contudo, Lenda não parecia um assassino naquele momento. Vestido de branco e desprovido do sorriso louco, parecia tão inocente quanto um santo.

— Talvez devêssemos amarrá-la antes que ela se machuque.

— Não! — gritou Scarlett.

Um lampejo de inquietação passou pelo rosto de Tella.

— Querida, ela está desvairada, vai acabar machucando um de nós. — As sobrancelhas de Lenda se juntaram como se ele estivesse realmente preocupado. — Lembra-se dos avisos sobre as pessoas que se deixam levar longe demais pelo jogo? Vou segurá-la enquanto você vai buscar uma corda. Deve haver uma no baú de roupas para ocasiões como esta.

— Tella, por favor, não dê ouvidos a ele — pediu Scarlett.

— Querida — Lenda a persuadiu, sua voz derramando uma apreensão enganosa. — É para a própria segurança dela.

Os olhos de Tella correram de Lenda, em toda a sua glória e candura, para Scarlett, com os cabelos embaraçados e o rosto manchado de lágrimas.

— Desculpe — disse Tella. — Não quero que você se machuque.

— Não! — Scarlett arremeteu de novo, rasgando a manga do vestido e espalhando as contas pelo chão quando Lenda a tomou de sua irmã. Mãos tão fortes quanto algemas de ferro torceram os pulsos de Scarlett atrás das costas, enquanto Tella desaparecia atrás da cortina.

— Está vendo como ela está disposta a fazer tudo o que eu diga? — ronronou Lenda ao ouvido de Scarlett.

— Por favor — implorou Scarlett —, deixe-a em paz. Faço o que você quiser se a deixar partir. Quer que eu salte do terraço? Eu salto. Só não a machuque!

Num movimento abrupto, Lenda girou Scarlett para que ficassem frente a frente. Ele tinha a pele pálida, os maxilares afiados e os olhos cheios de uma loucura desvelada.

— Você saltaria para a morte no lugar dela? — Ele liberou Scarlett com um empurrão. — Então faça isso. Agora.

— Você quer que eu salte agora mesmo?

— Não agora mesmo. — Os lábios dele repuxaram nas pontas numa imitação demente de sorriso. — Eu não teria convidado você para o funeral dela se estivesse planejando que você morreria esta noite. Só caminhe o mais próximo que puder da borda do terraço, sem cair.

Scarlett não conseguia pensar direito. Ela se perguntou se era assim que Tella se sentia quando estava perto de Lenda. Atônita e desnorteada.

— Se eu fizer isso, você promete que não vai machucar minha irmã?

— Tem minha palavra. — Com um dedo pálido, Lenda desenhou um X sobre o coração. — Se você caminhar na beira do terraço, eu juro pela minha vida maravilhosa que não tocarei mais na sua irmã.

— Prometa que também não deixará ninguém mais tocá-la.

Lenda mediu Scarlett com os olhos, das mangas rasgadas do vestido aos pés descalços.

— Você não está na melhor posição para fazer acordos.

— Então, por que está fazendo um acordo comigo?

— Quero ver até onde está disposta a ir. — A voz dele se tornou melosa de curiosidade, mas seu olhar era de puro desafio. — Se não estiver disposta a fazer isto, nunca será capaz de salvá-la.

Para Scarlett foi como se ele estivesse dizendo: *se não for capaz de fazer isso, é porque não a ama o bastante.*

Sem hesitar, Scarlett se dirigiu para a extremidade do terraço. O ar noturno varreu-lhe os tornozelos conforme ela se aproximou e, apesar de Scarlett jamais ter temido a altura, ficou zonza quando ousou olhar para baixo, na direção das fagulhas de luz, das pessoas reduzidas a pontinhos e do chão sólido que não teria misericórdia se ela...

— Pare! — gritou Lenda.

Scarlett congelou, mas Lenda continuou a berrar, preenchendo a voz com um terror artificial, que até fazia o grito desafinar nos momentos certos.

— Donatella, rápido, sua irmã está tentando pular!

— Não! — berrou Scarlett. — Não estou...

Um olhar de advertência de Lenda a silenciou.

— Diga mais uma palavra e não terá garantias de mim.

Entretanto, a palavra dele não significava nada. Fora uma tola por acreditar em qualquer coisa que ele dissera. Ele a levara até a extremidade para afastá-la ainda mais de Tella, que parecia abalada quando retornou com a corda.

— Scarlett, por favor, não pule! — O rosto de Tella estava vermelho e manchado.

— Eu não ia pular — insistiu Scarlett.

— Sinto muito... Ela me convenceu a soltá-la — justificou Lenda. — Depois ela disse que, se saltasse, ela acordaria do jogo.

— Daniel, não é culpa sua — respondeu Tella. — Scar, por favor, afaste-se da borda.

— Ele está mentindo! — gritou Scarlett. — Foi ele quem me fez vir para a borda... Ele disse que, se eu fizesse isto, ele não machucaria você. — Só então Scarlett percebeu que essas palavras a faziam parecer ainda mais louca, mas era tarde demais. — Tella, por favor, você me conhece. Sabe que eu nunca faria algo assim.

Tella mordeu o lábio inferior, parecendo dividida mais uma vez, como se lá no fundo acreditasse que sua irmã não era suicida.

— Amo você, Scar, mas eu sei que este jogo faz coisas estranhas com as pessoas. — Tella deu o rolo de corda para Lenda. Ele baixou a cabeça, dramático, como se isso doesse nele também.

— Não! — Scarlett quis se afastar, mas a borda do terraço estava logo atrás dela. Assim como a noite cruel e faminta, prestes a engoli-la caso caísse.

Em vez disso, Scarlett disparou para a frente, tentando ser mais rápida do que Lenda, mas ele se movia como uma víbora. Uma mão prendeu os pulsos dela, e ele usou a outra para empurrá-la para uma cadeira.

— Solte-me! — Scarlett tentou chutar, mas Tella estava ali também, tratando de amarrar os tornozelos agitados, enquanto Lenda prendia os braços e o peito dela contra a cadeira.

Scarlett pôde sentir a respiração quente de Lenda em seu pescoço quando ele sussurrou, baixo demais para que Tella o escutasse:

— *Espere para ver o que vou fazer em seguida.*

— Vou matar você! — gritou Scarlett.

— Talvez devêssemos dar a ela um sedativo? — perguntou Tella.

— Não, acredito que isso vá segurá-la pelo tempo necessário. — Lenda puxou a corda uma última vez, fazendo as amarras cortarem os arquejos de Scarlett.

Uma porta oculta no fundo do quarto se abriu, e o sorriso maníaco de Lenda retornou quando o pai de Scarlett entrou, acompanhado do

Conde Nicolas d'Arcy. O governador veio caminhando decidido, a cabeça elevada, os ombros alinhados, como se fosse um convidado de honra. O conde parecia interessado apenas numa pessoa: Scarlett.

— Tella! — O pânico de Scarlett foi às alturas.

Pela primeira vez houve um lampejo de medo na face de Tella também.

— O que eles estão fazendo aqui?

— Eu os convidei. — Lenda esticou um braço magnânimo na direção de Scarlett, que continuava a lutar com a corda, enquanto os dois homens se aproximavam. — Amarrada e pronta para partir, como prometido — anunciou ele.

— Daniel, o que você está fazendo? — sussurrou Tella.

— Você realmente deveria ter ouvido sua irmã. — Lenda deu um passo para o lado, abrindo caminho para que o Governador Dragna e o Conde Nicolas d'Arcy se dirigissem a Scarlett.

O conde havia se arrumado desde a última vez que ela o vira. Seus cabelos negros estavam penteados, e ele tinha vestido um fraque vermelho. Fitou Scarlett e balançou a cabeça como se dissesse: *eu avisei*.

— Posso ficar com a corda? — perguntou o governador, com os olhos cheios de retaliação.

— Daniel, diga a eles que fiquem bem longe de nós! — Tella gritou.

— Ah, Donatella — suspirou Lenda. — Tola e teimosa até o fim. Não existe nenhum Daniel DeEngl. Se bem que foi divertido fingir.

Lenda gargalhou com perversidade. Era o mesmo som horrível que Scarlett ouvira nos túneis.

Farpas se enterraram nos braços de Scarlett enquanto ela batalhava para se libertar das amarras.

Tella não disse mais nem uma palavra, mas Scarlett pôde ver a irmã desmoronar. Ela parecia cada vez menor e mais nova enquanto continuava a olhar para Lenda do modo como Scarlett olhara para Julian ao descobrir que ele a havia enganado. Acreditando, mas não aceitando. Esperando por uma explicação que, Scarlett sabia, nunca viria.

Até o Governador Dragna pareceu atordoado com a revelação da identidade de Lenda. No entanto, o conde não pareceu totalmente surpreso. Ele simplesmente inclinou a cabeça.

— Não acredito em você — disse Tella.

— Quer que eu faça uma mágica para provar que sou mesmo Lenda?

— Não é nisso que não acredito. Você disse que me amava — afirmou Tella. — Todas aquelas coisas que me falou...

— Eu menti — respondeu Lenda sem emoção. E havia algo na indiferença de suas palavras. Como se Tella não fosse importante o suficiente nem para ser detestada.

— Mas... mas... — gaguejou Tella. O encantamento que Lenda lhe pusera finalmente se quebrava. Se ela fosse feita de porcelana, assim como Scarlett tantas vezes pensava, teria se estilhaçado. Mas ela apenas continuava a se afastar. Estava cada vez mais próxima daquela borda perigosa do terraço.

— Tella, pare! — gritou Scarlett. — Você está quase no limite.

— Eu não vou parar até que vocês se afastem dela. — Tella disparou um olhar afiado para seu pai e o conde. — Se qualquer um de vocês der mais um passo na direção da minha irmã, eu juro que salto. E, pai, você sabe que, sem mim, jamais será capaz de controlar Scarlett. Ainda que você a tenha, sabe que esse casamento nunca vai se realizar.

O governador e o conde ficaram imóveis, mas Tella continuou a retroceder, as sapatilhas prateadas deslizando por todo o caminho até a borda do terraço.

— Tella, pare! — Scarlett lutou para se livrar das cordas, as contas do vestido estourando enquanto ela se debatia na cadeira. Isso não podia estar acontecendo. Não depois de ver Julian morrer. Não podia perder Tella assim. — Você está muito perto da borda!

— É um pouco tarde demais para isso. — Tella riu, um som quebradiço, tão frágil quanto ela mesma. Scarlett queria correr até ela, segurá-la ali, onde ela cambaleava na beira do terraço. Mas a corda ainda não estava frouxa o bastante. Os tornozelos tinham conseguido se libertar, mas os braços ainda estavam amarrados. Apenas as estrelas a contemplavam, solidárias, enquanto Scarlett balançava para a frente e para trás, na esperança de que, se derrubasse a cadeira conseguiria quebrar um dos braços e finalmente se soltar.

— Donatella, está tudo bem — falou o pai, quase carinhoso. — Você ainda pode voltar para casa comigo. Vou perdoar você. Você e sua irmã.

— Espera que eu acredite nisso?! — explodiu Tella. — Você é um mentiroso, e pior do que ele! — Ela apontou um dedo trêmulo para Lenda. — Todos vocês são mentirosos!

— Tella, eu não sou. — Com um estrépito, a cadeira foi ao chão. Um dos braços se quebrou e Scarlett pôde finalmente se desvencilhar das amarras e correr para a borda.

— Fique longe, Scar! — Tella moveu um pé, de modo que seu tornozelo passou além da beirada.

Scarlett congelou.

— Tella, por favor...

Scarlett tentou dar mais um passo, mas, quando Tella balançou, ela se imobilizou de novo, temendo que qualquer movimento em falso pudesse empurrar sua irmã para além da borda, de onde ela tanto queria resgatá-la.

— Por favor, confie em mim. — Scarlett estendeu a mão, não mais manchada de sangue. Tinha esperanças de poder salvar Tella do modo como não fora capaz de salvar Julian nos túneis. — Vou encontrar um jeito de cuidar de você. Amo tanto você.

— Ah, Scar — disse Tella. As lágrimas escorriam pelas faces rosadas. — Amo você também. E gostaria de ser forte como você. Forte o bastante para ter esperança de que tudo possa melhorar, mas acho que não consigo mais. — Os olhos cor de avelã encontraram os de Scarlett, tristes como madeira recém-cortada. Então ela os fechou, como se não suportasse mais olhar para a irmã. — Eu falei sério quando disse que preferia morrer no fim do mundo a viver uma vida miserável em Trisda. Sinto muito.

Com dedos trêmulos, Tella soprou um beijo para sua irmã.

— Não...

Tella pisou o vazio além da borda.

— *Não*! — berrou Scarlett, vendo a irmã despencar noite adentro.

Sem asas para voar, ela caiu para a morte.

38

Scarlett só recordaria fragmentos e porções do que aconteceu em seguida. Só se lembraria de como Tella parecera uma boneca, derrubada de uma prateleira muito alta, até o sangue começar a formar uma poça em torno dela.

Mesmo então, Scarlett não pôde desviar os olhos do corpo sem vida da irmã. Permaneceu ali, só desejando. Desejando que Tella se mexesse. Que Tella se levantasse e andasse. Desejando ter um relógio que pudesse retroceder no tempo e dar a Scarlett uma última chance de salvá-la.

Lembrou-se do relógio de bolso que vira em seu primeiro dia na ilha, capaz de distorcer o tempo. Se ao menos Julian tivesse roubado esse relógio, não outro.

Mas Julian também estava morto.

Scarlett sufocou um soluço. Havia perdido os dois. Chorou até começar a sentir dor nos olhos e no peito e em partes do corpo onde não sabia que poderiam doer.

O conde se aproximou, como se para oferecer algum tipo de consolo.

— Pare. — Scarlett ergueu a mão trêmula. — Por favor. — Engasgou-se nas palavras, mas não poderia suportar o conforto oferecido por ninguém, principalmente por ele.

— Scarlett — disse o pai. Ele se aproximou dela enquanto o conde se afastava. Ou melhor, arrastou-se para junto dela. Encurvado, como se tivesse um fardo invisível atado às costas, e pela primeira vez Scarlett não viu ali um monstro, mas só um valentão velho e triste. Viu como os cabelos claros dele se tornaram cinzentos nas têmporas, e os olhos, repletos de veias. Um dragão de asas quebradas e fogo extinto. — Sinto muito...

— Não — interrompeu ela; ele merecia isso. — Nunca mais quero ver você. Não quero mais ouvir sua voz, e não quero que tente tranquilizar sua consciência pedindo desculpas. Você causou isso. Você a fez vir para este lugar.

— Eu só estava tentando proteger vocês. — As narinas do Governador Dragna se dilataram. Suas asas podiam estar quebradas, mas ainda lhe restava algum fogo, afinal. — Se você tivesse me ouvido, em vez de ser tão desobediente, ingrata e mis...

— Senhor! — Jovan, que Scarlett não tinha notado antes, colocou-se corajosamente diante do governador. — Acho que já disse o suficien...

— Saia da minha frente. — Ele estapeou o rosto de Jovan.

— Não toque nela! — disseram Scarlett e Lenda ao mesmo tempo, embora fosse Lenda quem se lançasse sobre ele como um raio. Traços brancos e afiados e olhos muito, muito escuros agora focalizavam o governador. — Você não machucará mais nenhum dos meus artistas.

— Ou então você fará o quê? — rosnou o Governador Dragna. — Conheço as regras. Sei que não pode me machucar enquanto o jogo estiver em andamento.

— Então, também sabe que o jogo acaba ao amanhecer, que se aproxima rápido. Quando isso acontecer, não serei mais limitado por essas regras. — Lenda exibiu os dentes. — E, já que você viu minha verdadeira face, é ainda mais um incentivo para que eu livre o mundo de sua presença.

Lenda moveu o pulso, e cada vela e poço de fogo ao longo do terraço queimou com mais intensidade, lançando um fulgor infernal, vermelho-alaranjado, pelo piso de obsidiana.

O Governador Dragna empalideceu.

— Posso não ter me importado com sua filha — continuou Lenda —, mas me importo com meus artistas, e sei o que você fez.

— Do que ele está falando? — perguntou Scarlett.

— Não dê ouvidos a ele — exortou o governador.

— Seu pai achou que pudesse *me matar* — contou Lenda. — O governador acreditou que Dante fosse o mestre do Caraval e tirou a vida dele.

Scarlett olhou horrorizada para o pai.

— *Você* matou Dante?

Até mesmo o conde, que agora estava a certa distância, pareceu abalado com a notícia.

A respiração do Governador Dragna ficou áspera.

— Eu só estava tentando proteger vocês!

— Talvez deva pensar em proteger a si mesmo — prosseguiu Lenda. — Se eu fosse você, *Governador*, partiria agora e nunca mais voltaria, nem a este lugar nem a qualquer outro onde possa me encontrar. Da próxima vez que eu o vir, as coisas não terminarão de modo tão favorável.

O conde recuou primeiro.

— Não tive nada a ver com nenhum assassinato. Só vim aqui por ela. — Os olhos do conde se cravaram em Scarlett, sustentando o olhar dela muito além daquele momento inicial de desconforto. Não disse mais nenhuma palavra. Mas seus lábios se curvaram só o bastante para exibir um vislumbre dos dentes brancos. Do mesmo jeito como a olhara na primeira vez que ela fugira dele: como se os dois tivessem acabado de começar um jogo e ele estivesse ansioso por jogar.

Scarlett teve a impressão de que, embora o Conde Nicolas d'Arcy estivesse partindo, o negócio entre eles estava longe de ser encerrado.

O conde inclinou a cabeça numa imitação de cumprimento. Então, virou-se e marchou porta afora, as botas prateadas ecoando enquanto desaparecia.

— Venha. — O governador gesticulou com a mão trêmula para que Scarlett o acompanhasse. — Nós vamos embora.

— Não. — Scarlett tremia de novo, mas manteve a posição. — Não vou a lugar nenhum com você.

— Sua idiota... — O governador soltou um palavrão. — Se você ficar, ele terá derrotado nossa família. É isso que ele quer. Mas, se quiser vir comigo, ele perde. Tenho certeza de que o conde vai...

— Não vou me casar com ele e você não pode me forçar. Foi *você* quem destruiu nossa família. Só o que você quer é poder, controle — bravejou Scarlett —, mas não terá nem poder nem controle sobre mim. Não mais. Não tem mais como me prender agora que Tella se foi.

Por um momento, Scarlett ficou tentada a se aproximar da borda e acrescentar: *Agora, vá embora, antes que perca suas duas filhas.* Mas não o deixaria destruí-la como tinha destruído a irmã. Faria o que deveria ter feito muito tempo atrás.

— Conheço seus segredos, pai. Sempre tive muito medo antes, mas, agora que você não pode mais usar Tella para me controlar, não tenho motivo para ficar quieta. Sei que acha que pode escapar impune de um assassinato, mas imagino que seus guardas não serão leais por muito tempo depois que eu contar a todos que você matou o filho de um deles. Vou contar à ilha inteira como você matou Felipe, como o afogou com suas próprias mãos só para me assustar e me obrigar a ser obediente. Acha que vai dormir bem depois que o pai de Felipe souber disso? E conheço outros segredos também, segredos que vão dar fim a tudo o que você construiu.

Scarlett nunca tinha sido tão atrevida em toda a vida. Seu coração e sua alma e até suas memórias conseguiam doer. Tudo ardia. Sentia--se vazia e pesada ao mesmo tempo. Respirar a torturava e falar exigia todas as forças. Mas ainda estava viva. Ainda respirava, falava e sentia. Quase tudo o que sentia era agonia; também sentia, porém, que não tinha medo de nada.

E, pela primeira vez, o pai parecia ter medo *dela*.

Parecia ter mais medo de Lenda. De todo modo, ele estava de saída, e ela não acreditava que viesse atrás dela de novo. Nenhum governador vivia muito tempo sem guardas leais. As Ilhas Conquistadas não eram o lugar mais prestigioso para governar, mas sempre havia alguém disposto a usurpar o poder.

Então, quando ele saiu pela porta, a sensação deveria ter sido de vitória. Finalmente, Scarlett estava livre. Livre do pai. Livre para ir aonde quisesse — Julian havia lhe dado o transporte e as coordenadas no relógio de bolso.

Julian. A tristeza que sentira por ele era diferente do sentimento de perda por Tella: cada uma despedaçava uma metade diferente de Scarlett, mas ambas a exauriam igualmente. Podia sentir os novos soluços se formando no peito, inchando como ondas prestes a arrebentar; contudo, ao pensar em Julian, lembrou-se de mais uma coisa. Lembrou por que abandonara o corpo dele nos túneis.

Tinha vencido o jogo. Ainda tinha seu desejo, e Lenda estava lá para concedê-lo.

Por um momento, teve esperança, mais leve que o peso do luto. Indescritível e iridescente — e *absolutamente impossível de reter*.

Pois agora não precisava salvar apenas Julian.

O peito de Scarlett doeu de novo. Tella e Julian, ambos estavam mortos. Sentia que essa nem deveria ter sido uma escolha. Mas era, e isso a fazia sentir-se menos irmã. Ou talvez Julian fosse ainda mais importante do que ela imaginara, pois, embora soubesse que escolheria Tella, não era capaz de admitir isso sem vacilar, como se talvez houvesse um modo de salvar os dois que ela ainda não tivesse descoberto.

Sua irmã ou o garoto pelo qual Scarlett provavelmente estava apaixonada.

Julian tinha morrido por causa dela. Arriscara tudo por ela ao encarar seu pai e depois lhe entregar aquele relógio de bolso pouco antes de ela encontrar Lenda. Scarlett pensou em como a voz dele parecera atormentada quando tentara contar a verdade. Não era tarefa dele protegê-la, mas ele tinha feito o possível. Também a tinha feito sentir coisas que nunca imaginara poder desejar, e ela o amaria para sempre por isso.

Mas Tella não era só sua irmã, era sua melhor amiga, a única pessoa no mundo que ela deveria ter amado mais que tudo e todos, a pessoa de quem deveria cuidar.

Scarlett se voltou para Lenda, decidida.

— Eu venci. Você me deve um desejo.

Lenda bufou como se a situação o divertisse.

— Receio que minha resposta a isso seja não.

— Como assim, não?

— Pelo seu tom — respondeu ele secamente —, acho que sabe exatamente o que quero dizer.

— Mas eu venci o jogo — argumentou Scarlett. — Solucionei suas pistas confusas. Encontrei minha irmã. Você me deve um desejo.

— Espera mesmo que eu lhe conceda um desejo depois de tudo isso? — Em torno de Lenda, as velas tremularam, como se estivessem todas rindo com ele.

Scarlett cerrou os punhos, dizendo a si mesma que não voltaria a chorar, mesmo que as lágrimas ardessem no fundo dos olhos. Dar a ela um único desejo e fazê-la escolher entre as duas pessoas que amava já era cruel, mas não dar desejo nenhum era indizível.

— O que há de errado com você? Não lhe importa que duas pessoas inocentes estejam mortas? Você é absolutamente desalmado!

— Se sou tão vil, então por que você ainda está aqui? — indagou Lenda. Todavia, quando seus olhos deslizaram até ela, não eram mais as joias cintilantes que ela vira no primeiro encontro. Se ele fosse outra pessoa, ela poderia ter jurado que parecia triste.

Deve ter sido a tristeza dela. Scarlett estava vendo coisas, pois Lenda agora também parecia mais apagado. Mais opaco do que quando estivera nos túneis ou quando chegara ao terraço. Como se um encantamento tivesse sido lançado sobre ele e, de algum modo, estivesse desaparecendo, tornando-o menos Lenda do que antes fora. A pele pálida, que resplandecera nos túneis, agora parecia apenas empoeirada, sem viço, como se ela estivesse olhando para uma representação dele que tivesse desbotado com o tempo.

Por anos, Scarlett havia acreditado que ninguém pudesse ser pior que seu pai e ninguém mais mágico que Lenda. No entanto, apesar de seus truques com o fogo, o mestre do Caraval não parecia tão mágico agora. Talvez tivesse dito que não concederia o desejo a ela porque *não era capaz* de concedê-lo.

Mas Scarlett já vira maravilhas suficientes para acreditar que os desejos deviam ser reais. Tentou se lembrar de cada história que ouvira sobre a magia. Jovan tinha dito que coisas diferentes a punham para funcionar, como o tempo. Sua avó tinha dito que era o desejo. Quando Julian lhe dera um dia de sua vida, usara o próprio sangue.

Sangue. Era isso.

No mundo do Caraval, o sangue tinha um tipo de magia. Se uma gota podia dar a alguém um dia de vida, talvez Scarlett pudesse trazer Julian e Tella de volta à vida caso desse o próprio sangue.

Ela se voltou para Jo.

— Como posso descer até a rua?

Scarlett não sabia se a garota responderia, mas Jo logo explicou como encontrar exatamente o que procurava.

Lá fora, escurecia mais a cada segundo, e as lâmpadas queimavam com menos força, sinalizando a última hora da noite.

Uma multidão se reunira ao redor de Tella. A preciosa Tella, que já não era a Tella de Scarlett. Não tinha mais o sorriso, a risada e os segredos e as provocações e todas as coisas que faziam dela a amada irmã de Scarlett.

Ignorando os espectadores, Scarlett caiu de joelhos, afundando-se na poça de sangue em torno da irmã, que parecia quebrada de todos os jeitos possíveis. Os braços e as pernas estavam virados em ângulos pavorosos, os cachos de mel, brilhantes, embebidos de vermelho.

Scarlett mordeu com força o próprio dedo, até o sangue pingar na palma da mão. Apertou-a nos lábios azuis e inertes da irmã.

— Tella, beba! — falou Scarlett. Seus dedos tremiam enquanto ela os mantinha junto da boca de Tella, mas esta não se mexeu nem respirou. — Por favor, você me disse que a vida era mais que isso — sussurrou. — Não pode parar de viver agora. Quero que você volte para mim.

Fechou os olhos e repetiu o desejo como uma súplica. Tinha parado de acreditar nos desejos no dia em que seu pai matara Felipe, mas o Caraval havia restaurado sua fé na magia. Não importava que Lenda dissesse não. Era como sua avó tinha dito: *todas as pessoas conseguem um desejo impossível, só um, se quiserem uma coisa mais que tudo, e podem encontrar um pouco de magia para ajudá-las.* Scarlett amava a irmã mais que tudo; talvez isso, combinado à magia do Caraval, bastasse.

Continuou a desejar, enquanto, ao seu redor, as velas das lamparinas se apagavam lentamente até não restar mais chama, assim como a garota imóvel nos braços de Scarlett.

Não havia funcionado.

Novas lágrimas escorreram pelo rosto de Scarlett. Ela poderia ter abraçado Tella até as lágrimas secarem e ela e a irmã virarem pó, uma advertência a todos aqueles que ousassem deixar-se levar longe demais pela ilusão do Caraval.

A história poderia ter acabado ali. Numa tempestade de lágrimas e murmúrios. Entretanto, quando o sol estava a ponto de nascer, no instante negro antes da alvorada, o momento mais escuro da noite, a mão castanho-escura balançou suavemente o ombro de Scarlett.

Ela ergueu o olhar e encontrou Jovan. As velas e lanternas estavam quase reduzidas a fumaça, então Scarlett mal podia vê-la, mas reconheceu a melodia leve de sua voz.

— O jogo está prestes a acabar oficialmente. Logo os sinos da manhã vão dobrar, e as pessoas vão começar a fazer as malas. Imaginei que talvez você quisesse pegar as coisas da sua irmã.

Scarlett inclinou o pescoço em direção ao desguarnecido terraço de Tella — não, o terraço de Lenda.

— Não sei o que há lá em cima, mas não quero.

— Ah, mas aqueles itens você há de querer — disse Jo.

O DIA DEPOIS DO CARAVAL

39

Quando Scarlett chegou ao quarto terrado de Tella, imaginou que fosse uma manobra, mais um jeito de atormentá-la. Os objetos no dormitório eram todos novas aquisições. Vestidos. Peles. Luvas. Nenhum deles tinha de fato o toque de Tella. A única coisa vinculada à irmã seria o vestido azul-celeste com que ela havia morrido. O vestido que havia falhado em dar a ela um final feliz.

O que quer que Jo estivesse pensando...

Scarlett parou ao avistar uma coisa. Na penteadeira de Tella havia uma caixa longa e retangular feita de vidro jateado e bordas prateadas com um fecho que fez o coração de Scarlett falhar. Era um sol com uma estrela no interior e uma lágrima dentro da estrela.

O símbolo do Caraval.

Scarlett agora odiava esse símbolo ainda mais que a cor roxa, mas sabia nitidamente que aquela caixa, com seu miserável emblema, não estava ali antes.

Devagar, levantou a tampa.

Um pedaço de papel. Desdobrou-o cuidadosamente. Tinha data de quase um ano atrás.

Primeiro dia da Estação Quente
Ano 56, Dinastia Elantine

Caro Mestre Lenda

Acredito que você seja um mentiroso, um salafrário e um vilão, e gostaria muito da sua ajuda.

Meu pai também é um vilão, embora não do tipo elegante como você. Ele é do tipo que gosta de bater nas filhas. Sei que isso não é problema seu, e, já que provavelmente tem um coração de pedra, talvez não se importe. Mas descobri que você era mesmo capaz de sentir alguma coisa quando aquela mulher se jogou do seu terraço depois de você rejeitá-la, no Caraval de alguns anos atrás. Ouvi dizer que ficou tão abalado que parou de viajar.

Socorrer a minha irmã e a mim não vai compensar totalmente o que aconteceu nessa época, mas talvez ajude um pouco. Também acho que criaria um jogo muito interessante, e sei que você gosta de jogar.

Atenciosamente
Donatella Dragna

Scarlett releu a carta, depois leu de novo, e de novo. A cada vez acreditava um pouco mais, e ainda mais, até que, por fim, não restasse a menor dúvida.

O jogo ainda não tinha acabado. E, ao que parecia, Scarlett tinha razão: o Caraval deste ano realmente envolvia mais que somente Lenda e a avó das garotas. Na verdade, sua irmã parecia ter feito algum tipo de barganha com o próprio mestre do Caraval.

— Jo! — chamou ela. — Jovan!

A jovem apareceu num passo peculiar da segunda vez que Scarlett gritou seu nome.

— Leve-me até o Mestre Lenda — pediu ela.

— O que significa isto? — Scarlett exigiu saber.

Diante dela, Lenda estava sentado numa poltrona champanhe estofada, olhando por uma janela oval. Não havia terraço na sala. Scarlett imaginou que os cômodos estivessem doentes — se é que um cômodo podia adoecer. O espaço amplo era coberto por tons tediosos de bege, com apenas duas poltronas desbotadas.

Scarlett balançou a carta na frente de Lenda, que ainda não desviara o olhar da paisagem. Espiava as pessoas lá embaixo, arrastando baús e malas de tecido enquanto iniciavam seu êxodo de volta ao mundo "real".

— Eu estava me perguntando quando você viria — comentou ele num tom vago.

— Que tipo de acordo você fez com minha irmã? — indagou Scarlett.

Um suspiro.

— Não fiz nenhum acordo.

— Então, por que deixou esta carta?

— Também não fiz isso. — O mestre do Caraval finalmente deixou de olhar pela janela, mas, de alguma forma, sua expressão plácida parecia desalinhada no rosto... ou ausente.

— Pense. Quem iria querer deixar esta carta para você? — perguntou ele.

Novamente, Lenda foi seu primeiro palpite.

— Não fui eu — repetiu ele. — E eis uma pista, não deve ser difícil de desvendar. Imagine quem *poderia* ter deixado a carta para você.

— Donatella? — arfou Scarlett. Ela poderia ter colocado a caixa ali quando saíra para buscar a corda. — Mas por quê?

Ignorando a pergunta, Lenda entregou a Scarlett uma pilha curta de cartas.

— Também devo lhe entregar isto.

— Por que não me diz o que está acontecendo de uma vez?

— Porque não é esse o meu papel. — Lenda se levantou da poltrona, chegando tão perto de Scarlett que poderia tê-la tocado. Usava novamente a cartola de veludo e o fraque. Mas não sorria, nem ria, nem fazia nenhuma das coisas loucas que ela passara a associar a ele. Olhava para ela não como se tentasse vê-la, e sim como se tentasse mostrar-lhe algo sobre si mesmo.

Mais uma vez, Scarlett sentiu-se formigar com a sensação de que alguma coisa se ausentara dele, como se as nuvens tivessem se aberto para revelar o sol, porém não houvesse atrás delas nada além de mais nuvens. No quarto de Tella, ele parecera ter tentado mostrar a ela quanto era desvairado; tinha-a feito acreditar que era capaz de cometer uma loucura a qualquer momento. Agora, era como se o contrário fosse verdade.

As palavras *meu papel* ressoaram nos pensamentos de Scarlett.

— Você não é mesmo Lenda, é?

Um leve sorriso.

— Isso quer dizer sim ou não? — Scarlett não estava com paciência para enigmas.

— Meu nome é Caspar.

— Essa ainda não é a resposta — disse Scarlett.

Contudo, enquanto o encarava, as peças do quebra-cabeça se juntavam em sua mente, criando uma imagem completa de algo que ela não fora capaz de ver até esse momento. Em torno do pescoço de Scarlett, o relógio de bolso parecia emanar calor conforme ela se lembrava da confissão interrompida de Julian, como se ele tivesse sido fisicamente incapaz de pronunciar as palavras. A mesma coisa tinha acontecido a ele no carrossel, pouco antes de ela pular.

— Sendo ator, a magia impede que você diga certas coisas — concluiu ela em voz alta. Recordou, então, mais uma coisa: palavras de um sonho que lhe disseram que não esqueceria. *Dizem que Lenda usa um rosto diferente a cada jogo.*

Magia, não. Uma série de atores. Isso também explicava por que Caspar parecera mais apagado e opaco, como uma cópia do verdadeiro Lenda, quando tinham estado no terraço — deveria ter havido mesmo uma espécie de encantamento nele. E, quando o Caraval chegara ao fim, ele começara a se esvair. Os cantos dos olhos agora estavam vermelhos, a pele abaixo deles, inchada. Nos túneis, a pele clara fora de uma perfeição assustadora, mas agora ela podia ver pequenas cicatrizes no maxilar, onde imaginava que ele tivesse se arranhado ao se barbear. Tinha até algumas sardas no nariz.

— Você realmente não é Lenda. — Desta vez era uma afirmação, não uma pergunta. — Foi por isso que disse que não me concederia o desejo. Você é só um ator, então não é capaz de tornar um desejo realidade.

Ao que parecia, o jogo não tinha mesmo acabado.

Scarlett não deveria ter presumido que o verdadeiro Lenda aparecesse para ela. Quantos anos havia passado escrevendo para ele antes de receber resposta?

— Ao menos existe um Lenda?

— Ah, sim. — Caspar riu, um riso tão frouxo quanto seu sorriso, temperado com alguma coisa amarga. — Lenda é totalmente real, mas a maioria das pessoas nem sabe se já o encontrou... até mesmo muitos dos seus atores. O mestre do Caraval não sai por aí se apresentando como Lenda. Quase sempre, finge ser outra pessoa.

Scarlett pensou na miríade de pessoas que vira durante o Caraval. Ela se perguntou se alguma delas fora o ardiloso Lenda.

— Você já o encontrou? — indagou ela.

— Não tenho permissão para responder.

Em outras palavras, não o encontrara.

— No entanto — acrescentou ele —, parece que sua irmã conseguiu cativar a atenção dele.

Caspar indicou a mão de Scarlett. Seis cartas escritas por duas pessoas diferentes. Começando uma estação depois da primeira missiva de Tella.

Primeiro dia da Estação da Colheita

Ano 56, Dinastia Elantine

Cara Senhorita Dragna

A senhorita propõe uma pergunta interessante, embora eu não imagine que tipo de ilusão a tenha levado a acreditar que eu a ajudaria. Se conhece minha história, está ciente do que aconteceu entre mim e sua avó Annalise.

— L

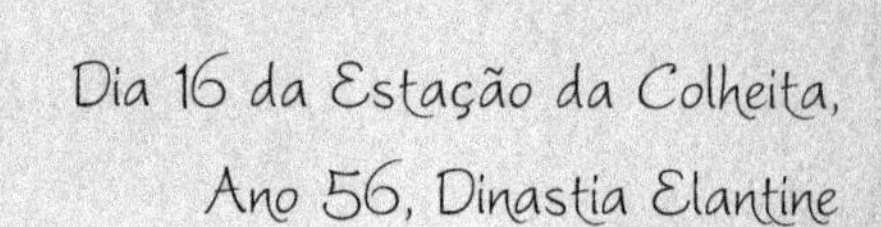
Dia 16 da Estação da Colheita,
Ano 56, Dinastia Elantine

Caro Mestre do Caraval

Conheço perfeitamente sua história. Mas também sei que uma vez lhe disseram que todo papel que desempenhasse durante o Caraval afetaria quem você é como pessoa. E há pouco tempo ouvi que, depois que aquela mulher se matou, você não quis mais ser um vilão e passou a se empenhar mais no tipo heroico. Esta é sua chance de se redimir.

Donatella Dragna

Dia 44 da Estação da Colheita
Ano 56, Dinastia Elantine

Cara Senhorita Dragna

Estou além da redenção. Entretanto, pensei no assunto e, a depender de quão longe esteja disposta a ir, talvez eu possa trabalhar com a senhorita.

— L

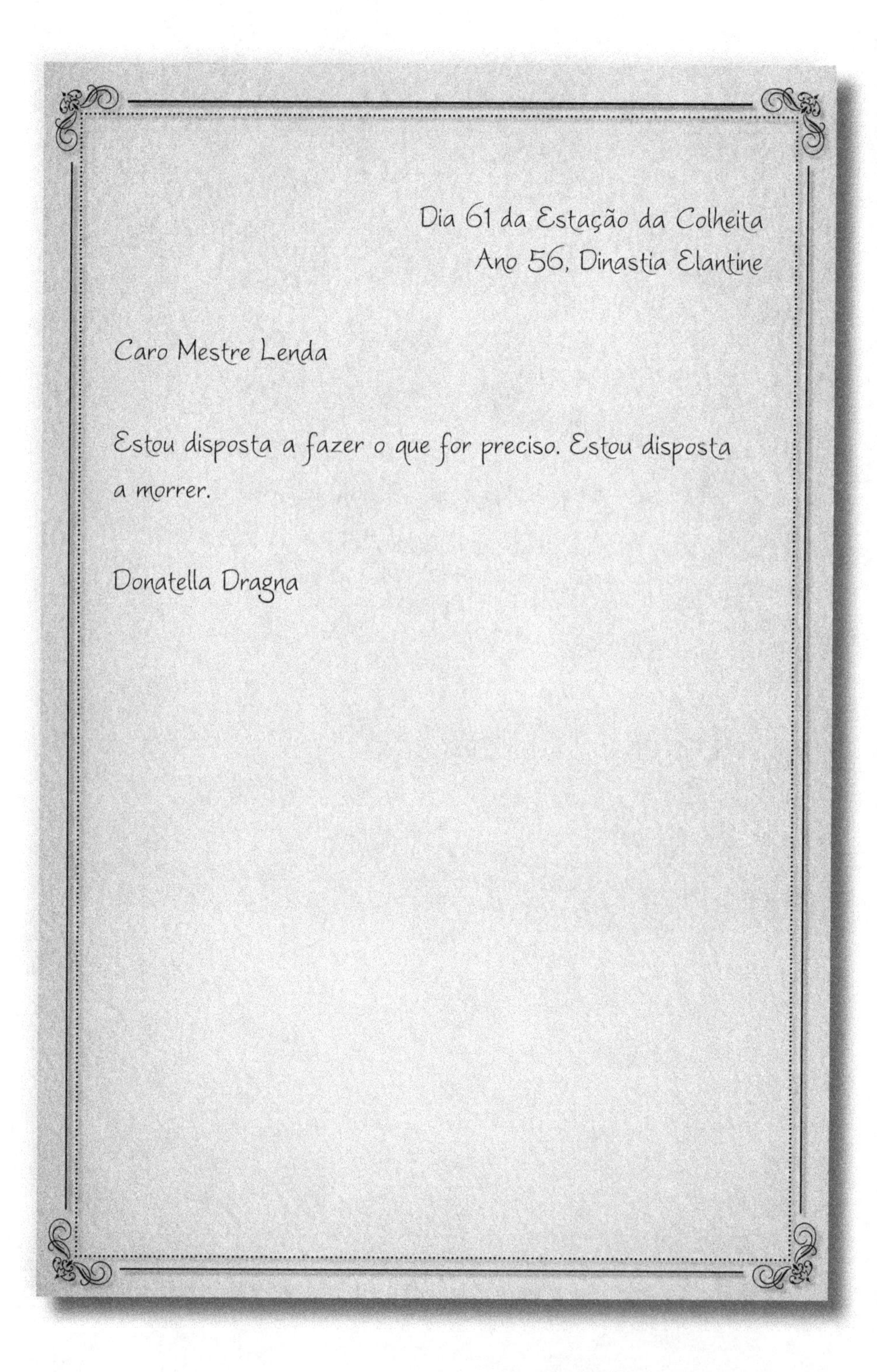

Dia 61 da Estação da Colheita
Ano 56, Dinastia Elantine

Caro Mestre Lenda

Estou disposta a fazer o que for preciso. Estou disposta a morrer.

Donatella Dragna

Scarlett amaldiçoou a irmã por ter escrito palavras tão tolas. Insensatas. Descuidadas. Imprudentes. Irracionais...

A raiva de Scarlett sossegou-se quando ela leu a carta seguinte.

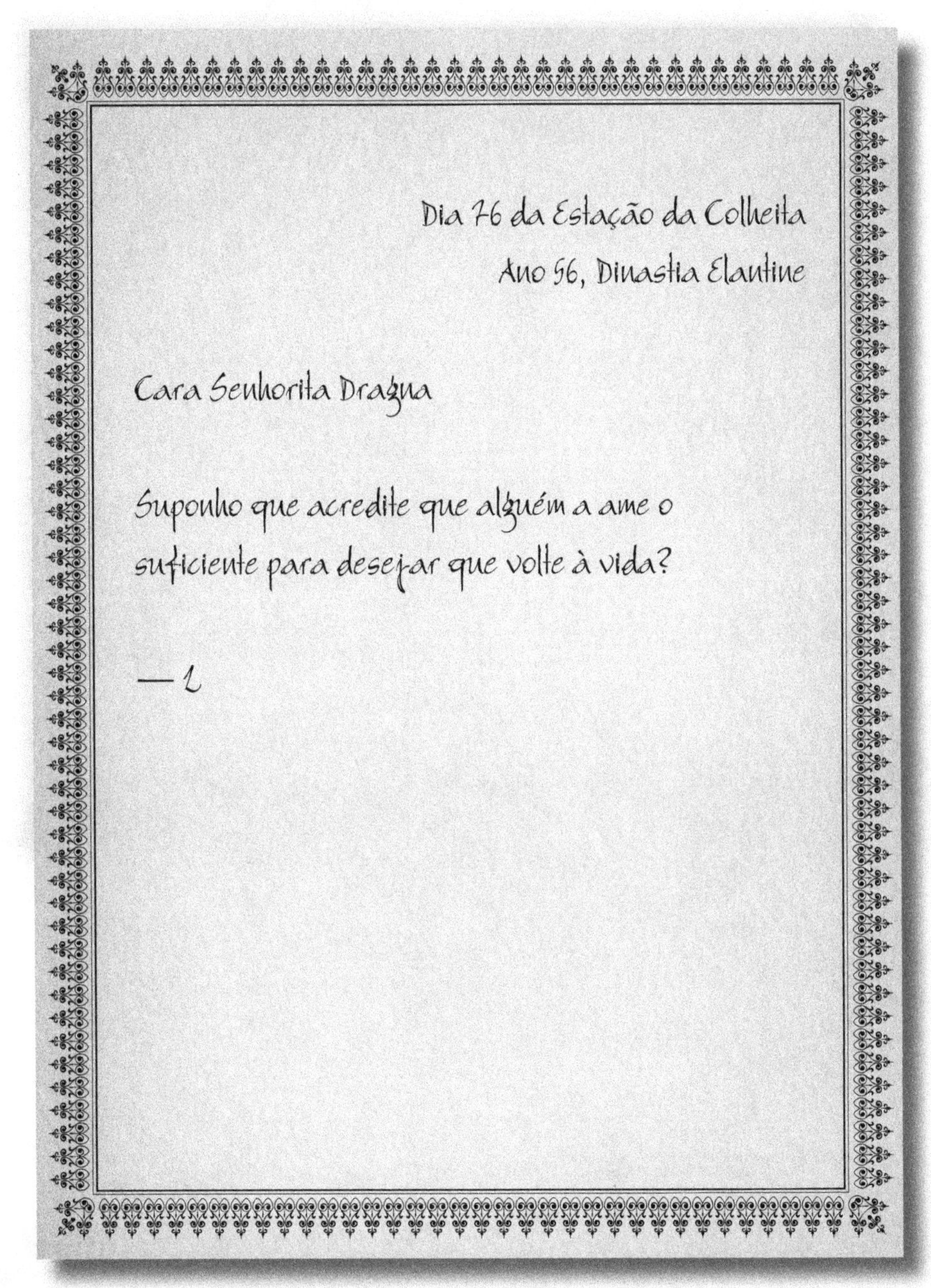

Dia 76 da Estação da Colheita
Ano 56, Dinastia Elantine

Cara Senhorita Dragna

Suponho que acredite que alguém a ame o suficiente para desejar que volte à vida?

— L

Dia primeiro da Estação Fria
Ano 56, Dinastia Elantine

Caro Mestre Lenda

Certamente.

Donatella Dragna

Não havia mais cartas depois disso. Scarlett as releu e, a cada vez, seus olhos ardiam em novas lágrimas. *O que Tella estava pensando?*

— Ela parece ter achado que você a traria de volta à vida com um desejo — arriscou Caspar.

Scarlett não percebeu que fizera a pergunta em voz alta. E talvez a resposta do ator devesse tê-la feito sentir-se melhor.

Não fez.

Ela voltou a olhar para as cartas.

— Como é que minha irmã sabia de tudo isso?

— Não posso responder por ela — falou Caspar. — Mas posso dizer que o Caraval não é o único lugar onde as pessoas trocam segredos por outras coisas. Sua irmã deve ter dado algo muito valioso numa barganha para tomar conhecimento de tanta coisa.

As mãos de Scarlett tremeram. Por todo esse tempo, Tella estivera trabalhando para salvar as duas. E Scarlett falhara com ambas. Tentara reviver Tella com um desejo, mas não devia tê-la amado o bastante.

Do outro lado da janela oval, o mundo desbotara ainda mais. Qualquer que fosse a mágica que mantinha o Caraval coeso vinha se desfazendo rapidamente em pó, levando consigo todos os prédios e ruas. Scarlett viu tudo lá fora desaparecer enquanto novas lágrimas desciam por sua face.

— Tella insensata.

— Pessoalmente, acho que *inteligente* é uma palavra mais apropriada.

Scarlett virou-se.

Uma garota de sorriso endiabrado e cachos de querubim.

— Tella? É você mesmo?

— Ah, por favor, achei que você conseguiria dizer algo melhor que isso. — Os cachos de Tella se balançaram quando ela deslizou pela sala. — E, por favor, não chore.

— Mas eu vi você morrer! — exclamou Scarlett.

— Eu sei, e acredite no que digo, mergulhar rumo ao chão não é um bom modo de partir. — Tella sorriu de novo, mas sua morte, não importava quão breve ou falsa, ainda parecia real demais, *recente demais* para ser motivo de piada.

— Como é que você pôde... me fazer passar por isso? — balbuciou Scarlett. — Como pôde fingir que se matou enquanto eu olhava?

— Acho que vou deixá-las a sós. — Caspar se dirigiu à porta e lançou a Scarlett um olhar de despedida. — Espero que não haja rancor. Vejo vocês na festa?

— Festa? — perguntou Scarlett.

— Ignore-o — mandou Tella.

— Pare de me dizer o que fazer! — Scarlett perdeu o controle, chorando mais uma vez, o tipo de pranto desvairado que a fazia soluçar e fungar.

— Sinto muito, Scar. — Tella se aproximou e estreitou a irmã nos braços. — Não queria que você passasse por isso.

— Então, por que fez isso? — Scarlett se desvencilhou, soluçando ao se afastar de modo que uma das cadeiras estofadas ficasse entre ela e a irmã. Não importava como estivesse aliviada por ver Tella viva, não conseguia se livrar do que sentira ao vê-la morrer. Ao aninhar o corpo morto. Ao acreditar que nunca mais ouviria sua voz.

— Eu sabia que o seu amor me traria de volta à vida — afirmou Tella.

— Mas eu não trouxe você de volta à vida. Lenda não me concedeu o desejo.

— Um desejo não é algo que se possa conceder — explicou Tella. — Lenda poderia dar a você um pouco de magia para ajudar, mas o desejo só funcionaria se você quisesse mais que tudo.

— Então, está dizendo que eu trouxe mesmo você de volta à vida? — Scarlett ainda não conseguia entender. Quando vira a irmã ali, viva, respirante e irreverente, imaginara que a morte de Tella tivesse sido um tipo de truque elaborado. Mas não havia nada de cômico na expressão da irmã agora. — Tella, e se tivesse falhado?

— Eu sabia que você conseguiria — respondeu Tella com firmeza. — Ninguém me ama tanto quanto você. Você teria pulado do terraço se Caspar a tivesse convencido de que isso me protegeria.

— Não sei se faria isso — murmurou Scarlett.

— Eu sei — insistiu Tella. — Você pode não ter conseguido me ver durante o jogo, mas saí escondida para ver você algumas vezes. Mesmo quando você não passou nos testes, eu soube que ainda seria capaz de me salvar.

— Testes?

— Lenda insistiu que fizéssemos você passar por algumas provas. Ele prometeu que poderia fornecer um pouco de magia, mas você tinha que querer o desejo com todas as suas forças, ou ele não aconteceria no fim do jogo. Foi por isso que a mulher na Loja de Vestidos perguntou o que você mais desejava.

— Mas eu falhei nesse teste.

— Não falhou em todos. Passou no mais importante, e isso bastou. Se não tivesse passado, eu não deveria pular.

Scarlett se lembrou do que Caspar dissera ao fazê-la andar até a beira do terraço. *Se não estiver disposta a fazer isso, nunca será capaz de salvá-la.*

— Por favor, não se zangue. — Tella franziu a boca em forma de coração. — Fiz isso por nós duas. Como você disse, o pai me caçaria até o fim do mundo se eu fugisse.

— Mas não se você morresse — concluiu Scarlett.

Tella concordou com ar sombrio.

— Na noite em que partimos, deixei um par de ingressos para ele com um bilhete de Lenda dizendo que o pai nos encontraria no Caraval.

Scarlett respirou fundo, trêmula, ao imaginar Tella se esgueirando para o escritório do pai. Ainda estava tentada a ralhar com a irmã por maquinar uma trama tão perigosa e horrível, mas pela primeira vez Scarlett pôde ver que sempre havia subestimado Tella. Sua irmã mais nova era mais inteligente, astuta e corajosa do que Scarlett jamais acreditara.

— Você poderia ter me contado — disse Scarlett.

— Eu queria.

Tella contornou cuidadosamente a poltrona, até as irmãs estarem cara a cara. Tinha trocado o vestido arruinado com o qual morrera; agora, vestia branco — um tom fantasmagórico, e Scarlett imaginou se o teria escolhido exatamente por isso. Como se fosse necessário um pouco mais de drama.

— Você não tem ideia de como foi difícil não contar nada antes de sairmos de Trisda, e, quando estávamos naquele terraço, fiquei mor... fiquei nervosa. Mas guardar segredo era parte da barganha. Lenda disse que contar a verdade colocaria você sob muita pressão; disse que você poderia falhar por medo. E aquele salafrário gosta dos jogos dele. — A expressão de Tella se azedou.

Scarlett teve a impressão de que esse jogo era também mais do que Tella havia combinado. Não era de admirar, considerando-se tudo o que Scarlett descobrira sobre Lenda.

— Então, isso não teve nada a ver com a Vovó Anna?

Tella confirmou meneando a cabeça.

— Eles de fato tiveram um romance. É verdade que não acabou bem porque ela escolheu outro homem, mas Lenda nunca jurou destruir todas as mulheres da linhagem. Depois que a Vovó foi para as Ilhas Conquistadas para se casar com nosso avô, começou um boato de que ela havia fugido para lá para se esconder porque Lenda queria vingança. Mas isso também não é verdade. Tenho razoável certeza de que muitas mulheres já aqueceram a cama dele desde então.

Scarlett pensou em Rosa e em tudo o que Tella tinha escrito nas cartas. Mesmo que Lenda não tivesse jurado destruir Anna, seu coração partido parecia ter arruinado pelo menos uma mulher. Scarlett também imaginava que ele se divertira mais que o normal com ela e Tella porque eram as netas de Annalise.

Teria feito mais perguntas. Contudo, embora continuasse curiosa sobre Lenda, não podia mais ignorar a dor de outra morte que ainda pesava em seus pensamentos.

— Preciso saber de Julian.

Tella mordeu o canto do lábio.

— Eu estava imaginando quando é que você ia perguntar sobre ele.

— Como assim? — As palavras de Scarlett saíram ásperas. Queria perguntar mais, mas ainda não conseguia se forçar a indagar se ele estava mesmo vivo ou morto. Desde que Tella entrara, Scarlett tinha se atrevido a esperar que Julian não estivesse morto de fato. A expressão de Tella, porém, tornou-se insondável, fazendo Scarlett temer que hoje só viesse a ter *um* final feliz. — Você sabia que ele ia morrer?

Tella meneou a cabeça devagar, confirmando.

— Na verdade, isso pode ter sido culpa minha.

41

Scarlett empalideceu, caindo numa cadeira.

— Você causou a morte dele.

— Por favor, não fique zangada. Eu estava tentando proteger você.

— Fazendo com que ele fosse morto?

— Ele não está morto de verdade — garantiu Tella.

— Então, onde ele está? — Scarlett olhou ao redor como se Julian fosse repentinamente surgir pela porta. No entanto, como a porta não se abriu e Tella franziu a testa, o pânico de Scarlett retornou. — Se ele está vivo, por que não veio com você?

— Se você se acalmar, vou explicar tudo. — A voz de Tella continha um sutil tremor. — Antes que o jogo começasse, eu disse a Lenda que não queria ninguém fazendo você se apaixonar. Eu sabia quanto você queria se casar com o conde. Nunca gostei dessa ideia, mas queria que você escolhesse outro caminho por suas próprias razões, e não por causa de um ator do Caraval que estivesse fingindo ser outra pessoa. Então... — Tella parou, arrastando a última palavra antes de se apressar a continuar: — Eu disse para Lenda que, se isso acontecesse, queria que o ator saísse de cena antes de o jogo terminar, para que você tomasse uma decisão definitiva a respeito do seu noivo. Agora vejo como isso foi equivocado. Mas eu juro, estava tentando proteger seu coração.

— Você não deveria ter...

— Não precisa dizer. — Tella balançou para trás sobre os tornozelos, franzindo a testa de novo. — Sei que cometi um monte de erros. Na minha cabeça, vi tudo se desenrolar de um jeito diferente. Não tinha percebido como Lenda é imprevisível. Ele deveria ter tirado Julian do jogo antes, e nunca imaginei que Lenda mesmo fosse matá-lo na sua frente.

Tella parecia verdadeiramente arrependida, mas isso não apagava o horror que se agitava dentro de Scarlett. Ninguém jamais deveria ser obrigado a assistir à morte de duas pessoas amadas na mesma noite.

— Então, Julian está vivo agora?

— Sim, vivíssimo. Mas por que você não parece feliz? — Tella franziu as sobrancelhas. — De acordo com o que ouvi sobre vocês dois, pensei que...

— Prefiro não discutir meus sentimentos agora. — Nem nenhuma outra coisa que sua irmã tivesse ouvido. Já havia coisas demais para Scarlett processar. Muitos fios de realidade misturados a fios de farsa; todos emaranhados.

Scarlett queria muito ficar emocionada por Julian estar vivo, mas ainda sentia a dor da morte dele, e o fato de que tudo havia sido encenação significava que o Julian por quem ela tinha se apaixonado também nunca existira... Era apenas um personagem representado por um dos atores de Lenda.

— Preciso entender como isso funciona. Preciso saber o que é real e o que não é. — As lágrimas ameaçavam cair de novo. Scarlett sabia que deveria estar feliz, e uma parte dela estava aliviada, mas também se sentia terrivelmente confusa. — Tudo o que aconteceu estava roteirizado?

— Nem tudo. — Tella sentou-se na cadeira ao lado de Scarlett. — Meu sequestro e o seu sequestro foram ideias minhas. E eu sabia que você passaria pelo teste antes do nosso encontro no terraço, de onde eu teria que saltar. Mas a maior parte das coisas que aconteceram nesse ínterim não estavam no roteiro. Antes de cada jogo, os atores são presos a uma magia que os impede de confessar certas verdades... como admitir que de fato são atores — prosseguiu Tella. — Eles recebem instruções a serem seguidas, mas suas ações não são totalmente predeterminadas. Acho que você já sabe disso, mas durante o Caraval há sempre uma pitada de realidade misturada a tudo. Há livre-arbítrio envolvido. Então, posso lhe dizer o que foi real para Julian. E provavelmente não devo lhe contar que o papel dele deveria ter acabado pouco depois de você chegar à ilha. — Tella fez uma pausa repleta de significado.

Julian havia dito algo similar, mas, à luz de todos os acontecimentos, Scarlett já não tinha certeza se acreditava nas coisas que ele dissera. Por tudo o que ela sabia, Julian era mesmo Lenda, afinal.

Ainda assim, precisou perguntar:

— O que você quer dizer com isso?

— De acordo com os outros atores, o papel de Julian se restringia a nos trazer até a ilha e depois zarpar. Parece que ele deveria ter deixado você numa relojoaria. Mas não fui eu quem lhe contou isso — disse Tella. — E, caso você esteja se perguntando, eu e Julian jamais nos envolvemos de verdade. Nunca demos nem um beijo.

Scarlett corou; isso era algo em que ela vinha evitando pensar.

— Tella, eu posso explicar, eu nunca teria...

— Não precisa explicar — interrompeu Tella. — Eu nunca culpei você por nada. Se bem que, admito, ficava surpresa quando chegavam relatos sobre como as coisas estavam progredindo. — A voz dela foi ficando mais fina, como se estivesse à beira de uma risada.

Scarlett cobriu o rosto com as mãos. *Mortificada* não era uma palavra forte o bastante para expressar. Apesar das palavras de Tella, Scarlett se sentia enganada e humilhada.

— Scar, não fique constrangida. — Tella tirou os dedos da irmã das bochechas vermelhas. — Não há nada de errado na sua relação com Julian. E, caso esteja preocupada, não foi ele quem me contou sobre o que estava acontecendo entre vocês dois. Na maior parte das vezes foi Dante, que parecia bem contrariado por você não ter gostado mais *dele*. — Tella fez uma careta engraçada, dando a Scarlett a impressão de estar satisfeita com isso.

— Suspeito que Dante também não tenha morrido...

— Não, ele morreu, mas também voltou, assim como Julian — disse Tella. Então ela fez o possível para explicar a verdade sobre a morte e o Caraval.

Tella não conhecia os detalhes de como isso funcionava. Era uma das coisas sobre as quais as pessoas não falavam. Tudo o que sabia era que, quando um dos atores de Lenda morria durante o jogo, morria de verdade — mas não de forma permanente. Eles sentiam toda a dor e a sordidez que vêm com a morte, e permaneciam mortos até que o jogo estivesse oficialmente terminado.

— Isso significa que você teria voltado, não importa o que acontecesse? — perguntou Scarlett.

Tella empalideceu, ficando mais branca que seu vestido, e pela primeira vez Scarlett se perguntou como a morte tinha sido para a irmã. Tella era boa em esconder os próprios sentimentos e, ainda assim, não conseguiu conter o tremor na voz quando disse:

— Eu não sou atriz. As pessoas normais que morrem durante o jogo ficam mortas. Agora, vamos. — Tella se levantou da cadeira, espantando sua palidez enquanto enchia a voz de alegria. — É hora de se aprontar.

— Me aprontar para quê? — perguntou Scarlett.

— A festa — respondeu Tella como se fosse uma coisa óbvia. — Lembra-se do convite?

— Aquele que Lenda me deu? Aquilo era real? — Scarlett não conseguia decidir se o achava pervertido ou terrivelmente inteligente.

Tella segurou o braço de Scarlett conforme se dirigira para a porta.

— Não vou deixar que você recuse essa celebração!

Scarlett não queria sair do lado da irmã, mas ir a uma festa era a última coisa que tinha vontade de fazer. Gostava de socializar, mas naquele momento não se via flertando, comendo e dançando.

— Vamos! — Tella puxou-a com mais força. — Não temos muito tempo. Não quero chegar lá parecendo um fantasma.

— Bem, então você deveria ter escolhido um vestido diferente.

— Eu morri — emendou Tella com indiferença. — O que é mais perfeito do que isso? Você vai ver. No próximo jogo tenho certeza de que vai embarcar no drama ainda mais do que eu.

— Ah, não — retrucou Scarlett. — Não haverá próximo jogo para mim.

— Talvez você mude de ideia depois desta noite. — Tella exibiu um sorriso enigmático e abriu a porta antes que Scarlett pudesse argumentar.

Assim como os túneis que corriam abaixo do cenário, este conduzia a um novo corredor, que Scarlett nunca tinha visto. Ladrilhos de pedras preciosas cobriam o chão, tilintando sutilmente enquanto Tella puxava Scarlett por saletas cobertas de pinturas que a faziam recordar o caderno de Aiko.

Scarlett parou diante de uma que ela nunca vira; uma imagem de si mesma na Loja de Vestidos, de olhos esbugalhados e boca aberta a observar cada modelo, enquanto Tella a espiava em segredo no terceiro andar.

— Meu quarto é nesta direção, não no lugar onde você me encontrou na noite passada. — Tella rebocou Scarlett por mais algumas curvas, passando por uma variedade de artistas, com quem trocaram breves olás, antes de pararem em frente a uma porta redonda azul-celeste. — Desculpe, não está muito arrumado.

O interior do dormitório era um desastre, coberto de espartilhos, vestidos, chapéus sofisticados e até algumas capas. Scarlett não viu nenhum fio grisalho nos cabelos de sua irmã, embora suspeitasse que deveria haver alguns escondidos ali, pois não era possível Tella ter adquirido tantas coisas novas e extravagantes sem perder ao menos um ano de vida.

— É complicado quando não se tem muito espaço para guardar as coisas — comentou Tella, recolhendo algumas roupas para abrir um caminho, enquanto Scarlett entrava. — Não se preocupe, o vestido que escolhi para você não está no chão.

— Acho que não posso ir. — Scarlett se sentou na beira da cama.

— Você tem que ir. Já peguei um vestido para você, e ele me custou cinco segredos.

Tella marchou até o baú e, quando se virou de novo, seus braços seguravam um vestido etéreo e cor-de-rosa.

— Ele me faz lembrar um pôr do sol na Estação Quente.

— Então você deveria vesti-lo — sugeriu Scarlett.

— É longo demais para mim, e eu o comprei para você. — Tella jogou o vestido para a irmã. Ao toque, era tão complacente e sonhador quanto parecia aos olhos, com minúsculas mangas que pingavam dos ombros e um corpete cor de marfim coberto de fitas que fluíam para a saia vaporosa. Flores de seda pendiam das fitas, que Scarlett notou mudarem de cor sob a luz, numa combinação de cremes fulgurantes e rosas ardentes.

— Vista-o hoje, só isso — pediu Tella. — Se a festa terminar e você quiser deixar para trás o Caraval e todos os que fazem parte deste mundo, eu vou com você. Mas não vou deixar você perder essa festa. Ouvi dizer que Lenda não oferece convite a ninguém senão os seus artistas, e acho que você não ficará feliz se for embora sem resolver as coisas com Julian.

À menção de Julian, o coração de Scarlett se apertou. Estava contente por ele estar vivo. A despeito de tudo o que ocorrera entre os dois, Scarlett tinha certeza de que dali em diante as coisas não seriam nem sequer próximas do que foram antes. Apesar de Julian ter tentado contar-lhe a verdade, poderia ter sido apenas por sentir pena dela. Ou talvez isso também fosse parte da encenação. Não é como se ele alguma vez tivesse dito que a amava.

— Eu sinto como se não o conhecesse. — Scarlett também se sentiu uma tola, e achava que seria ridículo demais admitir isso.

— Então, esta noite é a sua chance de conhecê-lo. — Tella segurou as mãos da irmã e a puxou da cama. — Eu gostaria de poder dizer que o que aconteceu entre vocês foi verdadeiro.

— Tella, isso não está ajudando.

— É porque você não me deixa terminar. Mesmo que não seja o que você pensava, vocês dois viveram uma coisa importante durante a última semana. Eu acho que ele gostaria de um desfecho tanto quanto você.

Desfecho. Outra palavra para fim, conclusão.

Agora fazia todo o sentido Julian tê-la avisado de que a maior parte das pessoas que ela encontrava durante o Caraval não era o que parecia ser.

Mas Scarlett não podia negar que gostaria de vê-lo de novo.

— Garanto que você será a garota mais bonita na festa. Depois de mim, é claro. — Tella riu, suave e bonita; e, apesar de Scarlett sentir que seu coração se despedaçava de novo por Julian, lembrou-se de que ela e a irmã estavam final, miraculosa e gloriosamente livres. Isso era tudo o que ela sempre quisera, e vinha com um futuro que ainda estava para ser escrito, repleto de esperanças e possibilidades.

— Amo você, Tella.

— Eu sei disso. — Tella a olhou com uma expressão indescritivelmente afetuosa. — Eu não estaria aqui se você não me amasse.

Foi como entrar num mundo feito de antigos contos de fadas e sonhos realizados. O ar cheirava a sempre-viva, tomado por partículas de luz dourada das lanternas.

Scarlett não sabia onde fora parar a neve, mas agora não restava um floco. Em vez disso, o chão estava pontilhado de pétalas de flores. A floresta tinha tons de verde e oliva e jade e marfim. Até mesmo os troncos das árvores estavam cobertos por um musgo esmeralda, exceto pelas partes envoltas em fitas com tons de ouro e creme. As pessoas bebericavam coquetéis dourados, intensos e espessos como mel, enquanto outras comiam bolos semelhantes a nuvens.

E ali estava Julian. Ao vê-lo, o coração de Scarlett pulou rumo à garganta. Vinha procurando por ele desde o momento em que chegara, e de repente não conseguia se mexer nem respirar.

A alguns passos, debaixo de um arco de folhas verdes e laços dourados, ele estava de pé bebendo uma taça fina de mel, parecendo muitíssimo vivo e conversando com uma morena de cabelos lustrosos, bonita demais para o conforto de Scarlett. Quando ele riu de alguma coisa que a garota disse, o coração de Scarlett afundou da garganta para o estômago.

— Isso foi um erro.

— Parece que você precisa da minha ajuda de novo.

Aiko surgiu entre Tella e Scarlett. Diferentemente dos trajes cintilantes e coloridos que havia usado durante o Caraval, o vestido de anquinha da garota era agora sereno e escuro. Azul ou preto, Scarlett não soube distinguir. Com saia reta até o chão, mangas longas e gola alta.

— Estou com frio — explicou simplesmente. — E você parece estar meio arrepiada também, embora eu imagine que não seja por causa da temperatura. — Os olhos de Aiko espiaram a morena, observando enquanto ela enganchava a mão no braço de Julian. — O nome dela é Angelique. Você deve se lembrar dela, da Loja de Vestidos. Ela adora flertar com os que estão de olho em outra pessoa. — Aiko olhou enfaticamente para Scarlett.

— Essa é a sua maneira de dizer que eu deveria ir até lá falar com ele?

— Foi você quem disse isso, não nós — respondeu Tella.

Aiko meneou a cabeça, concordando.

— Ah! — exclamou Tella.

Scarlett seguiu o olhar da irmã até parar às pressas em Dante, que acabara de chegar à festa. Continuava vestido de preto, mas agora tinha ambas as mãos, e uma moça bonita em cada braço.

— Dante, estou tão feliz por você estar aqui! Estava procurando você, e acho que Aiko também. — Tella foi ligeira até o recém-chegado. Sem nenhuma palavra, Aiko a acompanhou, deixando Scarlett sozinha.

Scarlett tentou se tranquilizar respirando fundo, porém o coração batia mais rápido a cada passo que dava. O orvalho da grama umedecia o tecido fino e dourado de suas sapatilhas. Julian ainda não tinha olhado na sua direção, e ela temia o que veria quando ele o fizesse. Será que ele sorriria? Seria um sorriso sincero ou apenas educado? Ou ele se voltaria para Angelique, deixando claro que o que quer que tivesse acontecido entre ele e Scarlett de fato não fora nada?

Ela parou a vários passos de distância, incapaz de se aproximar mais. Pôde ouvir o estrondo baixo da voz dele quando disse a Angelique:

— Acho que é para lá que vamos depois.

— E você planeja roubar a cena de novo? — perguntou a morena.

Um vislumbre de dentes lupinos.

Angelique umedeceu os lábios.

Scarlett quis desaparecer no meio da noite, sumir da existência como uma estrela agonizante.

Então, ele a viu.

Sem nenhuma palavra, Julian deixou a taça de lado e marchou na direção dela. As folhas acima de Scarlett estremeceram, fazendo chover gotas auriverdes enquanto ele se aproximava. Seu andar mudou, oscilando entre confiante e algo que parecia totalmente diverso disso.

Seu Julian. Ainda assim, como poderia ser dela quando nem sabia nada de verdadeiro sobre ele?

— Olá — disse ela, mas o que saiu foi um sussurro.

Por um momento, ficaram só parados ali, debaixo das árvores que haviam se aquietado, assim como o coração de Scarlett.

— Então, seu verdadeiro nome é outro? — perguntou ela, finalmente. — Como Caspar?

— Felizmente não, meu nome não é Caspar.

Como Scarlett não sorriu, ele acrescentou:

— Fica muito confuso se todos usarmos nomes diferentes. Só o ator que interpreta Lenda faz isso.

— Então, seu nome é mesmo Julian?

— Julian Bernardo Marrero Santos. — Os lábios dele se curvaram ligeiramente, só nos cantos. Não era a torcidela maliciosa que ela conhecia. Outro áspero lembrete de que esse não era o rapaz que conhecia. Tons do amor vermelho-intenso que ela sentira durante o jogo misturaram-se a nuances de mágoa índigo-escura, deixando tudo um tanto violeta.

— Sinto que não conheço você, nem um pouco — confessou ela.

— Ai... Assim você me ofende, Scarlett. — Ele soou mais sério que zombeteiro. Mesmo assim, só o que ela ouviu foi o modo como a chamou de Scarlett... não de Carmim. O apelido provavelmente tinha sido só parte do jogo, e não deveria ter significado nada, mas não ouvi-lo a lembrou, mais uma vez, de quem ele realmente era, e de quem não era.

— Acho que não aguento isso. — Ela se virou para sair.

— Scarlett, espere. — Julian pegou no braço dela, fazendo-a girar e encará-lo. De longe, talvez parecessem um dos muitos casais que dançavam ao redor, caso não se visse a frustração no olhar dele e a mágoa no dela.

— Por que fica me chamando de Scarlett?

— Não é esse o seu nome?

— É, mas você nunca me chamou assim antes.

— Também nunca fiz isso antes. — Um músculo saltou na mandíbula de Julian. — Quando o jogo termina, vamos embora e deixamos tudo para trás. Não estou acostumado a falar com os participantes depois que tudo acaba.

— Prefere que eu vá embora? — perguntou ela.

— Não. Isso deveria ser óbvio — resmungou ele. — Mas quero que pare de olhar para mim como se eu fosse um estranho.

— Mas você é.

Julian se encolheu.

— Vai negar? — insistiu ela. — Você sabe tanto sobre mim e eu não sei nada de verdadeiro sobre você.

A mágoa na expressão de Julian se aprofundou.

— Sei que a sensação é essa, mas nem tudo o que contei a você era mentira.

— Mas a maior parte era. Você...

Julian tocou os lábios dela com um dedo, selando-os.

— Por favor, me deixe terminar. Nem tudo foi ilusão. Os papéis que desempenhamos no Caraval sempre refletem parte do que somos. Dante ainda acha que é mais bonito do que todo mundo. Aiko é imprevisível, mas normalmente prestativa. Você pode achar que não me conhece, mas conhece, sim. O que eu disse a você, sobre minha família ser bem relacionada e gostar de jogos, foi verdade. — Julian ergueu um braço, gesticulando em direção às pessoas em torno deles. — Esta tem sido a minha família durante a maior parte da minha vida.

Um misto de orgulho e alguma outra emoção que Scarlett não pôde identificar marcou as feições dele. E, subitamente, ela reconheceu um dos nomes dele nas histórias de sua avó: *Santos*.

— Você é parente de Lenda?

Em vez de responder, Julian observou a comemoração antes de olhar novamente para ela.

— Você me acompanha numa caminhada? — Estendeu a mão.

Scarlett ainda se lembrava de ter beijado os dedos dele, saboreando-os ao apertá-los junto dos lábios. Ao recordar, um tremor percorreu seus ombros nus. Ele a avisara de que deveria ter medo dos segredos dele, e agora ela entendia por quê.

Recusando a mão de Julian, ela o acompanhou mesmo assim. Suas sapatilhas pisaram pétalas de flores enquanto ele a guiava rumo a um salgueiro, afastando os ramos espessos para que ela pudesse entrar debaixo da copa. Algumas folhas brilhavam no escuro, lançando uma luz verde e suave e isolando-os da festa.

— Por quase toda a minha vida eu admirei Lenda — começou Julian. — Era como você quando começou a escrever cartas para ele. Eu o idolatrava. Cresci querendo *ser* Lenda. E, quando me tornei ator, nunca me importei se as mentiras que eu contava ferissem alguém. Só me importava em impressioná-lo. Então, veio Rosa.

O modo como ele pronunciou o nome fez alguma coisa tombar desconfortavelmente dentro do peito de Scarlett. Sabia que Rosa era real, mas imaginara que Lenda a tivesse seduzido, não outro.

— Você foi o ator que se envolveu com ela?

— Não — apressou-se ele a responder. — Eu nem mesmo a conheci, mas contei a verdade quando disse a você que perdi a fé em tudo quando ela se matou. Depois disso, percebi que o Caraval não era mais o jogo que já tinha sido, destinado a dar às pessoas uma aventura inocente, e, se possível, torná-las um pouco mais sábias. Lenda adquire uma parte de qualquer papel que interprete, e vinha fazendo o papel de vilão havia tanto tempo que tinha se tornado um na vida real. Finalmente, alguns meses atrás, decidi ir embora, mas Lenda me convenceu a dar a ele outra chance, e eu fiquei.

— Então, você de fato o conheceu? — perguntou Scarlett.

Julian abriu a boca como se quisesse dizer alguma coisa, mas as palavras não saíram. Olhou intensamente para Scarlett.

— Lembra-se do que me perguntou sobre Lenda?

— Se você era parente dele?

Julian assentiu, mas não detalhou a resposta. As folhas luminosas do salgueiro farfalharam quando ele prosseguiu em voz baixa:

— Lenda me mandou uma carta pedindo que eu participasse de um último jogo. Alegou que estava tentando se redimir. E eu quis acreditar nele.

Ele respirou fundo antes de continuar.

— Minha tarefa era trazer você e Tella para a ilha, mas, cada vez que eu tentava me separar de você, não conseguia. Você era diferente do que eu esperava. No Caraval, a maior parte das pessoas só se preocupa com o próprio prazer. Já você se importava tanto com sua irmã que me lembrou o modo como sempre me senti em relação ao meu irmão.

Os olhos caramelados de Julian se cravaram nos de Scarlett quando terminou. E, de repente, um pensamento ocorreu a ela.

— Lenda é seu irmão?

Um sorriso torto curvou os lábios de Julian.

— Eu esperava que você descobrisse.

— Mas... — Scarlett tropeçou no que diria em seguida, enquanto tentava entender a situação.

Isso explicava por que Julian havia tido tamanha dificuldade para sair do jogo. Scarlett sabia como era difícil dar as costas a um irmão, mesmo quando este fazia coisas nocivas. E os outros atores deram a Julian um tratamento *diferente*.

Desde que descobrira que Caspar apenas fingira ser Lenda, e que Julian estava vivo, Scarlett havia se perguntado mais uma vez se Julian na verdade era o mestre do Caraval. No entanto, talvez só pensasse isso porque os dois eram parentes próximos.

— Mas como é possível? Você é tão jovem.

— Não envelheço enquanto for um dos atores de Lenda — explicou ele. — Mas estava pronto para amadurecer quando decidi ir embora.

— Então, por que ficou e participou desta vez?

Julian olhou para Scarlett parecendo quase nervoso, como se agora fosse ela que tivesse o poder de partir seu coração.

— Fiquei porque comecei a me importar com você. Lenda nem sempre joga limpo, e eu quis tentar ajudar você. Mas sabia que, se nos aproximássemos e você descobrisse a verdade, ficaria magoada. Então, no começo, tentei lhe dar motivos para me detestar. Depois, ficou mais difícil afugentar você; cada vez que eu mentia para você me doía. Esse jogo revela as partes mais egoístas de muitas pessoas, mas teve o efeito contrário em você. Seu modo de agir restaurou minha crença de que o Caraval poderia ser o que eu acreditava que já foi... e que meu irmão poderia ser bom uma vez mais.

A voz de Julian estava embargada de emoção.

— Sei que magoei você, mas, por favor, me dê outra chance.

Ele parecia querer estender a mão e tocar nela. E parte de Scarlett também queria isso, porém era informação demais para absorver de uma só vez. Se Julian tivesse sido Lenda, teria sido mais fácil odiá-lo por fazê-la passar por tudo aquilo. Mas saber que Lenda era na verdade o irmão de Julian a dividia de muitas formas.

Antes que ele pudesse se aproximar, ela se afastou.

A boca de Julian se franziu nos cantos. Estava ferido, mas tentou disfarçar, levando a mão ao rosto para esfregar a mandíbula. Diferentemente de como estivera durante o jogo, agora estava de barba feita, parecia mais jovem, a não ser por...

Scarlett congelou.

Quando o vira pela primeira vez, não havia notado que a marca feita pelo pai dela ainda estava lá: uma cicatriz fina e irregular que ia da mandíbula ao canto do olho. Tinha imaginado que, já que ele podia voltar à vida, a ferida também desaparecesse de algum modo, e seria como se aquela noite pavorosa nunca tivesse acontecido.

Julian percebeu que Scarlett o fitava e respondeu à pergunta que ela não fizera:

— Posso ser incapaz de morrer durante o jogo, mas todos os ferimentos que recebo ao longo do Caraval deixam cicatrizes.

— Eu não sabia — murmurou ela.

A ideia de vê-lo a deixara nervosa, pois tivera medo de que o jogo não tivesse sido tão real para ele quanto fora para ela. Contudo, talvez Tella tivesse razão ao dizer que ali *há sempre uma pitada de realidade misturada a tudo*.

— Sinto muito por meu pai ter feito isso com você.

— Eu sabia os riscos que estava correndo — respondeu Julian. — Não lamente, a não ser que essa seja a razão pela qual queira tanto se afastar de mim.

Os olhos de Scarlett procuraram mais uma vez a cicatriz. Para ela, Julian sempre tinha sido bonito, mas essa cicatriz muito real na face o tornava devastador. Lembrava-a de sua bravura e abnegação e de como ele a fizera sentir mais do que qualquer outra pessoa que tivesse conhecido. Talvez não fosse exatamente o mesmo garoto que ela imaginara durante o jogo, porém já não parecia um estranho. E tudo o que tinha feito fora para ajudar o irmão. Como é que ela, entre todas as pessoas, poderia usar algo assim contra ele?

— Na verdade, acho que essa cicatriz é a coisa mais bonita que já vi.

Julian arregalou os olhos.

— Quer dizer que me perdoa?

Scarlett hesitou. Essa era sua chance de partir. Tella havia dito que, depois daquela noite, se ela quisesse, poderiam esquecer o Caraval completamente. Scarlett e Tella poderiam começar uma vida nova em outra ilha ou até mesmo num dos continentes. Scarlett costumava temer que não pudesse cuidar de si mesma, mas agora o desafio a empolgava. Ela e Tella poderiam fazer tudo o que quisessem.

Todavia, ao olhar para Julian, não pôde negar que ainda o queria também. Lembrou-se de todas as razões pelas quais se apaixonara por ele. Não era só o rosto bonito, nem o frio na barriga que o sorriso dele lhe causava. Era o modo como ele a encorajara a não desistir, e os sacrifícios que tinha feito por ela. Talvez não o conhecesse tão bem quanto gostaria, mas tinha razoável certeza de que ainda estava apaixonada por ele. Sabia que podia ir embora. Contudo, já passara tempo suficiente temendo os riscos que acompanhavam as coisas que ela mais queria.

Em resposta à pergunta, Scarlett ergueu a mão, levando os dedos devagar até a face dele. Sua pele formigou quando o tocou, gerando arrepios que percorreram os braços enquanto ela traçava a linha fina do canto dos lábios entreabertos até junto da pálpebra.

— Perdoo você — sussurrou ela.

Julian fechou os olhos por um momento, roçando os dedos dela com os cílios negros.

— Desta vez, eu prometo mesmo que não vou mais mentir para você.

— Mas vocês não têm regras sobre *se envolver* com pessoas que não façam parte do Caraval? — indagou Scarlett.

— Não me preocupo muito com as regras. — Julian passou um dedo frio pela clavícula dela ao se aproximar, deslizando a mão livre por seu pescoço.

O coração de Scarlett bateu mais rápido diante da promessa dos lábios dele, o tato de suas mãos e a lembrança de um beijo, tão perfeito e atrevido.

Não saberia quem beijou quem primeiro. Os lábios estavam quase se tocando, e em seguida a boca macia de Julian apertava a dela. Tinha o gosto do momento em que a noite está prestes a dar à luz a manhã; era o fim de uma coisa e o começo de outra, tudo ao mesmo tempo.

Julian a beijou como se jamais tivesse tocado antes naqueles lábios, selando a promessa que acabara de fazer ao puxá-la para junto de si, enganchando os dedos longos nas fitas do vestido.

Scarlett ergueu os braços e entrelaçou as mãos nos cabelos sedosos dele. De certo modo, ele ainda era tão misterioso e indecifrável quanto da primeira vez que ela o vira, mas, nesse momento, nenhuma das perguntas restantes importava. Scarlett sentia que sua história poderia ter acabado ali, num emaranhado de lábios, mãos e fitas coloridas.

EPÍLOGO

Enquanto as estrelas se inclinavam para mais junto da Terra, espiando Scarlett e Julian, na esperança de testemunhar um beijo tão mágico quanto o Caraval, Donatella começou a dançar sob o dossel formado pelas copas das árvores, desejando ter também alguém para beijar.

Rodopiou de parceiro em parceiro, suas sapatilhas mal tocando o chão, como se o champanhe que bebera antes contivesse partículas de estrelas que fizessem seus pés flutuarem pouco acima da grama. Tella imaginou que, pela manhã, provavelmente se arrependeria de ter bebido tanto, mas apreciou a sensação de flutuar — e, depois de tudo por que havia passado, precisava de uma noite de entrega e esquecimento.

Continuou devorando tortas alcoólicas e drenando cálices de cristal cheios de néctar embriagante até a cabeça começar a girar com o resto do corpo. Praticamente caiu nos braços do parceiro seguinte. Ele a puxou mais para junto de si do que os outros haviam feito. As mãos grandes serpentearam determinadas ao redor dela, levando consigo uma nova onda de prazer. Tella gostou do modo confiante como ele a tocou. Enquanto ele a puxava em direção ao fim da festa, afastando-a da multidão, imaginou como seria sentir aquelas mãos em outros lugares além da cintura. Talvez ele pudesse ajudá-la a tirar da mente todas as coisas que ela tivera medo de compartilhar com a irmã.

Inclinando a cabeça para trás, Tella sorriu, olhando para ele. Mas a noite havia escurecido, e sua vista ficara turva. Ele não se parecia com nenhum dos atores do Caraval que ela conhecia. Quando o parceiro se aproximou ainda mais, só o que Tella pôde ver foi um sorriso sombrio e malicioso enquanto as mãos dele desciam. Ela arfou quando os dedos dele se enterraram nas dobras do vestido, tocando os ossos dos quadris dela enquanto ele...

desaparecia.

Aconteceu tão rápido que Tella recuou, cambaleando.

Num momento, o jovem a envolvia nos braços e a trazia para junto de si como se fosse beijá-la. Depois, saía andando. Era tão rápido que fez Tella desejar não ter bebido tanto. Antes que ela pudesse dar mais que dois passos, ele sumiu por entre a multidão, deixando-a com o frio, a solidão e... alguma coisa pesada no bolso.

O arrepio percorreu os ombros desnudos de Tella. Sua cabeça podia estar girando, mas ela sabia que o item pesando na saia não estava ali antes. Por um momento, tentou nutrir a ideia de que fosse um tipo de chave — talvez o estranho esperasse que ela o seguisse até algum quarto em busca do beijo que nunca aconteceu. Contudo, se ele quisesse isso, Tella não acreditava que teria fugido dali tão rápido.

— Acho que preciso de outra taça de champanhe — murmurou ela a ninguém em especial, afastando-se da multidão. A não ser pelo fato de estar embrulhado em papel, ela não saberia dizer o que era o objeto no bolso, embora tivesse a sensação espinhosa de que era somente para seus olhos.

A música da festa foi se esvaindo enquanto Tella seguia na direção de uma árvore isolada, iluminada por velas penduradas que bruxuleavam em luzes branco-azuladas, e ela levou a mão ao bolso.

O objeto que tirou cabia na palma da mão. Alguém havia envolvido uma moeda grossa num bilhete. Mas não parecia nenhuma moeda que ela já tivesse visto. Guardou-a de novo no bolso depois de separá-la do bilhete.

A letra no papel era nítida e precisa.

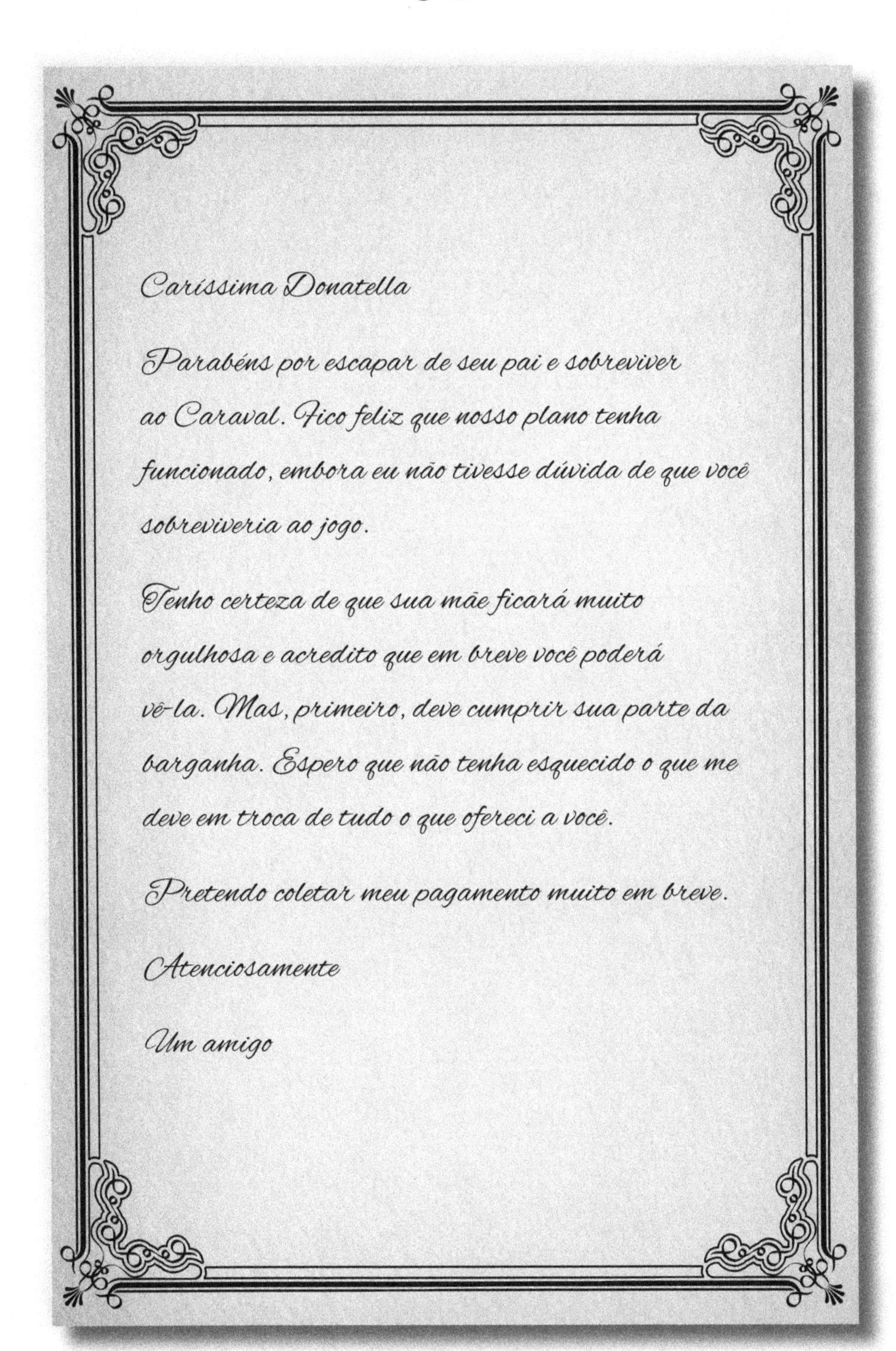
Caríssima Donatella

Parabéns por escapar de seu pai e sobreviver ao Caraval. Fico feliz que nosso plano tenha funcionado, embora eu não tivesse dúvida de que você sobreviveria ao jogo.

Tenho certeza de que sua mãe ficará muito orgulhosa e acredito que em breve você poderá vê-la. Mas, primeiro, deve cumprir sua parte da barganha. Espero que não tenha esquecido o que me deve em troca de tudo o que ofereci a você.

Pretendo coletar meu pagamento muito em breve.

Atenciosamente

Um amigo

Agradecimentos

Obrigada, Deus, por ter sido fiel quando minha fé vacilou, por seu amor e por todos os milagres que tornaram este livro possível.

Quando comecei a escrever, não tinha ideia de como minha jornada seria difícil e longa até a publicação. *Caraval* não foi o primeiro livro que escrevi, nem o segundo, nem o terceiro, nem o quarto, nem o quinto. Antes de terminar esta obra, fui confrontada por todas as razões para desistir de escrever. Felizmente, e em grande parte por causa das pessoas que estou prestes a mencionar, isso não aconteceu.

Um agradecimento mais que especial aos meus pais, que ajudaram a me manter e me deixaram morar com eles para que eu pudesse terminar este livro. Um agradecimento ainda maior porque vocês dois acreditaram em todos os livros inéditos que vieram antes deste. Mãe e Pai, amo muito vocês!

Obrigada à minha agente magnífica-incrível-fantástica-intrépida, Jenny Bent, por todos os bons conselhos, por ter trabalhado tão duro para deixar este livro em forma e por encontrar tantos lares maravilhosos para ele. Aprendi muito com você — e acho que é divertida.

Sarah Dotts Barley, minha gratidão por você não tem limites. Obrigada por ser uma editora tão extraordinária e uma defensora deste livro. Trabalhar com você é uma alegria constante. Estou tão emocionada por você ter se apaixonado pela história e por ter me mostrado como levar este livro a lugares aos quais não poderia tê-lo levado sozinha. Tem sido maravilhoso trabalhar com você!

Obrigada, Amy Einhorn e Bob Miller, meus *publishers* brilhantes; estou muito honrada por *Caraval* estar no catálogo da Flatiron. Amy, obrigada por todo o trabalho extra que dedicou a este livro, principalmente quando Sarah estava de licença-maternidade. Também quero agradecer a Caroline Bleeke, por se oferecer a ajudar e por ser sempre tão adorável.

Agradeço imensamente a todos na MacMillan que imprimiram sua marca neste livro. Obrigada, David Lott, Donna Noetzel, Liz Catalano, Vincent Stanley, Brenna Franzitta, Marlena Bittner, Patricia Cave, Liz Keenan e Molly Fonseca.

Erin Fitzsimmons e Ray Shappell, obrigada pela magia que vocês acrescentaram a este livro com seus lindos projetos de capa e ilustrações. E obrigada a você, Rhys Davies, por trazer meu mundo de faz de conta à vida com seu maravilhoso mapa do Caraval.

Agradeço a você, Pouya Shahbazian, meu fantástico representante no mundo do cinema, por encontrar um lar extraordinário para *Caraval* na Twentieth Century Fox. Obrigada, Kira Goldberg, por amar *Caraval* a ponto de acolhê-lo na Twentieth Century Fox — estou muito feliz por meu livro ter chegado às suas mãos. Obrigada, Nina Jacobson, por acreditar neste livro a ponto de produzi-lo. E obrigada, Karl Austen, por se envolver de última hora no caso e ajudar a deixar o dia mais empolgante da minha vida ainda mais magnífico.

Obrigada a todos na fenomenal Bent Agency, com agradecimentos especiais a Victoria Lowes, por responder às minhas muitas perguntas e por fazer um milhão de coisas das quais tenho certeza que nem sei. Molly Ker Hawn, muito obrigada por encontrar um lar tão fantástico para este livro no Reino Unido.

Continuo repleta de gratidão e admiração que *Caraval* também vá ser publicado por todo o mundo. Um tremendo obrigada a todos os meus coagentes, *scouts* e editores estrangeiros — Novo Conceito (Brasil),

BARD (Bulgária), Booky (China), Egmont (República Checa), Bayard (França), WSOY (Finlândia), Piper (Alemanha), Libri (Hungria), Noura (Indonésia), Miskal (Israel), RCS Libri (Itália), Kino Books (Japão), Sam & Parkers (Coreia), Luitingh-Sijthoff (Holanda), Aschehoug (Noruega), Znak (Polônia), Presença (Portugal), Editura RAO (Romênia), Atticus-Azbooka (Rússia), Planeta (Espanha), Faces (Taiwan), Dogan-Egmont (Turquia), Hodder & Stoughton (Reino Unido & Commonwealth) — obrigada a todos por investir neste livro e tornar todas essas maravilhas possíveis.

Em sua essência, *Caraval* é um livro sobre irmãs, e eu jamais poderia tê-lo escrito se não tivesse uma irmã tão fantástica. Allison Moores, obrigada por ser minha melhor amiga e por sempre acreditar que algum dia eu seria publicada, não importando quão difícil parecesse, nem com que frequência eu perdesse a fé.

Matthew Garber, meu generoso irmão, sempre admirei você e sou muito grata por todos os conselhos brilhantes que me deu quando eu tive que tomar várias decisões difíceis em relação a este livro. Você esteve ao meu lado tantas vezes, quando não havia mais ninguém com quem eu pudesse falar, e sempre soube exatamente o que dizer.

Matt Moores, meu cunhado paciente, obrigada por tirar fotos tão lindas da autora e projetar um site maravilhoso para mim. (Richard L. Press, obrigada por me deixar usar sua livraria.)

Stacey Lee, minha querida amiga e crítica fantástica. Acho que sempre estivemos destinadas a ser amigas. Obrigada por me ajudar a descobrir o que fazer com esse conceito, por ler meu primeiro esboço em menos de vinte e quatro horas, por me orientar ao longo das revisões por telefone e por estar ao meu lado em todos os altos e baixos mais malucos.

Também quero agradecer aos meus outros críticos e primeiros leitores maravilhosos. Mónica Bustamante Wagner, obrigada por sua disposição em ler meu livro várias e várias vezes, e por me fazer trabalhar duro naquela carta de apresentação. Elizabeth Briggs, obrigada por tudo o que me ensinou sobre escrita. Estou muito feliz porque o Pitch Wars nos reuniu. Obrigada, Amanda Roelofs, por sempre ler todos os meus primeiros esboços e responder a todas as minhas dúvidas. Jessica Taylor, obrigada por estar ao meu lado quando as coisas ficaram horríveis, e por seu entusiasmo quando lhe contei pela primeira vez um conceito bem vago da história. Julie Dao, obrigada por me emprestar seus olhos quando precisei de um novo par para ler este livro. E um agradecimento especial a Anita Mumm, Ida Olsen e Amy Lipsky por todos os seus pareceres inestimáveis.

Beth Hampson, muitas vezes, quando me senti incapaz por estar perseguindo um sonho que parecia não corresponder ao meu amor, você me incentivou e me fez sentir que o que eu estava fazendo realmente valia a pena. Portia Hopkins, obrigada por se oferecer para ler um livro se um dia eu o escrevesse, e depois por dar uma chance a uma professora que nunca tinha ensinado. Jessica Negrón, embora você nunca tenha lido este livro, sua ajuda com Lost Stars me ensinou muito.

Para os autores generosos e talentosos que fizeram a gentileza de ler as primeiras cópias deste livro e escrever recomendações tão amáveis a ele, muito, muito obrigada: Sabaa Tahir, Jodi Meadows, Kiersten White, Renée Ahdieh, Stacey Lee, Marie Rutkoski e Mackenzi Lee.

Também quero mandar um grande abraço e um enorme muito obrigada às minhas queridas amigas Katie Nelson, Katie Zachariou, Katie Bucklein, Melody Marshall, Kati Bartkowski, Heidi Lang, Jenelle Maloy, Julie Eshbaugh, Roshani Chokshi, Jen White, Valerie Tejada, Richelle Latona, Denise Apgar, Alexis Bass, Jamie Schwartzkopf, ao pessoal da Pub(lishing) Crawl, da Swanky Seventeens e da Sweet Sixteens — minha gratidão por conhecer todos vocês não cabe em mim.

CPSIA information can be obtained
at www.ICGtesting.com
Printed in the USA
BVHW030413151221
624018BV00011B/1869